王承略　劉心明　主編

二十五史藝文經籍志考補萃編

考補萃編

第十三卷

隋書經籍志　〔唐〕魏　徵　等撰
隋書經籍志補　張海峰　整理
隋書經籍志校補　張鵬一　撰　陳錦春　整理
隋代藝文志輯證　〔清〕汪之昌　撰　許建立　整理　李正奮　整理　周晶晶　整理
隋代藝文志　李正奮　撰　陳錦春　整理

清華大學出版社　北京

圖書在版編目(CIP)數據

二十五史藝文經籍志考補萃編. 第13卷/王承略,劉心明主編. —北京:清華大學出版社,2013

ISBN 978-7-302-29859-5

Ⅰ.①二… Ⅱ.①王…②劉… Ⅲ.①中國歷史－古代史－紀傳體 ②《二十五史》－研究 Ⅳ.①K204.1

中國版本圖書館 CIP 數據核字(2012)第 197345 號

責任編輯:馬慶洲
封面設計:曲小華
責任校對:宋玉蓮
責任印製:楊 艷

出版發行:清華大學出版社
　　　　網　　址:http://www.tup.com.cn,http://www.wqbook.com
　　　　地　　址:北京清華大學學研大廈 A 座　郵　編:100084
　　　　社 總 機:010-62770175　　　　　　郵　購:010-62786544
　　　　投稿與讀者服務:010-62776969,c-service@tup.tsinghua.edu.cn
　　　　質 量 反 饋:010-62772015,zhiliang@tup.tsinghua.edu.cn
印 刷 者:清華大學印刷廠
裝 訂 者:三河市金元印裝有限公司
經　　銷:全國新華書店
開　　本:148mm×210mm　印 張:13.75　字　數:342 千字
版　　次:2013 年 1 月第 1 版　　　　印　次:2013 年 1 月第 1 次印刷
印　　數:1～3000
定　　價:45.00 元

產品編號:043540-01

目　　録

隋代藝文志輯證

隋代藝文志

隋書經籍志

[唐] 魏徵 等撰

張海峰 整理

底本：1958 年上海商務印書館縮印《百衲本二十四史》影印元大德饒州路刻《隋書》本

校本：1986 年上海古籍出版社、上海書店影印清乾隆四年武英殿刻《隋書》本

一、經

夫經籍也者，機神之妙旨，聖哲之能事，所以經天地，緯陰陽，正
紀綱，弘道德，顯仁足以利物，藏用足以獨善，學之者將殖焉，
不學者將落焉。大業崇之，則成欽明之德；匹夫克念，則有王
公之重。其王者之所以樹風聲，流顯號，美教化，移風俗，何
莫由乎斯道？故曰：“其爲人也，溫柔敦厚，《詩》教也。疏通
知遠，《書》教也。廣博易良，《樂》教也。絜靜精微，《易》教
也。恭儉莊敬，《禮》教也。屬辭比事，《春秋》教也。”遭時制
宜，質文迭用，應之以通變，通變之以中庸。中庸則可久，通
變則可大，其教有適，其用無窮，實仁義之陶鈞，誠道德之橐
籥也。其爲用大矣，隨時之義深矣，言無得而稱焉，故曰：“不
疾而速，不行而至。”今之所以知古，後之所以知今，其斯之謂
也。是以大道方行，俯龜象而設卦，後聖有作，仰鳥跡以成
文。書契已傳，繩木棄而不用，史官既立，經籍於是興焉。
夫經籍也者，先聖據龍圖，握鳳紀，南面以君天下者，咸有史官，
以紀言行。言則左史書之，動則右史書之。故曰“君舉必
書”，懲勸斯在。考之前載，則三墳、五典、八索、九丘之類是
也。下逮殷、周，史官尤備，紀言書事，靡有闕遺，則《周禮》所
稱太史掌建邦之六典、八灋、八則、以詔王治；小史掌邦國之
志，定世繫，辨昭穆；内史掌王之八柄，策命而貳之；外史掌王
之外令及四方之志，三皇、五帝之書；御史掌邦國都鄙萬民之
治令，以贊冢宰。此則天子之史，凡有五焉。諸侯亦各有國
史，分掌其職。則《春秋傳》晉趙穿弑靈公，太史董狐書曰“趙
盾殺其君”，以示於朝。宣子曰：“不然。”對曰：“子爲正卿，亡

不越境，反不討賊，非子而誰？"齊崔杼弒莊公，太史書曰"崔杼弒其君"，崔子殺之。其弟嗣書，死者二人。其弟又書，乃舍之。南史聞太史盡死，執簡以往，聞既書矣，乃還。楚靈王與右尹子革語，左史倚相趨而過。王曰："此良史也，能讀三墳、五典、八索、九丘。"然則諸侯史官，亦非一人而已，皆以記言書事，太史揔而裁之，以成國家之典。不虛美，不隱惡，故得有所懲勸，遺文可觀，則《左傳》稱《周志》，《國語》有《鄭書》之類是也。

暨夫周室道衰，紀綱散亂，國異政，家殊俗，褒貶失實，隳紊舊章。孔丘以大聖之才，當傾頹之運，歎鳳鳥之不至，惜將墜於斯文，乃述《易》道而刪《詩》、《書》，脩《春秋》而正《雅》、《頌》。壞禮崩樂，咸得其所。自哲人萎而微言絕，七十子散而大義乖，戰國縱橫，真偽莫辨，諸子之言，紛然淆亂。聖人之至德喪矣，先王之要道亡矣，陵夷蹉跌，以至于秦。秦政奮豺狼之心，剗先代之迹，焚《詩》、《書》，坑儒士，以刀筆吏爲師，制挾書之令。學者逃難，竄伏山林，或失本經，口以傳說。

漢氏誅除秦、項，未及下車，先命叔孫通草緜蕝之儀，救擊柱之弊。其後張蒼治律曆，陸賈撰《新語》，曹參薦蓋公言黃老，惠帝除挾書之律，儒者始以其業行於民間。猶以去聖既遠，經籍散逸，簡札錯亂，傳說紕繆，遂使《書》分爲二，《詩》分爲三，《論語》有齊、魯之殊，《春秋》有數家之傳。其餘互有蹉駮，不可勝言。此其所以博而寡要，勞而少功者也。武帝置太史公，命天下計書，先上太史，副上丞相，開獻書之路，置寫書之官，外有太常、太史、博士之藏，內有延閣、廣內、祕室之府。司馬談父子，世居太史，探采前代，斷自軒皇，逮于孝武，作《史記》一百三十篇。詳其體制，蓋史官之舊也。至於孝成，祕藏之書，頗有亡散，乃使謁者陳農，求遺書於天下。命光祿

大夫劉向，校經傳諸子詩賦，步兵校尉任宏校兵書，太史令尹
咸校數術，太醫監李柱國校方技。每一書就，向輒撰爲一録，
論其指歸，辨其訛謬，叙而奏之。向卒後，哀帝使其子歆嗣父
之業，乃徙温室中書於天禄閣上。歆遂摠括羣篇，撮其指要，
著爲《七略》：一曰集略，二曰六藝略，三曰諸子略，四曰詩賦
略，五曰兵書略，六曰術數略，七曰方技略。大凡三萬三千九
十卷。王莽之末，又被焚燒。光武中興，篤好文雅，明、章繼
軌，尤重經術。四方鴻生鉅儒，負裘自遠而至者，不可勝筭。
石室、蘭臺，彌以充積。又於東觀及仁壽閣集新書，校書郎班
固、傅毅等典掌焉。並依《七略》而爲書部，固又編之，以爲
《漢書‧藝文志》。董卓之亂，獻帝西遷，圖書縑帛，軍人皆取
爲帷囊。所收而西，猶七十餘載。兩京大亂，掃地皆盡。

魏氏代漢，采掇遺亡，藏在祕書、中外三閣。魏祕書郎鄭默，始
制《中經》。祕書監荀勖又因《中經》，更著《新簿》，分爲四部，
摠括羣書。一曰甲部，紀六藝及小學等書。二曰乙部，有古
諸子家、近世子家、兵書、兵家、術數。三曰丙部，有史記、舊
事、皇覽簿、雜事。四曰丁部，有詩賦、圖讚、汲冢書。大凡四
部合二萬九千九百四十五卷。但録題及言，盛以縹囊，書用
緗素。至於作者之意，無所論辯。惠、懷之亂，京華蕩覆，渠
閣文籍，靡有孑遺。

東晋之初，漸更鳩聚。著作郎李充，以勖舊《簿》校之，其見存
者，但有三千一十四卷。充遂摠没衆篇之名，但以甲乙爲次。
自爾因循，無所變革。其後中朝遺書，稍流江左。宋元嘉八
年，祕書監謝靈運造《四部目録》，大凡六萬四千五百八十二
卷。元徽元年，祕書丞王儉又造《目録》，大凡一萬五千七百
四卷。儉又别撰《七志》：一曰經典志，紀六藝、小學、史記、雜
傳。二曰諸子志，紀今古諸子。三曰文翰志，紀詩賦。四曰

軍書志,紀兵書。五曰陰陽志,紀陰陽圖緯。六曰術藝志,紀
方技。七曰圖譜志,紀地域及圖書。其道、佛附見,合九條。
然亦不述作者之意,但於書名之下,每立一傳,而又作九篇條
例,編乎首卷之中。文義淺近,未爲典則。齊永明中,祕書丞
王亮、監謝朏,又造《四部書目》,大凡一萬八千一十卷。齊末
兵火延燒祕閣,經籍遺散。梁初,祕書監任昉躬加部集,又於
文德殿內列藏衆書,華林園中摠集釋典,大凡二萬三千一百
六卷,而釋氏不豫焉。梁有祕書監任昉、殷鈞《四部目録》,又
《文德殿目録》。其術數之書,更爲一部,使奉朝請祖暅撰其
名。故梁有《五部目録》。普通中,有處士阮孝緒,沉靜寡慾,
篤好墳史,博采宋、齊已來王公之家凡有書記,參校官簿,更
爲《七録》:一曰經典録,紀六藝。二曰記傳録,紀史傳。三曰
子兵録,紀子書、兵書。四曰文集録,紀詩賦。五曰技術録,
紀數術。六曰佛録。七曰道録。其分部題目,頗有次序,割
析辭義,淺薄不經。梁武敦悦詩書,下化其上,四境之內,家
有文史。元帝克平侯景,收文德之書及公私經籍,歸於江陵,
大凡七萬餘卷。周師入郢,咸自焚之。陳天嘉中,又更鳩集,
考其篇目,遺闕尚多。

其中原則戰爭相尋,干戈是務,文教之盛,符、姚而已。宋武入
關,收其圖籍,府藏所有,纔四千卷。赤軸青紙,文字古拙。
後魏始都燕代,南略中原,粗收經史,未能全具。孝文徙都洛
邑,借書於齊,祕府之中,稍以充實。暨於爾朱之亂,散落人
間。後齊遷鄴,頗更搜聚,迄於天統、武平,校寫不輟。後周
始基關右,外逼彊隣,戎馬生郊,日不暇給。保定之始,書止
八千,後稍加增,方盈萬卷。周武平齊,先封書府,所加舊本,
纔至五千。

隋開皇三年,祕書監牛弘,表請分遣使人,搜訪異本。每書一

卷，賞絹一匹，校寫既定，本即歸主。於是民間異書，往往間出。及平陳已後，經籍漸備，檢其所得，多太建時書，紙墨不精，書亦拙惡。於是揔集編次，存爲古本。召天下工書之士，京兆韋霈、南陽杜頵等，於祕書內補續殘缺，爲正副二本，藏于宮中，其餘以實祕書、內外之閣，凡三萬餘卷。煬帝即位，祕閣之書，限寫五十副本，分爲三品：上品紅瑠璃軸，中品紺瑠璃軸，下品漆軸。於東都觀文殿東西廂構屋以貯之，東屋藏甲乙，西屋藏丙丁。又聚魏已來古跡名畫，於殿後起二臺，東曰妙楷臺，藏古跡，西曰寶臺，^①藏古畫。又於內道場集道、佛經，別撰目錄。

大唐武德五年，克平僞鄭，盡收其圖書及古跡焉。命司農少卿宋遵貴載之以船，泝河西上，將致京師。行經底柱，多被漂没，其所存者，十不一二。其《目錄》亦爲所漸濡，時有殘缺。今考見存，分爲四部，合條爲一萬四千四百六十六部，有八萬九千六百六十六卷。其舊錄所取，文義淺俗、無益教理者，並删去之。其舊錄所遺，辭義可采，有所弘益者，咸附入之。遠覽馬《史》、班《書》，近觀王、阮《志》、《錄》，挹其風流體制，削其浮雜鄙俚，離其疏遠，合其近密，約文緒義，凡五十五篇，各列本條之下，以備《經籍志》。雖未能研幾探賾，窮極幽隱，庶乎弘道設教，可以無遺闕焉。夫仁義禮智，所以治國也，方技數術，所以治身也。諸子爲經籍之鼓吹，文章乃政化之黼黻，皆爲治之具也。故列之於此志云。

歸藏十三卷　晉太尉參軍薛貞註。

---

① “寶臺”，武英殿本（以下簡稱殿本）同，中華書局標點本（以下簡稱中華本）據張彥遠《歷代名畫記》卷一於“寶”後補“蹟”字。

周易二卷　魏文侯師卜子夏傳，殘缺。梁六卷。

周易十卷　漢魏郡太守京房章句。

周易八卷　漢曲臺長孟喜章句，殘缺。梁十卷。又有漢單父長費直注《周易》四卷，亡。

周易九卷　後漢大司農鄭玄注。梁又有漢南郡太守馬融注《周易》一卷，亡。

周易五卷　漢荆州牧劉表章句。梁有漢荆州五業從事宋忠注《周易》十卷，亡。

周易十一卷　漢司空荀爽注。

周易十卷　魏衛將軍王肅注。

周易十卷　魏尚書郎王弼注《六十四卦》六卷，韓康伯注《繫辭》以下三卷，王弼又撰《易略例》一卷，梁有魏大司農卿董遇注《周易》十卷，魏散騎常侍荀煇注《周易》十卷，亡。

周易十卷　吳太常姚信注。

周易四卷　晉儒林從事黃穎注。梁有十卷，今殘缺。

周易九卷　吳侍御史虞翻注。

周易十五卷　吳鬱林太守陸績注。

周易十卷　晉散騎常侍干寶注。

周易三卷　晉驃騎將軍王廙注，殘缺。梁有十卷。

周易八卷　晉著作郎張璠注，殘缺。梁有十卷。

周易馬鄭二王四家集解十卷

周易荀爽九家注十卷

周易楊氏集二王注五卷　梁有《集馬、鄭、二王解》十卷，亡。

周易十卷　蜀才注。梁有齊安參軍費元珪注《周易》九卷，謝氏注《周易》八卷，尹濤注《周易》六卷，亡。

周易十卷　後魏司徒崔浩注。

周易十卷　梁處士何胤注。梁有臨海令伏曼容注《周易》八卷，侍中朱异集注《周易》一百卷，又《周易集注》三十卷，亡。

周易七卷　姚規注。

周易十三卷　崔覲注。

周易十三卷　傅氏注。

周易一帙十卷　盧氏注。

周易繫辭二卷　晋桓玄注。

周易繫辭二卷　晋西中郎將謝萬等注。

周易繫辭二卷　晋太常韓康伯注。

周易繫辭二卷　梁太中大夫宋褰注。又有宋東陽太守卞伯玉注《繫辭》二卷,亡。

周易繫辭二卷　荀柔之注。

周易集注繫辭二卷　梁有宋太中大夫徐爰注《繫辭》二卷,亡。

周易音一卷　東晋太子前率徐邈撰。

周易音一卷　東晋尚書郎李軌、弘範撰。

周易音一卷　范氏撰。

周易並注音七卷　祕書學士陸德明撰。

周易盡神論一卷　魏司空鍾會撰。梁有《周易無互體論》三卷,鍾會撰,亡。

周易象論三卷　晋尚書郎樂肇撰。

周易卦序論一卷　晋司徒右長史楊乂撰。

周易統略五卷　晋少府卿鄒湛撰。

周易論二卷　晋馮翊太守阮渾撰。

周易論一卷　晋荆州刺史宋岱撰。梁有《擬周易説》八卷,范氏撰。《周易宗塗》四
卷,干寶撰。《周易問難》二卷,王氏撰。《周易問答》一卷,楊州從事徐伯珍撰。《周
易難王輔嗣義》一卷,晋楊州刺史顧夷等撰。《周易雜論》十四卷。亡。

周易義一卷　宋陳令范歆撰。

周易玄品二卷

周易論十卷　齊中書郎周顒撰。梁有三十卷,亡。

周易論四卷　范氏撰。

周易統例十卷　崔覲撰。

周易爻義一卷　干寶撰。

周易乾坤義一卷　齊步兵校尉劉瓛撰。梁又有齊臨沂令李玉之、梁釋法通等《乾

坤義》各一卷，亡。

周易大義二十一卷　梁武帝撰。

周易幾義一卷　梁南平王撰。梁有《周易疑通》五卷，宋中散大夫何諲之撰。《周易四德例》一卷，劉巘撰。① 亡。

周易大義一卷　梁有《周易錯》八卷，京房撰。《周易日月變例》六卷，虞翻、陸績撰。《周易卦象數旨》六卷，東晉樂安亭侯李顒撰。《周易爻》一卷，馬楷撰。亡。

周易大義二卷　陸德明撰。

周易釋序義三卷

周易開題義十卷　梁蕃撰。

周易問二十卷

周易義疏十九卷　宋明帝集羣臣講。梁又有《國子講易議》六卷，《宋明帝集羣臣講易義疏》二十卷，《齊永明國學講周易講疏》二十六卷。又《周易義》三卷，沈林撰。亡。

周易講疏三十五卷　梁武帝撰。

周易講疏十六卷　梁五經博士褚仲都撰。

周易義疏十四卷　梁都官尚書蕭子政撰。

周易繫辭義疏三卷　蕭子政撰。

周易講疏三十卷　陳諮議參軍張機撰。②

周易文句義二十卷　梁有《擬周易義疏》十三卷。

周易義疏十六卷　陳尚書左僕射周弘正撰。

周易私記二十卷

周易講疏十三卷　國子祭酒何妥撰。

周易繫辭義疏二卷　劉巘撰。

周易繫辭義疏一卷　梁武帝撰。

周易繫辭義疏二卷　蕭子政撰。梁有《周易乾坤三象》、《周易新圖》各一卷。又

---

① "劉巘"，殿本、中華本作"劉瓛"。下"周易繫辭義疏二卷劉巘撰"條同。

② "張機"，殿本同，姚振宗《隋書經籍志考證》以爲"機"當作"譏"。

《周易普玄圖》八卷，薛景和撰。《周易大演通統》一卷，顏氏撰。

周易譜一卷

右六十九部，五百五十一卷。 通計亡書，合九十四部，八百二十九卷。

昔宓羲氏始畫八卦，以通神明之德，以類萬物之情，蓋因而重之，爲六十四卦。及乎三代，實爲三《易》：夏曰《連山》，殷曰《歸藏》，周文王作卦辭，謂之《周易》。周公又作爻辭，孔子爲《彖》、《象》、《繫辭》、《文言》、《序卦》、《説卦》、《雜卦》，而子夏爲之傳。及秦焚書，《周易》獨以卜筮得存，唯失《説卦》三篇。後河内女子得之。漢初，傳《易》者有田何，何授丁寬，寬授田王孫，王孫授沛人施讎、東海孟喜、琅邪梁丘賀。由是有施、孟、梁丘之學。又有東郡京房，自云受《易》於梁國焦延壽，別爲京氏學。嘗立，後罷。後漢施、孟、梁丘、京氏，凡四家並立，而傳者甚衆。漢初又有東萊費直傳《易》，其本皆古字，號曰《古文易》。以授琅邪王璜，璜授沛人高相，相以授子康及蘭陵母將永。故有費氏之學，行於人間，而未得立。後漢陳元、鄭衆，皆傳費氏之學。馬融又爲其傳，以授鄭玄。玄作《易注》，荀爽又作《易傳》。魏代王肅、王弼，並爲之注。自是費氏大興，高氏遂衰。梁丘、施氏、高氏，亡於西晉。孟氏、京氏、有書無師。梁、陳，鄭玄、王弼二注列於國學。齊代唯傳鄭義。至隋，王注盛行，鄭學浸微，今殆絕矣。《歸藏》，漢初已亡。案晉《中經》有之，唯載卜筮，不似聖人之旨。以本卦尚存，故取貫於《周易》之首，以備"殷易"之缺。

古文尚書十三卷 漢臨淮太守孔安國傳。

今字尚書十四卷 孔安國傳。

尚書十一卷 馬融注。

尚書九卷 鄭玄注。

尚書十一卷　王肅注。

尚書十五卷　晋祠部郎謝沈撰。

集解尚書十一卷　李顒注。

集釋尚書十一卷　宋給事中姜道盛注。

古文尚書舜典一卷　晋豫章太守范甯注。梁有《尚書》十卷，范甯注，亡。

尚書亡篇序一卷　梁五經博士劉叔嗣注。梁有《尚書》二十一卷，劉叔嗣注。又有《尚書新集序》一卷。亡。

尚書逸篇二卷

古文尚書音一卷　徐邈撰。梁有《尚書音》五卷，孔安國、鄭玄、李軌、徐邈等撰。

今文尚書音一卷　祕書學士顧彪撰。

尚書大傳三卷　鄭玄注。

大傳音二卷　顧彪撰。

尚書洪範五行傳論十一卷　漢光禄大夫劉向注。

尚書駮議五卷　王肅撰。梁有《尚書義問》三卷，鄭玄、王肅及晋五經博士孔晁撰。《尚書釋問》四卷，魏侍中王粲撰。《尚書王氏傳問》二卷，《尚書義》二卷，范順問，吴太尉劉毅答。① 亡。

尚書新釋二卷　李顒撰。

尚書百問一卷　齊太學博士顧歡撰。

尚書大義二十卷　梁武帝撰。

尚書百釋三卷　梁國子助教巢猗撰。

尚書義三卷　巢猗撰。

尚書義疏十卷　梁國子助教費甝撰。梁有《尚書義疏》四卷，晋樂安王友伊說撰，亡。

尚書義疏三十卷　蕭詧司徒蔡大寶撰。

尚書義注三卷　吕文優撰。

---

① “范順問吴太尉劉毅答”，殿本同，中華本據侯康《補三國藝文志》改作“吴太尉范順問劉毅答”。

尚書義疏七卷

尚書述義二十卷　國子助教劉炫撰。

尚書疏二十卷　顧彪撰。

尚書閏義一卷

尚書義三卷　劉先生撰。

尚書釋問一卷　虞氏撰。

尚書文外義一卷　顧彪撰。

右三十二部，二百四十七卷。　通計亡書，合四十一部，共二百九十六卷。

《書》之所興，蓋與文字俱起。孔子觀《書》周室，得虞、夏、商、周四代之典，删其善者，上自虞，下至周，爲百篇，編而序之。遭秦滅學，至漢，唯濟南伏生口傳二十八篇。又河内女子得《泰誓》一篇，獻之。伏生作《尚書傳》四十一篇，以授同郡張生，張生授千乘歐陽生，歐陽生授同郡兒寬，寬授歐陽生之子，世世傳之，至曾孫歐陽高，謂之《尚書》歐陽之學。又有夏侯都尉，受業於張生，以授族子始昌，始昌傳族子勝，爲大夏侯之學。勝傳從子建，別爲小夏侯之學。故有歐陽、大、小夏侯三家並立。訖漢東京，相傳不絶，而歐陽最盛。初漢武帝時，魯恭王壞孔子舊宅，得其末孫惠所藏之書，字皆古文。孔安國以今文校之，得二十五篇。其《泰誓》與河内女子所獻不同。又濟南伏生所誦，有五篇相合。安國並依古文，開其篇第，以隸古字寫之，合成五十八篇。其餘篇簡錯亂，不可復讀，並送之官府。安國又爲五十八篇作傳，會巫蠱事起，不得奏上，私傳其業於都尉朝，朝授膠東庸生，謂之《尚書》古文之學，而未得立。後漢扶風杜林，傳《古文尚書》，同郡賈逵爲之作訓，馬融作傳，鄭玄亦爲之注。然其所傳，唯二十九篇，又雜以今文，非孔舊本，自餘絶無師説。晋世祕府所存，有《古文尚書》經文，今無有傳者。及永嘉之亂，歐陽、大、小夏侯

《尚書》並亡。濟南伏生之傳，唯劉向父子所著《五行傳》是其
本法，而又多乖戾。至東晋，豫章内史梅賾，始得安國之傳，奏
之，時又闕《舜典》一篇。齊建武中，吳姚興方，①於大桁市得
其書，奏上，比馬、鄭所注多二十八字，於是始列國學。梁、陳
所講，有孔、鄭二家，齊代唯傳鄭義。至隋，孔、鄭並行，而鄭
氏甚微。自餘所存，無復師説。又有《尚書》逸篇，出於齊、梁
之間，考其篇目，似孔壁中書之殘缺者，故附《尚書》之末。

韓詩二十二卷　漢常山太傅韓嬰，薛氏章句。

韓詩翼要十卷　漢侯苞傳。②

韓詩外傳十卷　梁有《韓詩譜》二卷，《詩神泉》一卷，漢有道徵士趙曄撰，亡。

毛詩二十卷　漢河間太守毛萇傳，③鄭氏箋。梁有《毛詩》十卷，馬融注，亡。

毛詩二十卷　王肅注。梁有《毛詩》二十卷，鄭玄、王肅合注。《毛詩》二十卷，謝沈
注。《毛詩》二十卷，晋兗州别駕江熙注。亡。

集注毛詩二十四卷　梁桂州刺史崔靈恩注。梁有《毛詩序》一卷，梁隱居先生陶
弘景注，亡。

毛詩箋音證十卷　後魏太常卿劉芳撰。梁有《毛詩音》十六卷，徐邈等撰。《毛詩
音》二卷，徐邈撰。《毛詩音隱》一卷，干氏撰。亡。

毛詩並注音八卷　祕書學士魯世達撰。

毛詩譜三卷　吳太常卿徐整撰。

毛詩譜二卷　太叔求及劉炫注。

謝氏毛詩譜鈔一卷　梁有《毛詩雜議難》十卷，漢侍中賈逵撰，亡。

毛詩義問十卷　魏太子文學劉楨撰。④

---

①　“姚興方”，殿本同，中華本據《經典釋文·叙録》、《史通·正史篇》改作“姚
方興”。

②　“侯苞”，中華本同，殿本作“侯芭”。下同。

③　“太守”，殿本同，中華本據《日本國見在書目》改作“太傅”。

④　“劉楨”，殿本同，姚振宗《隋書經籍志考證》以爲“楨”當作“楨”。

毛詩義駁八卷　王肅撰。

毛詩奏事一卷　王肅撰。有《毛詩問難》二卷，王肅撰，亡。

毛詩駁一卷　魏司空王基撰，殘缺。梁五卷。又有《毛詩答問》、《駁譜》，合八卷。
又《毛詩釋義》十卷，謝沈撰。《毛詩義》四卷，《毛詩箋傳是非》二卷，並魏祕書郎劉璠
撰。《毛詩答雜問》七卷，吳侍中韋昭、侍中朱育等撰。《毛詩義注》四卷。亡。

毛詩異同評十卷　晋長沙太守孫毓撰。

難孫氏毛詩評四卷　晋徐州從事陳統撰。梁有《毛詩表隱》二卷，陳統撰，亡。

毛詩拾遺一卷　郭璞撰。梁又有《毛詩略》四卷，亡。

毛詩辯異三卷　晋給事郎楊乂撰。梁有《毛詩背隱義》二卷，宋中散大夫徐廣撰。
《毛詩引辨》一卷，宋奉朝請孫暢之撰。《毛詩釋》一卷，宋金紫光禄大夫何偃撰。《毛
詩檢漏義》二卷，梁給事郎謝曇濟撰。《毛詩摠集》六卷，《毛詩隱義》十卷，並梁處士
何胤撰。亡。

毛詩異義二卷　楊乂撰。梁有《毛詩雜義》五卷，楊乂撰。《毛詩義疏》十卷，謝沈
撰。《毛詩雜義》四卷，晋江州刺史殷仲堪撰。《毛詩義疏》五卷，張氏撰。亡。

毛詩集解叙義一卷　顧歡等撰。

毛詩序義二卷　宋通直郎雷次宗撰。梁有《毛詩義》一卷，雷次宗撰。《毛詩序注》
一卷，宋交州刺史阮珍之撰。《毛詩序義》七卷，孫暢之撰。亡。

毛詩集小序一卷　劉炫注。

毛詩序義疏一卷　劉瓛等撰，殘缺。梁三卷。梁有《毛詩篇次義》一卷，劉瓛撰。
《毛詩雜義注》三卷。亡。

毛詩發題序義一卷　梁武帝撰。

毛詩大義十一卷　梁武帝撰。梁有《毛詩十五國風義》二十卷，梁簡文撰。

毛詩大義十三卷

毛詩草木蟲魚疏二卷　烏程令吳郡陸璣撰。

毛詩義疏二十卷　舒援撰。

毛詩誼府三卷　後魏安豐王元延明撰。

毛詩義疏二十八卷　蕭歸散騎常侍沈重撰。

毛詩義疏二十卷

毛詩義疏二十九卷

毛詩義疏十卷

毛詩義疏十一卷

毛詩義疏二十八卷

毛詩述義四十卷　國子助教劉炫撰。

毛詩章句義疏四十卷　魯世達撰。

毛詩釋疑一卷　梁有《毛詩圖》三卷，《毛詩孔子經圖》十二卷，《毛詩古聖賢圖》二卷，亡。

業詩二十卷　宋奉朝請業遵注。

右三十九部，四百四十二卷。　通計亡書，合七十六部，六百八十三卷。

《詩》者，所以導達心靈，歌詠情志者也。故曰："在心爲志，發言爲詩。"上古人淳俗樸，情志未惑。其後君尊於上，臣卑於下，面稱爲諂，目諫爲謗，故誦美譏惡，以諷刺之。初，但歌詠而已，後之君子，因被管絃，以存勸戒。夏、殷已上，詩多不存。周氏始自后稷，而公劉克篤前烈，太王肇基王迹，文王光昭前緒，武王克平殷亂，成王、周公化至太平，誦美盛德，踵武相繼。幽、厲板蕩，怨刺並興。其后王澤竭而詩亡，魯太師摯次而録之。孔子删詩，上采商，下取魯，凡三百篇。至秦，獨以爲諷誦，不滅。漢初，有魯人申公受《詩》於浮丘伯，作詁訓，是爲《魯詩》。齊人轅固生亦傳《詩》，是爲《齊詩》。燕人韓嬰亦傳《詩》，是爲《韓詩》。終于後漢，三家並立。漢初又有趙人毛萇善《詩》，自云子夏所傳，作《詁訓傳》，是爲《毛詩》古學，而未得立。後漢有九江謝曼卿，善《毛詩》，又爲之訓。東海衛敬仲，受學於曼卿。先儒相承，謂之《毛詩》。《序》，子夏所創，毛公及敬仲又加潤益。鄭衆、賈逵、馬融並作《毛詩傳》，鄭玄作《毛詩箋》。《齊詩》魏代已亡。《魯詩》亡於西晋。《韓詩》雖存，無傳之

者。唯《毛詩》鄭箋至今獨立。又有《業詩》，奉朝請業遵所
注，立義多異，世所不行。

周官禮十二卷 馬融注。

周官禮十二卷 鄭玄注。

周官禮十二卷 王肅注。

周官禮十二卷 伊說注。

周官禮十二卷 干寶注。梁人有《周官寧朔新書》八卷，晉燕王師王懋約撰，亡。

集注周官禮二十卷 崔靈恩注。

禮音三卷 劉昌宗撰。

周官禮異同評十二卷 晉司空長史陳劭撰。

周官禮駮難四卷 孫略撰。梁有《周官駮難》三卷，孫琦問，干寶駮，晉散騎常侍
虞喜撰。

周官禮義疏四十卷 沈重撰。

周官禮義疏十九卷

周官禮義疏十卷

周官禮義疏九卷

周官分職四卷

周官禮圖十四卷 梁有《郊祀圖》二卷，亡。

儀禮十七卷 鄭玄注。

儀禮十七卷 王肅注。梁有李軌、劉昌宗音各一卷，鄭玄音二卷，亡。

儀禮義疏見二卷

儀禮義疏六卷

喪服經傳一卷 馬融注。

喪服經傳一卷 鄭玄注。

喪服經傳一卷 王肅注。

喪服經傳一卷 晉給事中袁準注。

集注喪服經傳一卷 晋廬陵太守孔倫撰。

喪服經傳一卷 陳銓注。

集注喪服經傳一卷 宋太中大夫裴松之撰。

略注喪服經傳一卷 雷次宗注。

集注喪服經傳二卷 宋丞相諮議參軍蔡超宗注。① 梁又有《喪服經傳》一卷，宋徵士劉道拔注，亡。

集解喪服經傳二卷 齊東平太守田僧紹解。

喪服義疏二卷 梁步兵校尉、五經博士賀瑒撰。梁又有《喪服經傳義疏》五卷，齊散騎郎司馬瓛撰，②《喪服經傳義疏》二卷，齊給事中樓幼瑜撰。《喪服經傳義疏》一卷，劉瓛撰。《喪服經傳義疏》一卷，齊徵士沈麟士撰。

喪服經傳義疏一卷③ 梁尚書左丞何佟之撰，亡。

喪服傳一卷 梁通直郎裴子野撰。

喪服文句義疏十卷 陳國子助教皇侃撰。④

喪服義十卷 陳國子祭酒謝嶠撰。

喪服義鈔三卷 梁有《喪服經傳隱義》一卷，亡。

喪服要記一卷 王肅注。

喪服要記一卷 蜀丞相蔣琬撰。梁有《喪服變除圖》五卷，吳齊王傅射慈撰，亡。

喪服要集二卷 晋征南將軍杜預撰。又有《喪服要記》二卷，晋侍中劉逵撰，亡。

喪服儀一卷 晋太保衛瓘撰。梁有《喪服要》六卷，⑤晋司空賀循撰。《喪服要問》六卷，劉德明撰。《喪服》三十一卷，宋員外郎、散騎庾蔚之撰。《喪服要問》二卷，張耀撰。《喪服難問》六卷，崔凱撰。《喪服雜記》二十卷，伊氏撰。《喪服釋疑》二十卷，

---

① "蔡超宗"，殿本同，中華本據《宋書·南郡王義宣傳》、《張暢傳》及《經典釋文·叙錄》改作"蔡超"。

② "司馬瓛"，殿本同，中華本據《南史·丘巨源傳》、《梁書·伏曼容傳》改"瓛"作"憲"。

③ "喪服經傳義疏一卷"，殿本同，中華本認爲應在注中，而誤入正文。

④ "陳"，殿本同，中華本據《梁書·皇侃傳》改"陳"作"梁"。

⑤ "喪服要"，殿本同，中華本據《舊唐書·經籍志》（以下簡稱《舊唐志》）上、《新唐書·藝文志》（以下簡稱《新唐志》）在"要"後補"記"字。

孔智撰。① 亡。

漢荆州刺史劉表新定禮一卷

喪服要略一卷　晋太學博士環濟撰。

喪服要略二卷

喪服制要一卷　徐氏撰。

喪服譜一卷　鄭玄注。

喪服譜一卷　晋開府儀同三司蔡謨撰。

喪服譜一卷　賀循撰。

喪服變除一卷　晋散騎常侍葛洪撰。

凶禮一卷　晋廣陵相孔衍撰。

喪服要記十卷　賀循撰。梁有《喪服要記》，宋員外常侍庾蔚之注。又《喪服世要》
一卷，庾蔚之撰。《喪服集議》十卷，宋撫軍司馬費沈撰。

喪服古今集記三卷　齊太尉王儉撰。

喪服世行要記十卷　齊光禄大夫王逸撰。②

喪服答要難一卷　袁祈撰。

喪服記十卷　王氏撰。

喪服五要一卷　嚴氏撰。

駁喪服經傳一卷　卜氏傳。

喪服疑問一卷　樊氏撰。

喪服圖一卷　王儉撰。

喪服圖一卷　賀遊撰。

喪服圖一卷　崔逸撰。梁有《喪服祥禫雜議》二十九卷，《喪服雜議故事》二十一卷，
又《戴氏喪服五家要記圖譜》五卷，《喪服君臣圖儀》一卷，亡。

---

① “孔智”，殿本同，中華本據《晋書·劉寔傳》附《劉智傳》、《通典》卷九十五改作
“劉智”。

② “王逸”，殿本同，中華本據《南齊書·禮志》下及《舊唐志》上、《新唐志》改作
“王逡”。

五服圖一卷

五服圖儀一卷

喪服禮圖一卷

五服略例一卷

喪服要問一卷

喪服問答目十三卷　皇侃撰。

喪服假寧制三卷

喪禮五服七卷　大將軍袁憲撰。

論喪服決一卷

喪禮鈔三卷　王隆伯撰。

大戴禮記十三卷　漢信都王太傅戴德撰。梁有《謚法》三卷，後漢安南太守劉熙注，亡。

夏小正一卷　戴德撰。

禮記十卷　漢北中郎將盧植注。

禮記二十卷　漢九江太守戴聖撰，鄭玄注。

禮記三十卷　王肅注。梁有《禮記》十二卷，業遵注，亡。

禮記寧朔新書八卷　王懋約注。梁有二十卷。

月令章句十二卷　漢左中郎將蔡邕撰。

禮記音義隱一卷　謝氏撰。

禮記音二卷　宋中散大夫徐爰撰。梁有鄭玄、王肅、射慈、射貞、孫毓、繆炳音各一卷。蔡謨、東晉安北諮議參軍曹耽、國子助教尹毅、李軌、員外郎范宣音各二卷。徐邈音三卷。劉昌宗音五卷。亡。

禮記音義隱七卷

禮記三十卷　魏祕書監孫炎注。

禮略二卷

禮記要鈔十卷　緱氏撰。梁有《禮義》四卷，魏侍中鄭小同撰。《摭遺別記》一卷，樓幼瑜撰。亡。

禮記新義疏二十卷　賀瑒撰。梁有《義疏》三卷，宋豫章郡丞雷肅之撰，亡。

禮記義疏九十九卷^①　皇侃撰。

禮記講疏四十八卷^②　皇侃撰。

禮記義疏四十卷　沈重撰。

禮記義十卷　何氏撰。

禮記義疏三十八卷

禮記疏十一卷

禮記大義十卷　梁武帝撰。

禮記文外大義二卷　祕書學士褚暉撰。

禮大義十卷

禮記義證十卷　劉芳撰。

禮大義章七卷

喪禮雜義三卷

禮記中庸傳二卷　宋散騎常侍戴顒撰。

中庸講疏一卷　梁武帝撰。

私記制旨中庸義五卷

禮記略解十卷　庾氏撰。

禮記評十一卷　劉雋撰。

石渠禮論四卷　戴聖撰。梁有《羣儒疑義》十二卷，戴聖撰。

禮論三百卷　宋御史中丞何承天撰。

禮論條牒十卷　宋太尉參軍任預撰。

禮論帖三卷　任預撰。梁四卷。

禮論鈔二十卷　庾蔚之撰。

禮論要鈔十卷　王儉撰。梁三卷。

禮論要鈔一百卷　賀瑒撰。

---

① “義疏”，殿本同，中華本據《舊唐志》上、《新唐志》改作“講疏”。

② “講疏”，殿本同，中華本據《梁書·武帝紀》、《經典釋文·叙録》改作“義疏”。

禮論鈔六十九卷

禮論要鈔十卷　梁有齊御史中丞荀萬秋《鈔略》二卷。尚書儀曹郎丘季彬論五十
八卷,議一百三十卷,統六卷。亡。

禮論答問八卷　宋中散大夫徐廣撰。

禮論答問十三卷　徐廣撰。

禮答問二卷　徐廣撰,殘缺。梁十一卷。

禮答問六卷　庾蔚之撰。

禮答問三卷　王儉撰。梁有晋益壽令吳商《禮難》十二卷,①《雜議》十二卷,又《禮
議雜記故事》十三卷,《喪雜事》二十卷。宋光禄大夫傅隆議二卷,《祭法》五卷。亡。

禮答問十二卷

禮雜問十卷　范甯撰。

禮答問十卷　何佟之撰。梁二十卷。

禮雜問十卷

禮雜答問八卷

禮雜答問六卷

禮雜問答鈔一卷　何佟之撰。

問禮俗十卷　董勛撰。

問禮俗九卷　董子弘撰。

答問雜儀二卷　任預撰。

禮義答問八卷　王儉撰。

禮疑義五十二卷　梁護軍周捨撰。

制旨革牲大義三卷　梁武帝撰。

禮樂義十卷

禮祕義三卷

三禮目録一卷　鄭玄撰。梁有陶弘景注一卷,亡。

---

① "益壽",殿本同,中華本據《晋書·地理志》、《廿二史考異》改作"益陽"。

三禮義宗三十卷　<small>崔靈恩撰。</small>

三禮宗略二十卷　<small>元延明撰。</small>

三禮大義十三卷

三禮大義四卷

三禮雜大義三卷　<small>梁有《司馬法》三卷,《李氏訓記》三卷。又《郊丘議》三卷,魏太尉蔣濟撰。《祭法》五卷,又《明堂議》三卷,王肅撰。《雜祭法》六卷,晉司空中郎盧諶撰。《祭典》三卷,晉安北將軍范汪撰。《七廟議》一卷,又《後養議》五卷,干寶撰。《雜鄉射等議》三卷,晉太尉庾亮撰。《逆降義》三卷,宋特進顏延之撰。《逆降義》一卷,田僧紹撰。《分明士制》三卷,何承天撰。《釋疑》二卷,郭鴻撰。《答問》四卷,徐廣撰。《答問》五十卷,何胤撰。又《答問》十卷。亡。</small>

三禮圖九卷　<small>鄭玄及後漢侍中阮諶等撰。</small>

周室王城明堂宗廟圖一卷　<small>祁諶撰。梁又有《冠服圖》一卷,《五宗圖》一卷,《月令圖》一卷,亡。</small>

右一百三十六部,一千六百二十二卷。　<small>通計亡書,二百一十一部,二千一百八十六卷。</small>

自大道既隱,天下爲家,先王制其夫婦、父子、君臣、上下、親疏之節。至于三代,損益不同。周衰,諸侯僭忒,惡其害己,多被焚削。自孔子時,已不能具,至秦而頓滅。漢初,有高堂生傳十七篇,又有古經出於淹中,而河間獻王好古愛學,收集餘燼,得而獻之,合五十六篇,並威儀之事。而又得《司馬穰苴兵法》一百五十五篇及《明堂陰陽》之記,並無敢傳之者。唯古經十七篇,與高堂生所傳不殊,而字多異。自高堂生,至宣帝時后蒼,最明其業,乃爲《曲臺記》。蒼授梁人戴德及德從兄子聖、沛人慶普。於是有大戴、小戴、慶氏三家並立。後漢,唯曹元傳慶氏,以授其子褒。然三家雖存並微,相傳不絕。漢末,鄭玄傳小戴之學,後以古經校之,取其於義長者作注,爲鄭氏學。其《喪服》一篇,子夏先傳之,諸儒多爲注解,今又別行。而漢時有李氏得《周官》,《周官》蓋周公所制官政之法,上於河間獻王,獨闕《冬官》一篇。獻王購以千金不得,遂取《考工記》以補其處,合成六篇,奏之。至王莽時,劉歆始置博士,以行於世。河南緱氏及杜子春受業於歆,因以教授。是後馬融作《周官傳》,以授鄭玄,玄作《周官注》。漢初,河間獻王又得仲尼弟子及後學者所記一百三十一篇,獻之,時亦無傳之者。至劉向考校經籍,檢得一百三十篇,向因第而叙之。而又得《明堂陰陽記》三十三篇,《孔子三朝記》七篇、《王氏史氏記》二十一篇、①《樂記》二十三篇,凡五種,合二百十四篇。戴德删其煩重,合而記之,爲八十五篇,謂之《大戴記》。而戴聖又删大戴之書,爲四十六篇,謂之《小戴記》。漢末,馬融遂傳小戴之學。融又足《月令》一篇、②《明堂位》一篇、《樂記》一篇,合四十九篇。而鄭玄受業於融,又爲之註。今《周官》六篇、古經十七篇、《小戴記》四十九篇,凡三種,唯《鄭注》立於國學,其餘並多散亡,又無師説。

樂社大義十卷　梁武帝撰。

樂論三卷　梁武帝撰。梁有《樂義》十一卷,武帝集朝臣撰,亡。

樂論一卷　衛尉少卿蕭吉撰。

古今樂録十二卷　陳沙門智匠撰。

樂書七卷　後魏丞相士曹行參軍信都芳撰。

樂雜書三卷

樂元一卷　魏僧撰。

管絃記十卷　凌秀撰。

①　"王氏史氏記",殿本同,中華本據《廿二史考異》認爲"王"後衍"氏"字,改作"王史氏記"。
②　"足",殿本同,中華本據《通典·禮典序》改作"定"。

樂要一卷　何妥撰。

樂部一卷

春官樂部五卷　梁有《宋元嘉正聲伎録》一卷，張鮮撰，亡。

樂府聲調六卷　岐州刺史、沛國公鄭譯撰。

樂府聲調三卷　鄭譯撰。

樂經四卷

琴操三卷　晉廣陵相孔衍撰。

琴操鈔二卷

琴操鈔一卷

琴譜四卷　戴氏撰。

琴經一卷

琴説一卷

琴曆頭簿一卷

新雜漆調絃譜一卷

樂譜四卷

樂譜集二十卷　蕭吉撰。

樂略四卷

樂律義四卷　沈重撰。

鍾律義一卷

樂簿十卷

齊朝曲簿一卷

大隋總曲簿一卷

推七音二卷　並尺法。

樂論事一卷

樂事一卷

正聲伎雜等曲簿一卷

太常寺曲名一卷

太常寺曲簿十一卷

歌曲名五卷

歷代樂名一卷

鍾磬志二卷 公孫崇撰。

樂懸一卷 何晏等撰議。

樂懸圖一卷

鍾律緯辯宗見一卷

當管七聲二卷 魏僧撰。

黃鍾律一卷 梁有《鍾律緯》六卷，梁武帝撰，亡。

右四十二部，一百四十二卷。 通計亡書，合四十六部，二百六十三卷。

樂者，先王所以致神祇，和邦國，諧萬姓，安賓客，悅遠人，所從來久矣。周人存六代之樂，曰雲門、咸池、大韶、大夏、大濩、大武。其後衰微崩壞，及秦而頓滅。漢初，制氏雖紀其鏗鏘鼓儛，而不能通其義。其後，竇公、河間獻王、常山王、張禹，咸獻《樂書》。魏、晉已後，雖加損益，去正轉遠，事在《聲樂志》。今錄其見書，以補樂章之闕。

春秋經十一卷 吳衛將軍士燮注。

春秋左氏長經二十卷 漢侍中賈逵章句。

春秋左氏解詁三十卷 賈逵撰。

春秋左氏傳解誼三十一卷 漢九江太守服虔注。

春秋左氏傳三十卷 王肅注。

春秋左氏傳三十卷 董遇章句。

春秋左氏傳義注十八卷 孫毓注。

春秋左氏傳十二卷 魏司徒王朗撰。

春秋左氏經傳集解三十卷 杜預撰。

春秋杜氏服氏注春秋左傳十卷 殘缺。

春秋左氏傳音三卷 魏中散大夫嵇康撰。梁有服虔、杜預音三卷,魏高貴鄉公
《春秋左氏傳音》三卷,曹躭音、尚書左人郎苟訥等音四卷,亡。

春秋左氏傳音三卷 李軌撰。

春秋左氏傳音三卷 徐邈撰。

春秋釋訓一卷 賈逵撰。

春秋左氏經傳朱墨列一卷 賈逵撰。

春秋釋例十卷 漢公車徵士潁容撰。梁有《春秋左氏傳條例》九卷,漢大司農鄭
眾撰。

春秋左氏膏肓釋痾十卷 服虔撰。梁有《春秋漢議駁》二卷,服虔撰,亡。

駁何氏漢議一卷 鄭玄撰。

春秋成長說九卷 服虔撰。梁有《春秋左氏達義》一卷,漢司徒掾王玢撰,亡。

春秋塞難三卷 服虔撰。梁有《春秋雜議難》五卷,漢少府孔融撰。《春秋左氏釋
駁》一卷,王朗撰。亡。

春秋說要十卷 魏樂平太守糜信撰。

春秋釋例十五卷 杜預撰。梁有《春秋釋例引序》一卷,齊正員郎杜乾光撰,亡。

春秋左氏傳評二卷 杜預撰。

春秋條例十一卷 晉太尉劉寔撰。梁有《春秋公羊達義》三卷,劉寔撰,亡。

春秋經例十二卷 晉方範撰。梁有《春秋釋滯》十卷,晉尚書左丞殷興撰。《春秋
釋難》三卷,晉護軍范堅撰。亡。

春秋左氏傳條例二十五卷

春秋義例十卷

春秋左傳例苑十九卷 梁有《春秋經傳說例疑隱》一卷,吳略撰。《春秋左氏分
野》一卷。《春秋十二公名》一卷,鄭玄撰。亡。

春秋左氏經傳通解四卷 王述之撰。

春秋左氏傳賈服異同略五卷 孫毓撰。

春秋左氏函傳義十五卷 干寶撰。

春秋左氏區別三十卷 宋尚書功論郎何賀真撰。①

---

　　① “何賀真”,殿本同,中華本據《宋書·蔡興宗傳》及《舊唐志》上、《新唐志》一改
作“賀始真”。

春秋文苑六卷

春秋叢林十二卷

春秋義林一卷

春秋大夫辭三卷

春秋嘉語六卷

春秋左氏諸大夫世譜十三卷

春秋五辯二卷　梁五經博士沈宏撰。

春秋辯證六卷

春秋旨通十卷　王述之撰。

春秋經傳解六卷　崔靈恩撰。

春秋申先儒傳論十卷　崔靈恩撰。

春秋左氏傳立義十卷　崔靈恩撰。

劉寔等集解春秋序一卷

春秋序論二卷　干寶撰。

春秋序一卷　賀道養注。

春秋序一卷　崔靈恩撰。

春秋序一卷　田元休注。

春秋左傳杜預序集解一卷　劉炫注。

春秋左氏經傳義略二十五卷　陳國子博士沈文阿撰。

王元規續沈文阿春秋左氏傳義略十卷

春秋義略三十卷　陳右軍將軍張沖撰。

春秋左氏義略八卷

春秋五十凡義疏二卷

春秋左氏傳述義四十卷　東京太學博士劉炫撰。

春秋序義疏一卷　梁有《春秋發題》一卷，梁簡文帝撰。《春秋左氏圖》十卷，漢太
　　子太傅嚴彭祖撰。《古今春秋盟會地圖》一卷。亡。

春秋公羊傳十二卷　嚴彭祖撰。

春秋公羊解詁十一卷　漢諫議大夫何休注。

春秋公羊經傳十三卷　晋散騎常侍王愆期注。梁有《春秋公羊傳》十二卷，晋河
　南太守高龍注。《春秋公羊傳》十四卷，孔衍集解。《春秋公羊音》，李軌、晋徵士汪淳
　撰，各一卷。

春秋繁露十七卷　漢膠西相董仲舒撰。

春秋決事十卷　董仲舒撰。

春秋決疑論一卷

春秋左氏膏肓十卷　何休撰。

春秋穀梁廢疾三卷　何休撰。

春秋漢議十三卷　何休撰。

駮何氏漢議二卷　鄭玄撰。梁有《漢議駮》二卷，服虔撰，亡。

駮何氏漢議叙一卷

春秋公羊墨守十四卷　何休撰。

春秋公羊例序五卷　刁氏撰。

春秋公羊諡例一卷　何休撰。梁有《春秋公羊傳條例》一卷，何休撰。《春秋公羊
　傳問答》五卷，荀爽問，魏安平太守徐欽答。《春秋公羊論》二卷，晋車騎將軍庾翼問，
　王愆期答。亡。

春秋公羊解序一卷　鮮于公撰。

春秋公羊疏十二卷

春秋穀梁傳十三卷　吳僕射唐固注。梁有《春秋穀梁傳》十五卷，漢諫議大夫尹
　更始撰，亡。

春秋穀梁傳十二卷　魏平樂太守糜信注。①

穀梁傳十卷　晋堂邑太守張靖注。梁有《春秋穀梁傳》十三卷，晋給事郎徐乾注。
　《春秋穀梁傳》十卷，胡訥集解。亡。

春秋穀梁傳十六卷　程闡撰。

春秋穀梁傳十四卷　孔衍撰。

----

　　① “平樂”，殿本同，中華本據《魏書·地形志》改作“樂平”。

春秋穀梁傳十二卷　徐邈撰。

春秋穀梁傳十四卷　段肅注，疑漢人。

春秋穀梁傳五卷　孔君揩訓，殘缺。梁十四卷。

春秋穀梁傳十二卷　范甯集解。梁有《穀梁音》一卷，亡。

春秋穀梁傳四卷　殘缺，張、程、孫、劉四家集解。

糜信理何氏漢議二卷　魏人撰。

春秋穀梁傳義十卷　徐邈撰。

春秋議十卷　何休撰。

徐邈　答春秋穀梁義三卷

薄叔玄　問穀梁義二卷　梁四卷。

春秋穀梁傳例一卷　范甯撰。

春秋公羊穀梁傳十二卷　晋博士劉兆撰。

春秋穀梁廢疾三卷　何休撰，鄭玄釋，張靖箋。

春秋公羊穀梁二傳評三卷

春秋三家經本訓詁十二卷　賈逵撰。宋有《三家經》二卷，亡。

春秋三傳論十卷　魏大長秋韓益撰。

春秋經合三傳十卷　潘叔度撰。

春秋成奪十卷　潘叔度撰。

春秋三傳評十卷　胡訥撰。梁有《春秋集三師難》三卷，《春秋集三傳經解》十卷，胡訥撰。今亡。

春秋土地名三卷　晋裴秀客京相璠等撰。

春秋外傳國語二十卷　賈逵注。

春秋外傳國語二十一卷　虞翻注。

春秋外傳章句一卷　王肅撰。梁二十一卷。

春秋外傳國語二十二卷　韋昭注。

春秋外傳國語二十卷　晋五經博士孔晁注。

春秋外傳國語二十一卷　唐固注。梁有《春秋古今盟會地圖》一卷，亡。

右九十七部，九百八十三卷。　通計亡書，合一百三十部，一千一百九十
二卷。

《春秋》者，魯史策書之名。昔成周微弱，典章淪廢，魯以周公之
故，遺制尚存。仲尼因其舊史，裁而正之，或婉而成章，以存
大順，或直書其事，以示首惡。故有求名而亡，欲蓋而彰，亂
臣賊子，於是大懼。其所褒貶，不可具書，皆口授弟子，弟子
退而異說，左丘明恐失其真，乃爲之傳。遭秦滅學，口說尚
存。漢初，有公羊、穀梁、鄒氏、夾氏、四家並行。王莽之亂，
鄒氏無師，夾氏亡。初，齊人胡母子都傳《公羊春秋》，授東
海嬴公，嬴公授東海孟卿，孟卿授魯人眭孟，眭孟授東海嚴
彭祖、魯人顏安樂。故後漢公羊有嚴氏、顏氏之學，與穀梁
三家並立。漢末，何休又作《公羊解說》。而《左氏》，漢初出
於張蒼之家，本無傳者，至文帝時，梁太傅賈誼爲訓詁，授趙
人貫公。其後劉歆典校經籍，考而正之，欲立於學，諸儒莫
應。至建武中，尚書令韓歆請立而未行。時陳元最明《左
傳》，又上書訟之，於是乃以魏郡李封爲《左氏》博士。後群
儒蔽固者，數廷爭之。及封卒，遂罷。然諸儒傳《左氏》者甚
眾。永平中，能爲《左氏》者，擢高第爲講郎。其後賈逵、服
虔並爲訓解。至魏，遂行於世。晉時，杜預又爲《經傳集
解》。《穀梁》范甯注、《公羊》何休注、《左氏》服虔、杜預注，
俱立國學。然《公羊》、《穀梁》，但試讀文，而不能通其義。
後學三傳通講，而《左氏》唯傳服義。至隋，杜氏盛行，服義
及《公羊》、《穀梁》浸微，今殆無師說。

古文孝經一卷　孔安國傳。梁末亡逸，今疑非古本。

孝經一卷　鄭氏注。梁有馬融、鄭眾注《孝經》二卷，亡。

孝經一卷　王肅解。梁有魏散騎常侍蘇林，吏部尚書何晏，光祿大夫劉邵、孫氏等注

《孝經》各一卷,亡。

孝經解讚一卷　韋昭鮮。

孝經嘿注一卷　徐整注。

集解孝經一卷　謝萬集。

集議孝經一卷　晋中書郎荀勖撰,①亡。

集議孝經一卷　晋東陽太守袁敬仲集。梁有《孝經皇義》一卷,宋均撰。又有晋給事中楊泓,處士虞槃佐、孫氏,東陽太守殷仲文,晋陵太守殷叔道,丹楊尹車胤,孔光各注《孝經》一卷。荀勖注《孝經》二卷。② 宋何承天、費沈,齊光禄大夫王玄載,國子博士明僧紹,梁五經博士嚴植之,尚書功論郎曹思文,羽林監江係之,江邃等注《孝經》各一卷。釋慧始注《孝經》一卷。陶弘景集注《孝經》一卷。諸葛循《孝經序》一卷。亡。

孝經一卷　釋慧琳注。梁有晋穆帝時《晋孝經》一卷,武帝時《送揔明館孝經講》、《議》各一卷。宋大明中《東宮講》,齊永明三年《東宮講》,齊永明中《諸王講》及賀瑒講、議《孝經義疏》各一卷。齊臨沂令李玉之爲始興王講《孝經義疏》二卷。亡。

孝經義疏十八卷　梁武帝撰。梁有皇太子講《孝經義》三卷,天監八年皇太子講《孝經義》一卷,梁簡文《孝經義疏》五卷,蕭子顯《孝經義疏》一卷,亡。

孝經敬愛義一卷　梁吏部尚書蕭子顯撰。

孝經私記四卷　無名先生撰。

孝經義一卷

孝經義疏一卷　趙景韶撰。

孝經義疏三卷　皇侃撰。

孝經私記二卷　周弘正撰。

千文孝經述義五卷③　劉炫撰。

孝經講疏六卷　徐孝克撰。

孝經義一卷　梁楊州文學從事太史叔明撰。梁有《孝經玄》、《孝經圖》各一卷,《孝

---

① “荀勖”,殿本同,中華本據《經典釋文·叙録》改作“荀昶”。
② “荀勖”,殿本同,中華本據《經典釋文·叙録》改作“荀昶”。
③ “千文孝經”,殿本同,中華本改作“古文孝經”。

經孔子圖》二卷，亡。

國語孝經一卷

右十八部，合六十三卷。 通計亡書，合五十九部，一百一十四卷。

夫孝者，天之經，地之義，人之行。自天子達於庶人，雖尊卑有差，及乎行孝，其義一也。先王因之以治國家，化天下，故能不嚴而順，不肅而成。斯實生靈之至德，王者之要道。孔子既叙六經，題目不同，指意差別，恐斯道離散，故作《孝經》以揔會之，明其枝流雖分，本萌於孝者也。遭秦焚書，爲河間人顏芝所藏。漢初，芝子貞出之，凡十八章，而長孫氏、博士江翁、少府后蒼、諫議大夫翼奉、安昌侯張禹，皆名其學。又有《古文孝經》，與《古文尚書》同出，而長孫有《閨門》一章，其餘經文大較相似，篇簡缺解，又有衍出三章，並前合爲二十二章，孔安國爲之傳。至劉向典校經籍，以顏本比古文，除其繁惑，以十八章爲定。鄭衆、馬融並爲之注。又有鄭氏注，相傳或云鄭玄，其立義與玄所注餘書不同，故疑之。梁代安國及鄭氏二家並立國學，而安國之本，亡於梁亂。陳及周、齊，唯傳鄭氏。至隋，祕書監王劭於京師訪得《孔傳》，送至河間劉炫。炫因序其得喪，述其議疏，講於人間，漸聞朝廷，後遂著令，與鄭氏並立。儒者諠諠，皆云炫自作之，非孔舊本，而祕府又先無其書。又云魏氏遷洛，未達華語，孝文帝命侯伏侯可悉陵，以夷言譯《孝經》之旨，教于國人，謂之《國語孝經》，今取以附此篇之末。

論語十卷 鄭玄注。梁有《古文論語》十卷，鄭玄注。又王肅、虞翻、譙周等注《論語》各十卷。亡。

論語九卷 鄭玄注，晋散騎常侍虞喜讚。

集解論語十卷 何晏集。

集注論語六卷　晋八卷,晋太保衛瓘注。梁有《論語補闕》二卷,宋明帝補衛瓘闕,亡。

論語集義八卷　晋尚書左中兵郎崔豹集。梁十卷。

論語十卷　晋著作郎李充注。

集解論語十卷　晋廷尉孫綽解。梁有盈氏及孟釐注《論語》各十卷,①亡。

集解論語十卷　晋兖州別駕江熙解。

論語七卷　盧氏注。梁有晋國子博士梁覬、益州刺史袁喬、尹毅、司徒左長史張馮及陽惠明、宋新安太守孔澄之、齊員外郎盧遇及許容、曹思文注,釋僧智略解,梁太史叔明集解,陶弘景集注《論語》各十卷。又《論語音》二卷,徐邈等撰。亡。

論語難鄭一卷　梁有《古論語義注譜》一卷,徐氏撰。《論語隱義注》三卷,《論語義注》三卷。亡。

論語難鄭一卷

論語標指一卷　司馬氏撰。

論語雜問一卷

論語孔子弟子目録一卷　鄭玄撰。

論語體略二卷　晋太傅主簿郭象撰。

論語旨序三卷　晋衛尉繆播撰。

論語釋疑三卷　王弼撰。

論語釋一卷　張憑撰。

論語釋疑十卷　晋尚書郎樂肇撰。梁有《論語釋駁》三卷,王肅撰。《論語駁序》二卷,樂肇撰。《論語隱》一卷,郭象撰。《論語藏集解》一卷,應琛撰。《論語釋》一卷,曹毗撰。《論語君子無所争》一卷,庾亮撰。《論語釋》一卷,李充撰。《論語釋》一卷,庾翼撰。《論語義》一卷,王濛撰。又蔡系《論語釋》一卷,張隱《論語釋》一卷,郄原《通鄭》一卷,王氏《修鄭錯》一卷,姜處道《論釋》一卷。亡。

論語別義十卷　范廙撰。梁有《論語疏》八卷,宋司空法曹張略等撰。《新書對張論》十卷,虞喜撰。

論語義疏十卷　褚仲都撰。

---

①　"孟釐",殿本同,中華本據《經典釋文·叙録》改作"孟整"。

論語義疏十卷　皇侃撰。

論語述義十卷　劉炫撰。

論語義疏八卷

論語講疏文句義五卷　徐孝克撰，殘缺。

論語義疏二卷　張沖撰。梁有《論語義注圖》十二卷，亡。

孔叢七卷　陳勝博士孔鮒撰。梁有《孔志》十卷，梁太尉參軍劉被撰，亡。

孔子家語二十一卷　王肅解。梁有《當家語》二卷，魏博士張融撰，亡。

孔子正言二十卷　梁武帝撰。

爾雅三卷　漢中散大夫樊光注。梁有漢劉歆，犍爲文學、中黄門李巡《爾雅》各三卷，亡。

爾雅七卷　孫炎注。

爾雅五卷　郭璞注。

集注爾雅十卷　梁黄門郎沈琁注。

爾雅音八卷　祕書學士江灌撰。梁有《爾雅音》二卷，孫炎、郭璞撰。

爾雅圖十卷　郭璞撰。梁有《爾雅圖讚》二卷，郭璞撰，亡。

廣雅三卷　魏博士張揖撰。梁有四卷。

廣雅音四卷　祕書學士曹憲撰。

小爾雅一卷　李軌略解。

方言十三卷　漢揚雄撰，郭璞注。

釋名八卷　劉熙撰。

辯釋名一卷　韋昭撰。

五經音十卷　徐邈撰。

五經正名十二卷　劉炫撰。

白虎通六卷

五經異義十卷　後漢太尉祭酒許慎撰。

五經然否論五卷　晉散騎常侍譙周撰。

五經拘沈十卷　晉高涼太守楊方撰。

五經大義三卷　戴逵撰。梁有《通五經》五卷,王氏撰。《五經咨疑》八卷,周楊撰。
《五經異同評》一卷,賀場撰。《五卷祕表要》三卷。亡。

五經大義十卷　後周縣伯中大夫樊文深撰。

經典大義十二卷　沈文阿撰。

五經大義五卷　何妥撰。

五經通義八卷　梁九卷。

五經義六卷　梁七卷。梁又有《五經義略》一卷,亡。

五經要義五卷　梁十七卷,雷氏撰。

五經析疑二十八卷　邯鄲綽撰。

五經宗略二十三卷　元延明撰。

五經雜義六卷　孫暢之撰。

長春義記一百卷　梁簡文帝撰。

大義九卷

遊玄桂林九卷　張機撰。①

六經通數十卷　梁舍人鮑泉撰。

七經義綱二十九卷　樊文深撰。

七經論三卷　樊文深撰。

質疑五卷　樊文深撰。

經典玄儒大義序録二卷　沈文阿撰。

玄義問答二卷

六藝論一卷　鄭玄撰。

聖證論十二卷　王肅撰。

鄭志十一卷　魏侍中鄭小同撰。

鄭記六卷　鄭玄弟子撰。

謚法三卷　劉熙撰。

---

①　"張機",殿本同,姚振宗《隋書經籍志考證》以爲"機"當作"譏"。

謚法十卷　特進、中軍將軍沈約撰。

謚法五卷　梁太府賀瑒撰。①

江都集禮一百二十六卷

右七十三部，七百八十一卷。　通計亡書，合一百一十六部，一千二十七卷。

《論語》者，孔子弟子所録。孔子既叙六經，講於洙、泗之上，門
　徒三千，達者七十。其與夫子應答，及私相講肄，言合於道，
　或書之於紳，或事之無厭。仲尼既没，遂緝而論之，謂之《論
　語》。漢初，有齊、魯之説。其齊人傳者二十二篇，魯人傳者
　二十篇。齊則昌邑中尉王吉、少府宗畸、御史大夫貢禹、尚
　書令五鹿充宗、膠東庸生。魯則常山都尉龔奮、長信少府夏
　侯勝、韋丞相節侯父子、魯扶卿、前將軍蕭望之、安昌侯張
　禹，并名其學。張禹本授《魯論》，晚講《齊論》，後遂合而考
　之，删其煩惑，除去《齊論・問王》、《知道》二篇，從《魯論》二
　十篇爲定，號《張侯論》，當世重之。周氏、包氏爲之章句，馬
　融又爲之訓。又有古《論語》，與《古文尚書》同出，章句煩
　省，與《魯論》不異，唯分《子張》爲二篇，故有二十一篇。孔
　安國爲之傳。漢末，鄭玄以《張侯論》爲本，參考《齊論》、古
　《論》而爲之注。魏司空陳群、太常王肅、博士周生烈，皆爲
　義説。吏部尚書何晏又爲集解。是後諸儒多爲之注，《齊
　論》遂亡。古《論》先無師説，梁、陳之時，唯鄭玄、何晏立於
　國學，而鄭氏甚微。周、齊，鄭學獨立。至隋，何、鄭並行，鄭
　氏盛於人間，其《孔叢》、《家語》，並孔氏所傳仲尼之旨。《爾
　雅》諸書，解古今之意，並五經捴義，附于此篇。

河圖二十卷　梁《河圖洛書》二十四卷，目録一卷，亡。

---

　①　"梁太府賀瑒"，底本"府"後空格，武英殿本無空格，中華本空格處補"卿"字，姚
振宗《隋書經籍志考證》認爲當是"梁太府卿賀琛"。

河圖龍文一卷

易緯八卷　鄭玄注。梁有九卷。

尚書緯三卷　鄭玄注。梁六卷。

尚書中侯五卷　鄭玄注。梁有八卷，今殘缺。

詩緯十八卷　魏博士宋均注。梁十卷。

禮緯三卷　鄭玄注，亡。

禮記默房二卷　宋均注。梁有三卷，鄭玄注，亡。

樂緯三卷　宋均注。梁有《樂五鳥圖》一卷，亡。

春秋災異十五卷　郗萌撰。梁有《春秋緯》三十卷，宋均注。《春秋內事》四卷，
《春秋包命》二卷，《春秋祕事》十一卷，《書、易、詩、孝經、春秋、河洛緯祕要》一卷，《五
帝鈎命決圖》一卷。亡。

孝經勾命決六卷　宋均注。

孝經援神契七卷　宋均注。

孝經內事一卷　梁有《孝經雜緯》十卷，宋均注。《孝經元命包》一卷，《孝經古祕援
神》二卷，《孝經古祕圖》一卷，《孝經左右握》二卷，《孝經左右契圖》一卷，《孝經雌雄
圖》三卷，《孝經異本雌雄圖》二卷，《孝經分野圖》一卷，《孝經內事圖》二卷，《孝經內
事星宿講堂七十二弟子圖》一卷，又《口授圖》一卷。又《論語讖》八卷，宋均注。《孔
老讖》十二卷，《老子河洛讖》一卷。《尹公讖》四卷，《劉向讖》一卷，《雜讖書》二十九
卷，《堯戒舜禹》一卷，《孔子王明鏡》一卷，《郭文金雄記》一卷，《王子年歌》一卷，《嵩
高道士歌》一卷。亡。

右十三部，合九十二卷。　通計亡書，合三十二部，共二百三十二卷。

《易》曰：“河出圖，洛出書。”然則聖人之受命也，必因積德累業，
豐功厚利，誠著天地，澤被生人，萬物之所歸往，神明之所
福饗，則有天命之應。蓋龜龍銜負，出於河、洛，以紀易代
之徵，其理幽昧，究極神道。先王恐其惑人，祕而不傳。説
者又云，孔子既叙六經，以明天人之道，知後世不能稽同其
意，故別立緯及讖，以遺來世。其書出於前漢，有《河圖》九
篇，《洛書》六篇，云自黃帝至周文王所受本文。又別有三

十篇，云自初起至于孔子，九聖之所增演，以廣其意。又有
《七經緯》三十六篇，並云孔子所作，並前合爲八十一篇。
而又有《尚書中候》、《洛罪級》、《五行傳》、《詩推度災》、《氿
曆樞》、《含神務》、《孝經勾命决》、《援神契》、《雜讖》等書。
漢代有郗氏、袁氏説。漢末，郎中郗萌，集圖緯讖雜占爲五
十篇，謂之《春秋災異》。宋均、鄭玄並爲讖律之注。然其
文辭淺俗，顛倒舛謬，不類聖人之旨。相傳疑世人造爲之
後，或者又加點竄，非其實録。起王莽好符命，光武以圖讖
興，遂盛行於世。漢時，又詔東平王蒼，正五經章句，皆命
從讖。俗儒趨時，益爲其學，篇卷第目，轉加增廣。言五經
者，皆憑讖爲説。唯孔安國、毛公、王璜、賈逵之徒獨非之，
相承以爲袄妄，亂中庸之典。故因漢魯恭王、河間獻王所
得古文，參而考之，以成其義，謂之“古學”。當世之儒，又
非毀之，竟不得行。魏代王肅，推引古學，以難其義。王
弼、杜預從而明之，自是古學稍立。至宋大明中，始禁圖
讖，梁天監已後，又重其制。及高祖受禪，禁之踰切。煬帝
即位，乃發使四出搜天下書籍與讖緯相涉者，皆焚之，爲吏
所糾者至死。自是無復其學，祕府之内亦多散亡。今録其
見存，列于六經之下，以備異説。

三蒼三卷　郭璞注。秦相李斯作《蒼頡篇》，漢揚雄作《訓纂篇》，後漢郎中賈魴作《滂
　喜篇》，故曰《三蒼》。梁有《蒼頡》二卷，後漢司空杜林注，亡。

埤蒼三卷　張揖撰。梁有《廣蒼》一卷，樊恭撰，亡。

急就章一卷　漢黃門令史游撰。

急就章二卷　崔浩撰。

急就章三卷　豆盧氏撰。

吳章二卷　陸機撰。

小學篇一卷 晉下邳内史王義撰。

少學九卷 楊方撰。

始學一卷

勸學一卷 蔡邕撰。有司馬相如《凡將篇》，班固《太甲篇》、《在昔篇》，崔瑗《飛龍篇》，蔡邕《聖皇篇》、《黄初篇》、《吳章篇》，蔡邕《女史篇》，合八卷。又《幼學》二卷，朱育撰。《始學》十二卷，吳郎中項峻撰。又《月儀》十二卷。亡。

發蒙記一卷 晉著作郎束晳撰。

啓蒙記三卷 晉散騎常侍顧愷之撰。

啓疑記三卷 顧愷之撰。

千字文一卷 梁給事郎周興嗣撰。

千字文一卷 梁國子祭酒蕭子雲注。

千字文一卷 胡肅注。

篆書千字文一卷

演千字文五卷

草書千字文一卷

古今字詁三卷 張揖撰。梁有《難字》一卷，《錯誤字》一卷，並張揖撰。《異字》二卷，朱育撰。《字屬》一卷，賈魴撰。亡。

雜字解詁四卷 魏掖庭右丞周氏撰。梁有《解文字》七卷，周成撰。《字義訓音》六卷，《古今字苑》十卷，曹侯彦撰。亡。

雜字指一卷 後漢太子中庶子郭顯卿撰。

字指二卷 晉朝議大夫李彤撰。梁有《單行字》四卷，李彤撰。又《字偶》五卷。亡。

説文十五卷 許慎撰。梁有《演説文》一卷，庾儼默注，亡。

説文音隱四卷

字林七卷 晉弦令呂忱撰。

字林音義五卷 宋楊州督護吳恭撰。

古今字書十卷

字書三卷

字書十卷

字統二十一卷　楊承慶撰。①

玉篇三十一卷　陳左將軍顧野王撰。②

字類叙評三卷　侯洪伯撰。

要字苑一卷　宋豫章太守謝康樂撰。梁有《常用字訓》一卷，殷仲堪撰。《要用字對
　誤》四卷，梁輕車參軍鄒誕生撰。亡。

要用雜字三卷　鄒里撰。梁有《文字要記》三卷，王義撰，亡。

俗語難字一卷　秘書少監王劭撰。

雜字要三卷　密州行參軍李少通撰。

文字整疑一卷

正名一卷

文字集略六卷　梁文貞處士阮孝緒撰。

今字辯疑三卷　李少通撰。

異字同音一卷　梁有《釋字同音》三卷，宋散騎常侍吉文甫撰。

字宗三卷　薛立撰。

文字譜一卷　梁有《古今文字序》一卷，劉歆撰。《文字統略》一卷，焦子明撰。亡。

文字辯嫌一卷　彭立撰。

辯字一卷　戴規撰。

雜字音一卷

借音字一卷

音書考源一卷

聲韻四十一卷　周研撰。

聲類十卷　魏左校令李登撰。

韻集十卷

韻集六卷　晋安復令吕静撰。

---

① “楊承慶”，殷本同，中華本據《魏書·陽尼傳》改作“陽承慶”。

② “陳左將軍顧野王”，殷本同，中華本據集部別集類於“左”後補“衛”字。

四聲韻林二十八卷　張諒撰。

韻集八卷　段弘撰。

群玉典韻五卷　梁有《文章音韻》二卷，王該撰。又《五音韻》五卷。亡。

韻略一卷　楊休之撰。①

修續音韻決疑十四卷　李槩撰。

纂韻鈔十卷

四聲指歸一卷　劉善經撰。

四聲一卷　梁太子少傅沈約撰。

四聲韻略十三卷　夏侯詠撰。

音譜四卷　李槩撰。

韻英三卷　釋静洪撰。

通俗文一卷　服虔撰。

訓俗文字略一卷　後齊黃門郎顏之推撰。

證俗音字略六卷　梁有《詁幼》二卷，顏延之撰。《廣詁幼》一卷，宋給事中荀楷撰。亡。

文字音七卷　晋蕩昌長王延撰。梁有《纂文》三卷，亡。

翻真語一卷　王延撰。

真言鑒誡一卷

字書音同異一卷

叙同音義三卷

河洛語音一卷　王長孫撰。

國語十五卷

國語十卷

鮮卑語五卷

國語物名四卷　後魏侯伏侯可悉陵撰。

---

①　“楊休之”，姚振宗《隋書經籍志考證》認爲當作“陽休之”。

國語真歌十卷

國語雜物名三卷　<small>侯伏侯可悉陵撰。</small>

國語十八傳一卷

國語御歌十一卷

鮮卑語十卷

國語號令四卷

國語雜文十五卷

鮮卑號令一卷　<small>周武帝撰。</small>

雜號令一卷

古文官書一卷　<small>後漢議郎衛敬仲撰。</small>

古今奇字一卷　<small>郭顯卿撰。</small>

六文書一卷

四體書勢一卷　<small>晉長水校尉衛恒撰。</small>

雜體書九卷　<small>釋正度撰。</small>

古今八體六文書法一卷

古今篆隸雜字體一卷　<small>蕭子政撰。</small>

古今文等書一卷

篆隸雜體書二卷

文字圖二卷

古今字圖雜録一卷　<small>祕書學士曹憲撰。</small>

婆羅門書一卷　<small>梁有《扶南胡書》一卷。</small>

外國書四卷

秦皇東巡會稽刻石文一卷

一字石經周易一卷　<small>梁有三卷。</small>

一字石經尚書六卷　<small>梁有《今字石經鄭氏尚書》八卷,亡。</small>

一字石經魯詩六卷　<small>梁有《毛詩》二卷,亡。</small>

一字石經儀禮九卷

一字石經春秋一卷 <small>梁有一卷。</small>

一字石經公羊傳九卷

一字石經論語一卷 <small>梁有二卷。</small>

一字石經典論一卷

三字石經尚書九卷 <small>梁有十三卷。</small>

三字石經尚書五卷

三字石經春秋三卷 <small>梁有十二卷。</small>

右一百八部，四百四十七卷。 <small>通計亡書，合一百三十五部，五百六十九卷。</small>

孔子曰："必也正名乎?"名謂書字。"名不正則言不順，言不順則事不成。"説者以爲書之所起，起自黃帝蒼頡。比類象形謂之文，形聲相益謂之字，著於竹帛謂之書。故有象形、諧聲、會意、轉注、假借、處事六義之别。古者童子示而不誑，六年教之數與方名。十歲入小學，學書計。二十而冠，始習先王之道，故能成其德而任事。然自蒼頡訖于漢初，書經五變：一曰古文，即蒼頡所作。二曰大篆，周宣王時史籀所作。三曰小篆，秦時李斯所作。四曰隸書，程邈所作。五曰草書，漢初作。秦世既廢古文，始用八體，有大篆、小篆、刻符、摹印、蟲書、署書、殳書、隸書。漢時以六體教學童，有古文、奇字、篆書、隸書、繆篆、蟲鳥，並藁書、楷書、懸針、垂露、飛白等二十餘種之勢，皆出於上六書，因事生變也。魏世又有八分書，其字義訓讀，有《史籀篇》《蒼頡篇》《三蒼》《埤蒼》《廣蒼》等諸篇章，訓詁、《説文》、《字林》、音義、聲韻、體勢等諸書。自後漢佛法行於中國，又得西域胡書，能以十四字貫一切音，文省而義廣，謂之婆羅門書。與八體六文之義殊别。今取以附體勢之下。又後魏初定中原，軍容號令皆以夷語，後染華俗，多不能通，故録其本言，相傳教習，謂之"國語"。今取以附音韻之末。又後漢鐫刻七經，著於石碑，皆蔡邕所書。魏正始

中，又立一字石經，①相承以爲七經正字。後魏之末，齊神武
執政，自洛陽徙于鄴都，行至河陽，值岸崩，遂没於水。其得
至鄴者，不盈太半。至隋開皇六年，又自鄴京載入長安，置於
祕書内省，議欲補緝，立于國學。尋屬隋亂，事遂寝廢。營造
之司，因用爲柱礎。貞觀初，祕書監臣魏徵，始收聚之，十不
存一。其相承傳拓之本，猶在祕府，並秦帝刻石，附於此篇，
以備小學。

凡六藝經緯六百二十七部，五千三百七十一卷。 通計亡書，合九百
五十部，七千二百九十卷。

《傳》曰："玉不琢，不成器，人不學，不知道。"古之君子，多識而
不窮，畜疑以待問；學不踰等，教不陵節；言約而易曉，師逸
而功倍；且耕且養，三年而成一藝。自孔子没而微言絶，七
十子喪而大義乖，學者離群索居，各爲異説。至于戰國，典
文遺棄，六經之儒，不能究其宗旨，多立小數，一經至數百
萬言。致令學者難曉，虚誦問答，唇腐齒落而不知益。且
先王設教以防人欲，必本於人事，折之中道。上天之命，略
而罕言，方外之理，固所未説。至後漢好圖讖，晉世重玄
言，穿鑿妄作，日以滋生。先王正典，雜之以祅妄，大雅之
論，汨之以放誕。陵夷至于近代，去正轉疎，無復師資之
法。學不必解，②專以浮華相尚，豫造雜難，擬爲讎對，遂有
芝角、反對、互從等諸翻競之説。馳騁煩言，以紊彝叙，譊
譊成俗，而不知變，此學者之蔽也。班固列六藝爲九種，或
以緯書解經，合爲十種。

---

① "一字石經"，殿本同，中華本據《晉書·衛恒傳》改"一"作"三"。
② "學不必解"，殿本、中華本作"學不心解"。

二、史

史記一百三十卷　目録一卷，漢中書令司馬遷撰。

史記八十卷　宋南中郎外兵參軍裴駰注。

史記音義十二卷　宋中散大夫徐野民撰。

史記音三卷　梁輕車録事參軍鄒誕生撰。

古史考二十五卷　晉義陽亭侯譙周撰。

漢書一百一十五卷　漢護軍班固撰，太山太守應劭集解。

漢書集解音義二十四卷　應劭撰。

漢書音訓一卷　服虔撰。

漢書音義七卷　韋昭撰。

漢書音二卷　梁尋陽太守劉顯撰。

漢書音二卷　夏侯詠撰。

漢書音義十二卷　國子博士蕭該撰。

漢書音十二卷　廢太子勇命包愷等撰。

漢書集注十三卷　晉灼撰。

漢書注一卷　齊金紫光禄大夫陸澄撰。

漢書續訓三卷　梁北平諮議參軍韋稜撰。①

漢書訓纂三十卷　陳吏部尚書姚察撰。

漢書集觧一卷　姚察撰。

論前漢事一卷　蜀丞相諸葛亮撰。

漢書駁議二卷　晉安北將軍劉寶撰。

定漢書疑二卷　姚察撰。

漢書叙傳五卷　項岱撰。

---

① "北平"，殿本同，中華本據《廿二史考異》改作"平北"。

漢疏四卷　梁有《漢書》孟康音九卷，劉孝標注《漢書》一百四十卷，陸澄注《漢書》一百二卷，梁元帝注《漢書》一百一十五卷，並亡。

東觀漢記一百四十三卷　起光武記注至靈帝，長水校尉劉珧等撰。

後漢書一百三十卷　無帝紀，吳武陵太守謝承撰。

後漢記六十五卷　本一百卷，梁有，今殘缺。晋散騎常侍薛瑩撰。

續漢書八十三卷　晋祕書監司馬彪撰。

後漢書十七卷　本九十七卷，今殘缺。晋少府卿華嶠撰。

後漢書八十五卷　本一百二十二卷，晋祠部郎謝沈撰。

後漢南記四十五卷　本五十五卷，今殘缺。晋江州從事張瑩撰。

後漢書九十五卷　本一百卷。晋祕書監袁山松撰。

後漢書九十七卷　宋太子詹事范曄撰。

後漢書一百二十五卷　范曄本，梁剡令劉昭注。

後漢書音一卷　後魏太常劉芳撰。

范漢音訓三卷　陳宗道先生臧競撰。

范漢音三卷　蕭該撰。

後漢書讚論四卷　范曄撰。

漢書纘十八卷　范曄撰。梁有蕭子顯《後漢書》一百卷，王韶《後漢林》二百卷，韋闡《後漢音》二卷，亡。

魏書四十八卷　晋司空王沈撰。

吳書二十五卷　韋昭撰。本五十五卷，梁有，今殘缺。

吳紀九卷　晋太學博士環濟撰。晋有張勃《吳錄》三十卷，亡。

三國志六十五卷　叙錄一卷，晋太子中庶子陳壽撰。宋太中大夫裴松之注。

魏志音義一卷　盧宗道撰。

論三國志九卷　何常侍撰。

三國志評三卷　徐爰撰。① 梁有《三國志序評》三卷，晋著作佐郎王濤撰，亡。

---

①　"徐爰"，殿本同，中華本據《魏志·臧洪傳》注及《舊唐志》上等書改作"徐衆"。

晋書八十六卷　本九十三卷，今殘缺。晋著作郎王隱撰。

晋書二十六卷　本四十四卷，訖明帝，今殘缺。晋散騎常侍虞預撰。

晋書十卷　未成，本十四卷，今殘缺。晋中書郎朱鳳撰，訖元帝。

晋中興書七十八卷　起東晋。宋湘東太守何法盛撰。

晋書三十六卷　宋臨川内史謝靈運撰。

晋書一百一十卷　齊徐州主簿臧榮緒撰。

晋書十一卷　本一百二卷，梁有，今殘缺。蕭子雲撰。

晋史草三十卷　梁蕭子顯撰。梁有鄭忠《晋書》七卷，沈約《晋書》一百一十一卷，庾銑《東晋新書》七卷，亡。

宋書六十五卷　宋中散大夫徐爰撰。

宋書六十五卷　齊冠軍録事參軍孫嚴撰。

宋書一百卷　梁尚書僕射沈約撰。梁有宋大明中所撰《宋書》六十一卷，亡。

齊書六十卷　梁吏部尚書蕭子顯撰。

齊紀十卷　劉陟撰。

齊紀二十卷　沈約撰。梁有江淹《齊史》十三卷，亡。

梁書四十九卷　梁中書郎謝吳撰，本一百卷。

梁史五十三卷　陳領軍、大著作郎許亨撰。

梁書帝紀七卷　姚察撰。

通史四百八十卷　梁武帝撰。起三皇，訖梁。

後魏書一百三十卷　後齊僕射魏收撰。

後魏書一百卷　著作郎魏彦深撰。

陳書四十二卷　訖宣帝，陳吏部尚書陸瓊撰。

周史十八卷　未成。吏部尚書牛弘撰。

右六十七部，三千八十三卷。　通計亡書，合八十部，四千三十卷。

古者天子諸侯，必有國史，以紀言行，後世多務，其道彌繁。夏殷已上，左史記言，右史記事。周則太史、小史、内史、外史、御史，分掌其事，而諸侯之國，亦置史官。又《春秋》、《國語》

引周志、鄭書之説，推尋事迹，似當時記事，各有職司，後又合而撰之，揔成書記。其後陵夷衰亂，史官放絶，秦滅先王之典，遺制莫存。至漢武帝時，始置太史公，命司馬談爲之，以掌其職。時天下計書，皆先上太史，副上丞相，遺文古事，靡不畢臻。談乃據《左氏》、《國語》、《世本》、《戰國策》、《楚漢春秋》，接其後事，成一家之言。談卒，其子遷又爲太史令，嗣成其志。上自黄帝，訖于炎漢，合十二本紀、十表、八書、三十世家、七十列傳，謂之《史記》。遷卒以後，好事者亦頗著述，然多鄙淺，不足相繼。至後漢扶風班彪，綴後傳數十篇，並譏正前失。彪卒，明帝命其子固續成其志。以爲唐、虞、三代，世有典籍，史遷所記，乃以漢氏繼於百王之末，非其義也，故斷自高祖，終於孝平、王莽之誅，爲十二紀、八表、十志、六十九傳，潛心積思，二十餘年。建初中，始奏表及紀傳，其十志竟不能就。固卒後，始命曹大家續成之。先是明帝召固爲蘭臺令史，與諸先輩陳宗、尹敏、孟冀等，共成《光武本紀》。擢固爲郎，典校祕書。固撰後漢事，作《列傳載記》二十八篇。其後劉珍、劉毅、劉陶、伏無忌等，相次著述東觀，謂之《漢記》。及三國鼎峙，魏氏及吳，並有史官。晉時，巴西陳壽删集三國之事，唯魏帝爲紀，其功臣及吳、蜀之主，並皆爲傳，仍各依其國，部類相從，謂之《三國志》。壽卒後，梁州大中正范頵表奏其事，帝詔河南尹、洛陽令，就壽家寫之。自是世有著述，皆擬班、馬，以爲正史，作者尤廣。一代之史，至數十家。唯《史記》、《漢書》，師法相傳，並有解釋。《三國志》及范曄《後漢》雖有音注，既近世之作，並讀之可知。梁時，明《漢書》有劉顯、韋稜，陳時有姚察，隋代有包愷、蕭該，並爲名家。《史記》傳者甚微，今依其世代，聚而編之，以備正史。

紀年十二卷　汲冢書，並《竹書同異》一卷。

漢紀三十卷　魏祕書監荀悦撰。①

後漢紀三十卷　袁彦伯撰。

後漢紀三十卷　張璠撰。

獻帝春秋十卷　袁曄撰。

魏氏春秋二十卷　孫盛撰。

魏紀十二卷　左將軍陰澹撰。

漢魏春秋九卷　孔舒元撰。

晉紀四卷　陸機撰。

晉記二十三卷　干寶撰。訖愍帝。

晉紀十卷　晉前軍諮議曹嘉之撰。

漢晉陽秋四十七卷　訖愍帝。晉滎陽太守習鑿齒撰。

晉紀十一卷　訖明帝。晉荆州別駕鄧粲撰。

晉陽秋三十二卷　訖哀帝，孫盛撰。

晉紀二十三卷　宋中散大夫劉謙之撰。

晉紀十卷　宋吳興太守王韶之撰。

晉紀四十五卷　宋中散大夫徐廣撰。

續晉陽秋二十卷　宋永嘉太守檀道鸞撰。

續晉紀五卷　宋新興太守郭季產撰。

宋略二十卷　梁通直郎裴子野撰。

宋春秋二十卷　梁吳興令王琰撰。

齊春秋三十卷　梁奉朝請吳均撰。

齊典五卷　王逸撰。

齊典十卷

三十國春秋三十一卷　梁湘東世子蕭萬等撰。②

---

①　“魏祕書監荀悦”，殿本同，中華本據《後漢書》本傳改“魏”作“漢”。

②　“蕭萬”，姚振宗《隋書經籍志考證》認爲當作“蕭方”。

戰國春秋二十卷　<small>李槩撰。</small>

梁典三十卷　<small>劉璠撰。</small>

梁典三十卷　<small>陳始興王諮議何之元撰。</small>

梁撮要三十卷　<small>陳征南諮議陰僧仁撰。</small>

梁後略十卷　<small>姚勗撰。</small>

梁太清紀十卷　<small>梁長沙蕃王蕭韶撰。</small>

淮海亂離志四卷　<small>蕭世怡撰。叙梁末侯景之亂。</small>

齊紀三十卷　<small>紀後齊事。崔子發撰。</small>

齊志十卷　<small>後齊事。王劭撰。</small>

右三十四部，六百六十六卷。

自史官放絕，作者相承，皆以班、馬爲準。起漢獻帝，雅好典籍，以班固《漢書》文繁難省，命穎川荀悅作《春秋左傳》之體，爲《漢紀》三十篇。言約而事詳，辯論多美，大行於世。至晋太康元年，汲郡人發魏襄王冢，得古竹簡書，字皆科斗。發冢者不以爲意，往往散亂，帝命中書監荀勗、令和嶠，撰次爲十五部，八十七卷。多雜碎怪妄，不可訓知，唯《周易》、《紀年》最爲分了。其《周易》上下篇，與今正同。《紀年》皆用夏正建寅之月爲歲首，起自夏、殷、周三代王事，無諸侯國別，唯特記晋國，起自殤叔，次文侯、昭侯，以至曲沃莊伯，盡晋國滅。獨記魏事，下至魏哀王，謂之“今王”。蓋魏國之史記也。其著書皆編年相次，文意大似《春秋經》。諸所記事，多與《春秋》、《左氏》扶同。學者因之，以爲《春秋》則古史記之正法，有所著述，多依《春秋》之體，今依其世代，編而叙之，以見作者之別，謂之古史。

周書十卷　<small>汲冢書，似仲尼删書之餘。</small>

古文璅語四卷　<small>汲冢書。</small>

春秋前傳十卷　何承天撰。

春秋前雜傳九卷　何承天撰。

春秋後傳三十一卷　晉著作郎樂資撰。

戰國策三十二卷　劉向錄。

戰國策二十一卷　高誘撰注。

戰國策論一卷　漢京兆尹延篤撰。

楚漢春秋九卷　陸賈撰。

古今注八卷　伏無忌撰。

越絕記十六卷　子貢撰。

吳越春秋十二卷　趙曄撰。

吳越春秋削繁五卷　楊方撰。

吳越春秋十卷　皇甫遵撰。

吳越記六卷

南越志八卷　沈氏撰。

小史八卷

漢靈獻二帝紀三卷　漢侍中劉芳撰，殘缺。梁有六卷。

山陽公載記十卷　樂資撰。

漢末英雄記八卷　王粲撰，殘缺。梁有十卷。

九州春秋十卷　司馬彪撰，記漢末事。

魏武本紀四卷　梁並曆五卷。

魏尚書八卷　孔衍撰。梁十卷，成。

魏晉世語十卷　晉襄陽令郭頒撰。

魏末傳二卷　梁又有《魏末傳》並《魏氏大事》三卷，亡。

呂布本事一卷　毛范撰。

晉諸公讚二十一卷　晉祕書監傅暢撰。

晉後略記五卷　晉下邳太守荀綽撰。

晉書鈔三十卷　梁豫章內史張緬撰。

晋書鴻烈六卷　張氏撰。

宋中興伐逆事二卷

宋拾遺十卷　梁少府卿謝綽撰。

左史六卷　李槩撰。

魏國統二十卷　梁祚撰。

梁帝紀七卷

梁太清録八卷

梁承聖中興略十卷　劉仲威撰。

梁末代紀一卷

梁皇帝實録三卷　周興嗣撰。記武帝事。

梁皇帝實録五卷　梁中書郎謝吳撰。記元帝事。

棲鳳春秋五卷　臧嚴撰。

陳王業曆一卷　陳中書郎趙齊旦撰。

史要十卷　漢桂陽太守衛颯撰。約《史記》要言,以類相從。

典略八十九卷　魏郎中魚豢撰。

史漢要集二卷　晋祠部郎王蔑撰。抄《史記》,入《春秋》者不録。

三史略二十九卷　吳太子太傅張温撰。

史記正傳九卷　張瑩撰。

後漢略二十五卷　張緬撰。

漢皇德紀三十卷　漢有道徵士侯謹撰。起光武,至冲帝。

洞紀四卷　韋昭撰。記庖犧已來,至漢建安二十七年。

續洞紀一卷　臧榮緒撰。

帝王世紀十卷　皇甫謐撰。起三皇,盡漢、魏。

帝王世紀音四卷　虞綽撰。

帝王本紀十卷　來奧撰。

續帝王世紀十卷　何茂材撰。

十五代略十卷　吉文甫撰。起庖犧,至晋。

帝王要略十二卷　環濟撰。紀帝王及天官、地理、喪服。

周載八卷　東晋臨賀太守孟儀撰。略記前代，下至秦。本三十卷，今亡。

漢書鈔三十卷　晋散騎常侍葛洪撰。

拾遺録二卷　僞秦姚萇方士王子年撰。

王子年拾遺記十卷　蕭綺撰。

華夷帝王世紀三十卷　楊曄撰。

正史削繁九十四卷　阮孝緒撰。

童悟十二卷

帝王世録一卷　甄鸞撰。

先聖本紀十卷　劉紹撰。

年曆帝紀三十卷　姚恭撰。

帝王諸侯世略十一卷

王霸記三卷　潘傑撰。

歷代記三十二卷

隋書六十卷　未成，祕書監王劭撰。

右七十二部，九百一十七卷。　通計亡書，七十三部，九百三十九卷。

自秦撥去古文，篇籍遺散。漢初，得《戰國策》，蓋戰國遊士記其
策謀。其後陸賈作《楚漢春秋》，以述誅鋤秦、項之事。又有
《越絶》，相承以爲子貢所作。後漢趙曄又爲《吳越春秋》，其
屬辭比事，皆不與《春秋》、《史記》、《漢書》相似，蓋率爾而作，
非史策之正也。靈、獻之世，天下大亂，史官失其常守。博達
之士，愍其廢絕，各記聞見，以備遺亡。是後群才景慕，作者
甚眾。又自後漢已來，學者多鈔撮舊史，自爲一書，或起自人
皇，或斷之近代，亦各其志，而體制不經。又有委巷之説，迂
怪妄誕，真虛莫測。然其大抵皆帝王之事，通人君子，必博采
廣覽，以酌其要，故備而存之，謂之雜史。

趙書十卷　一曰《二石集》，記石勒事。僞燕太傅長史田融撰。

二石傳二卷　晉北中郎參軍王度撰。

二石僞治時事二卷　王度撰。

漢之書十卷　常璩撰。

華陽國志十二卷　常璩撰。梁有《蜀平記》十卷，《蜀漢僞官故事》一卷，亡。

燕書二十卷　記慕容儁事。僞燕尚書范亨撰。

南燕録五卷　記慕容德事。僞燕尚書郎張詮撰。

南燕録六卷　記慕容德事。僞燕中書郎王景暉撰。

南燕書七卷　遊覽先生撰。

燕志十卷　記馬跋事。① 魏侍中高閭撰。

秦書八卷　何仲熙撰。記符健事。

秦記十一卷　宋殿中將軍裴景仁撰，梁雍州主簿席惠明注。

秦紀十卷　記姚萇事。魏左民尚書姚和都撰。

涼記八卷　記張軌事。僞燕右僕射張諮撰。

涼書十卷　記張軌事。僞涼大將軍從事中郎劉景撰。

西河記二卷　記張重華事。晉侍御史喻歸撰。

涼記十卷　記呂光事。僞涼著作佐郎段龜龍撰。

涼書十卷　高道讓撰。

涼書十卷　沮渠國史。

托跋涼録十卷

敦煌實録十卷　劉景撰。

十六國春秋一百卷　魏崔鴻撰。

纂録一十卷

戰國春秋二十卷　李槩撰。

漢趙記十卷　和苞撰。

---

① “馬跋”，殿本、中華本作“馮跋”，是。

吐谷渾記二卷　宋新亭侯段國撰。梁有《翟遼書》二卷,《諸國略記》二卷,《永嘉後纂年記》二卷,《段業傳》一卷,亡。

天啓紀十卷　記梁元帝子謂據湘州事。

右二十七部,三百三十五卷。　通計亡書,合三十三部,三百四十六卷。

《傳》曰:"不有君子,其能國乎?"自晉永嘉之亂,皇綱失馭,九州君長,據有中原者甚衆。或推奉正朔,或假名竊號,然其君臣忠義之節,經國字民之務,蓋亦勤矣。而當時臣子,亦各記録。後魏克平諸國,據有嵩、華,始命司徒崔浩,博采舊聞,綴述國史。諸國記注,盡集祕閣。尒朱之亂,並皆散亡。今舉其見在,謂之霸史。

穆天子傳六卷　汲冢書。郭璞注。

漢獻帝起居注五卷

晉泰始起居注二十卷　李軌撰。

晉咸寧起居注十卷　李軌撰。

晉泰康起居注二十一卷　李軌撰。

晉元康起居注一卷　梁有《永平、元康、永寧起居注》六卷,又有《惠帝起居注》二卷,《永嘉、建興起居注》十三卷,亡。

晉建武大興永昌起居注九卷　梁有二十卷。

晉元康起居注一卷

晉咸和起居注十六卷　李軌撰。

晉咸康起居注二十二卷

晉建元起居注四卷

晉永和起居注十七卷　梁有二十四卷。

晉升平起居注十卷

晉隆和興寧起居注五卷

晉咸安起居注三卷

晉泰和起居注六卷　<small>梁十卷。</small>

晉寧康起居注六卷

晉泰元起居注二十五卷　<small>梁五十四卷。</small>

晉隆安起居注十卷

晉元興起居注九卷

晉義熙起居注十七卷　<small>梁三十四卷。</small>

晉元熙起居注二卷

晉起居注三百一十七卷　<small>宋北徐州主簿劉道會撰。梁有三百二十二卷。</small>

流別起居注三十七卷　<small>梁有《晉、宋起居注鈔》五十一卷,《晉、宋先朝起居注》二十卷,亡。</small>

宋永初起居注十卷

宋景平起居注三卷

宋元嘉起居注五十五卷　<small>梁六十卷。</small>

宋孝建起居注十二卷

宋大明起居注十五卷　<small>梁三十四卷。又有《景和起居注》四卷,《明帝在藩注》三卷,亡。</small>

宋泰始起居注十九卷　<small>梁二十三卷。</small>

宋泰豫起居注四卷　<small>梁有《宋元徽起居注》二十卷,《昇明起居注》六卷,亡。</small>

齊永明起居注二十五卷　<small>梁有三十四卷。又有《建元起居注》十二卷,《隆昌、延興、建武起居注》四卷,《中興起居注》四卷,亡。</small>

梁大同起居注十卷

後魏起居注三百三十六卷

陳永定起居注八卷

陳天嘉起居注二十三卷

陳天康光大起居注十卷

陳太建起居注五十六卷

陳至德起居注四卷

後周太祖號令三卷

隋開皇起居注六十卷

南燕起居注一卷

右四十四部，一千一百八十九卷。

起居注者，録紀人君言行動止之事。《春秋傳》曰："君舉必書，
　書而不法，後嗣何觀？"《周官》，内史掌王之命，遂書其副而藏
　之，是其職也。漢武帝有《禁中起居注》，後漢明德馬后撰《明
　帝起居注》，然則漢時起居，似在宮中，爲女史之職。然皆零
　落，不可復知。今之存者，有漢獻帝及晋代已來《起居注》，皆
　近侍之臣所録。晋時又得汲冢書，有《穆天子傳》，體制與今
　起居正同，蓋周時内史所記王命之副也。近代已來，別有其
　職，事在《百官志》，今依其先後，編而次之。其僞國起居，唯
　《南燕》一卷，不可別出，附之於此。

漢武帝故事二卷

西京雜記二卷

漢魏吳蜀舊事八卷

晋朝雜事二卷

晋宋舊事一百三十五卷

晋要事三卷

晋故事四十三卷

晋建武故事一卷

晋咸和咸康故事四卷　晋孔愉撰。

晋修復山陵故事五卷　車灌撰。

交州雜事九卷　記士燮及陶黄事。①

---

① "陶黄"，殿本、中華本作"陶璜"。

晉八王故事十卷

晉四王起事四卷　<small>晉廷尉盧綝撰。</small>

大司馬陶公故事三卷

郗太尉爲尚書令故事三卷

桓玄僞事三卷

晉東宮舊事十卷

秦漢已來舊事十卷

尚書大事二十卷　<small>范汪撰。</small>

河南故事三卷　<small>應思遠撰。</small>

天正舊事三卷　<small>釋撰，亡名。</small>

皇儲故事二卷

梁舊事三十卷　<small>內史侍郎蕭大環撰。①</small>

東宮典記七十卷　<small>左庶子宇文愷撰。</small>

開業平陳記二十卷

右二十五部，四百四卷。

古者朝廷之政，發號施令，百司奉之，藏于官府，各脩其職，守而
弗忘。《春秋傳》曰：“吾視諸故府”，則其事也。《周官》，御史
掌治朝之法，太史掌萬民之約契與質劑，以逆邦國之治。然
則百司庶府，各藏其事，太史之職，又揔而掌之。漢時，蕭何
定律令，張蒼制章程，叔孫通定儀法，條流派別，制度漸廣。
晉初，甲令已下，至九百餘卷，晉武帝命車騎將軍賈充，博引
群儒，刪采其要，增律十篇。其餘不足經遠者爲法令，施行制
度者爲令，品式章程者爲故事，各還其官府。搢紳之士，撰而
錄之，遂成篇卷，然亦隨代遺失。今據其見存，謂之舊事篇。

---

①　“蕭大環”，殿本同，中華本據《周書》本傳改作“蕭大圜”。

漢官解詁三篇　漢新汲令王隆撰，胡廣注。

漢官五卷　應劭注。

漢官儀十卷　應劭撰。

漢官典職儀式選用二卷　漢衛尉蔡質撰。梁有《荀攸魏官儀》一卷，《韋昭官儀
職訓》一卷，亡。

晉公卿禮秩故事九卷　傅暢撰。

晉新定儀注十四卷　梁有徐宣瑜《晉官品》一卷，荀綽《百官表注》十六卷，干寶
《司徒儀》一卷，宋《職官記》九卷，晉《百官儀服錄》五卷，大興二年《定官品事》五卷，
《百官品》九卷，亡。

百官階次一卷

齊職儀五十卷　齊長水校尉王珪之撰。梁有王珪之《齊儀》四十九卷，亡。

齊職儀五卷

梁選簿三卷　徐勉撰。

梁勳選格一卷

職官要錄三十卷　陶藻撰。

梁官品格一卷

百官階次三卷

新定將軍名一卷

吏部用人格一卷

官族傳十四卷　何晏撰。

百官春秋五十卷　王秀道撰。

百官春秋二十卷

魏晉百官名五卷

晉百官名三十卷

晉官屬名四卷

陳百官簿狀二卷

陳將軍簿一卷

新定官品二十卷　梁沈約撰。

梁尚書職制儀注四十一卷

職令古今百官注十卷　郭演撰。

右二十七部，三百三十六卷。　通計亡書，合三十六部，四百三十三卷。

古之仕者，名書於所臣之策，各有分職，以相統治。《周官》，冢宰掌建邦之六典，而御史數凡從正者。然則冢宰揔六卿之屬，以治其政，御史掌其在位名數，先後之次焉。今《漢書·百官表》列衆職之事，記在位之次，蓋亦古之制也。漢末，王隆、應劭等，以《百官表》不具，乃作《漢官解詁》、《漢官儀》等書。是後相因，正史表志，無復百僚在官之名矣。搢紳之徒，或取官曹名品之書，撰而録之，别行於世。宋、齊已後，其書益繁，而篇卷零疊，易爲亡散；又多瑣細，不足可紀，故删。其見存可觀者，編爲職官篇。

漢舊儀四卷　衛敬仲撰。梁有衛敬仲《漢中興儀》一卷，亡。

晉新定儀注四十卷　晉安成太守傅瑗撰。

晉雜儀注十一卷

晉尚書儀十卷

甲辰儀五卷　江左撰。

封禪儀六卷

宋儀注十卷

宋儀注二十卷

宋尚書雜注十八卷　本二十卷。

宋東宮儀記二十三卷　宋新安太守張鏡撰。

徐爰家儀一卷

東宮新記二十卷　蕭子雲撰。

梁吉禮儀注十卷　明山賓撰。

梁賓禮儀注九卷　賀瑒撰。案梁明山賓撰《吉儀注》二百六卷，録六卷。嚴植之撰《凶儀注》四百七十九卷，録四十五卷。陸璉撰《軍儀注》一百九十卷，録二卷。司馬褧撰《嘉儀注》一百一十二卷，録三卷。並亡。存者唯《士》、《吉》及《賓》，合十九卷。

皇典二十卷　梁豫章太守丘仲孚撰。

雜凶禮四十二卷

政禮十卷①　何胤撰。梁有何胤《士喪儀注》九卷，亡。

雜儀注一百八十卷

陳尚書雜儀注五百五十卷

陳吉禮一百七十一卷

陳賓禮六十五卷

陳軍禮六卷

陳嘉禮一百二卷

後魏儀注五十卷

後齊儀注二百九十卷

雜嘉禮三十八卷

國親皇太子序親簿一卷

隋朝儀禮一百卷　牛弘撰。

大漢輿服志一卷　魏博士董巴撰。

魏晉謚議十三卷　何晏撰。

汝南君諱議二卷

決疑要注一卷　摯虞撰。

車服雜注一卷　徐廣撰。

禮儀制度十三卷　王逡之撰。

古今輿服雜事二十卷　梁周遷撰。

---

① “政禮”，殿本同，中華本據姚振宗《隋書經籍志考證》於“政禮”後補“儀注”二字。

晋鹵簿圖一卷

鹵簿儀二卷

陳鹵簿圖一卷

齊鹵簿儀一卷

諸衛左右廂旗圖樣十五卷

內外書儀四卷　謝元撰。

書儀二卷　蔡超撰。

書筆儀二十一卷　謝朓撰。

宋長沙檀太妃薧弔答書十二卷

弔答儀十卷　王儉撰。

書儀十卷　王弘撰。

皇室儀十三卷　鮑行卿撰。

吉書儀二卷　王儉撰。

書儀疏一卷　周捨撰。

新儀三十卷　鮑泉撰。

文儀二卷　梁修端撰。

趙李家儀十卷　錄一卷，李穆叔撰。

書儀十卷　唐瑾撰。

言語儀十卷

嚴植之儀二卷

邇儀四卷　馬樞撰。

婦人書儀八卷

僧家書儀五卷　釋曇瑗撰。

要典雜事五十卷

右五十九部，二千二十九卷。　通計亡書，合六十九部，三千九十四卷。

儀注之興，其所由來久矣。自君臣父子，六親九族，各有上下親
　疏之別。養生送死，弔恤賀慶，則有進止威儀之數。唐、虞已

上，分之爲三，在周因而爲五。《周官》，宗伯所掌吉、凶、賓、
軍、嘉，以佐王安邦國，親萬民，而太史執書以協事之類是也。
是時典章皆具，可履而行。周衰，諸侯削除其籍。至秦，又焚
而去之。漢興，叔孫通定朝儀，武帝時始祀汾陰后土，成帝時
初定南北之郊，節文漸具。後漢又使曹襃定漢儀，是後相承，
世有制作。然猶以舊章殘缺，各遵所見，彼此紛爭，盈篇滿
牘。而後世多故，事在通變，或一時之制，非長久之道，載筆
之士，删其大綱，編于史志。而或傷於淺近，或失於未達，不
能盡其旨要。遺文餘事，亦多散亡。今聚其見存，以爲儀
注篇。

律本二十一卷　杜預撰。

漢晉律序注一卷　晉僮長張斐撰。

雜律解二十一卷　張斐撰。案梁有《杜預雜律》七卷，亡。

晉宋齊梁律二十卷　蔡法度撰。

梁律二十卷　梁義興太守蔡法度撰。

後魏律二十卷

北齊律十二卷　目一卷。

陳律九卷　范泉撰。

周律二十五卷

周大統式三卷

隋律十二卷

隋大業律十一卷

晉令四十卷

梁令三十卷　録一卷。

梁科三十卷

北齊令五十卷

北齊權令二卷

陳令三十卷　范泉撰。

陳科三十卷　范泉撰。

隋開皇令三十卷　目一卷。

隋大業令三十卷

漢朝議駁三十卷　應劭撰。案梁《建武律令故事》二卷,應劭《律略論》五卷,①亡。

晉雜議十卷

晉彈事十卷

南臺奏事二十二卷

漢名臣奏事三十卷

魏王奏事十卷

魏名臣奏事四十卷　目一卷,陳壽撰。

魏臺雜訪議三卷　高堂隆撰。

魏廷尉決事十卷

晉駁事四卷

晉雜制六十卷

晉刺史六條制一卷

齊五服制一卷

陳新制六十卷

右三十五部,七百一十二卷。　通計亡書,合三十八部,七百二十六卷。

刑灋者,先王所以懲罪惡,齊不軌者也。《書》述唐、虞之世,五
　刑有服,而夏后氏正刑有五,科條三千。《周官》,司寇掌三典
　以刑邦國;司刑掌五刑之法,麗萬民之罪;太史又以典法逆于
　邦國;內史執國法以考政事。《春秋傳》曰:"在九刑不忘。"然

---

① "應劭律略論",殿本同,中華本據《魏志·劉邵傳》及《舊唐志》上、《新唐志》二
改"應劭"作"劉邵"。

則刑書之作久矣。蓋藏于官府，懼人之知爭端，而輕於犯。
及其末也，肆情越法，刑罰僭濫。至秦，重之以苛虐，先王之
正刑滅矣。漢初，蕭何定律九章，其後漸更增益，令甲已下，
盈溢架藏。晋初，賈充、杜預，删而定之。有律，有令，有故
事。梁時，又取故事之宜於時者爲《梁科》。後齊武帝時，又
於麟趾殿删正刑典，謂之《麟趾格》。後周太祖，又命蘇綽撰
《大統式》。隋則律令格式並行。自律已下，世有改作，事在
《刑法志》。《漢律》久亡，故事駁議，又多零失。今録其見存
可觀者，編爲刑法篇。

三輔決録七卷　漢太僕趙岐撰，摯虞注。

海内先賢傳四卷　魏明帝時撰。

四海耆舊傳一卷

海内士品一卷

先賢集三卷

兖州先賢傳一卷

徐州先賢傳一卷

徐州先賢傳贊九卷　劉義慶撰。

海岱志二十卷　齊前將軍記室崔蔚祖撰。[①]

交州先賢傳三卷　晋范瑗傳。

益部耆舊傳十四卷　陳長壽撰。

續益部耆舊傳二卷

諸國清賢傳一卷

魯國先賢傳二卷　晋大司農白褒撰。

楚國先賢傳贊十二卷　晋張方撰。

---

① “崔蔚祖”，殿本同，中華本據《南齊書》本傳改作“崔慰祖”。

汝南先賢傳五卷　魏周斐撰。

陳留耆舊傳二卷　漢議郎圈稱撰。

陳留耆舊傳一卷　魏散騎侍郎蘇林撰。

陳留先賢像贊一卷　陳英宗撰。

陳留志十五卷　東晉剡令江敳撰。

濟北先賢傳一卷

盧江七賢傳二卷

東萊耆舊傳一卷　王基撰。

襄陽耆舊記五卷　習鑿齒撰。

會稽先賢傳七卷　謝承撰。

會稽後賢傳記二卷　鐘離岫撰。

會稽典錄二十四卷　虞豫撰。

會稽先賢像贊五卷

漢世要記一卷

吳先賢傳四卷　吳左丞相陸凱撰。

東陽朝堂像讚一卷　晉南平太守留叔先撰。

豫章烈士傳三卷　徐整撰。

豫章舊志三卷　晉會稽太守熊默撰。

豫章舊志後撰一卷　熊欣撰。

零陵先賢傳一卷

長沙舊傳讚三卷①　晉臨川王郎中劉彧撰。

桂陽先賢書贊一卷②　吳左中郎張勝撰。

武昌先賢志二卷　宋天門太守郭緣生撰。

---

① "長沙舊傳讚"，殿本同，中華本據《水經》一五《洛水注》、《初學記》二等書於"長沙"後補"耆"。

② "書贊"，殿本同，中華本據《舊唐志》上、《新唐志》二改"書"作"畫"。

蜀文翁學堂像題記二卷

聖賢高士傳贊三卷　嵇康撰，周續之注。

高士傳六卷　皇甫謐撰。

逸士傳一卷　皇甫謐撰。

逸民傳七卷　張顯撰。

高士傳二卷　虞槃佐撰。

至人高士傳讚二卷　晋廷尉卿孫綽撰。

高隱傳十卷　阮孝緒撰。

高隱傳十卷

高僧傳六卷　虞孝敬撰。

止足傳十卷

續高士傳七卷　周弘讓撰。

孝子傳讚三卷　王昭之撰。①

孝子傳十五卷　晋輔國將軍蕭廣濟撰。

孝子傳十卷　宋員外郎鄭緝之撰。

孝子傳八卷　師覺授撰。

孝子傳二十卷　宋躬撰。

孝子傳略二卷

孝德傳三十卷　梁元帝撰。

孝友傳八卷

曾參傳一卷

忠臣傳三十卷　梁元帝撰。

顯忠録二十卷　梁元帝撰。②

①　"王昭之"，殿本同，中華本據《南史·王韶之傳》、《舊唐志》上、《新唐志》二改作"王韶之"。

②　"梁元帝"，殿本同，中華本據《北史·清河王懌傳》、《舊唐志》上、《新唐志》二改作"梁元懌"。

丹楊尹傳十卷　梁元帝撰。

英蕃可録二卷　張萬賢撰，邵武侯新注。

高才不遇傳四卷　後齊劉晝撰。

良吏傳十卷　鐘岏撰。

海內名士傳一卷

正始名士傳三卷　袁敬仲撰。

江左名士傳一卷　劉義慶撰。

竹林七賢論二卷　晋太子中庶子戴逵撰。

七賢傳五卷　孟氏撰。

文士傳五十卷　張隱撰。①

列士傳二卷　劉向撰。

陰德傳二卷　宋光禄大夫范晏撰。

悼善傳十一卷

雜傳三十六卷　任昉撰。本一百四十七卷，亡。

東方朔傳八卷

毌丘儉記三卷

管輅傳三卷　管辰撰。

雜傳四十卷　賀蹤撰。本七十卷，亡。

雜傳十九卷　陸澄撰。

雜傳十一卷

玄晏春秋三卷　皇甫謐撰。

孔子弟子先儒傳十卷

李氏家傳一卷

桓任家傳一卷②

---

　　①　"張隱"，殿本同，中華本據《魏志·王粲傳》及《舊唐志》上、《新唐志》二改作"張
騭"。
　　②　"桓任"，殿本同，中華本據《北堂書鈔》卷五八、《太平御覽》卷二五五改"任"
作"氏"。

王朗王肅家傳一卷

太原王氏家傳二十三卷

褚氏家傳一卷　褚覬等撰。

薛常侍家傳一卷

江氏家傳七卷　江祚等撰。

庾氏家傳一卷　庾斐撰。

裴氏家傳四卷　裴松之撰。

虞氏家記五卷　虞覽撰。

曹氏家傳一卷　曹毗撰。

范氏家傳一卷　范汪撰。

紀氏家紀一卷　紀友撰。

韋氏家傳一卷

何頤使君家傳一卷

明氏家訓一卷　僞燕衛尉明岌撰。

明氏世録六卷　梁信武記室明粲撰。

陸史十五卷

王氏江左世家傳二十卷　王褒撰。

孔氏家傳五卷

崔氏五門家傳二卷　崔氏撰。

暨氏家傳一卷

周齊王家傳一卷　姚氏撰。

尒朱家傳二卷　王氏撰。

周氏家傳一卷

令狐氏家傳一卷

新舊傳四卷

漢南家傳三卷①

---

① "漢南家傳",殿本同,中華本據《舊唐志》上、《新唐志》二於"南"後補"庾氏"。

何氏家傳三卷

童子傳二卷　王璩之撰。

幼童傳十卷　劉昭撰。

訪來傳十卷　來奧撰。

懷舊志九卷　梁元帝撰。

知己傳一卷　盧思道撰。

全德志一卷　梁元帝撰。

同姓名録一卷　梁元帝撰。

列女傳十五卷　劉向撰，曹大家注。

列女傳七卷　趙母注。

列女傳八卷　高氏撰。

列女傳頌一卷　劉歆撰。

列女傳頌一卷　曹植撰。

列女傳讚一卷　繆襲撰。

列女後傳十卷　項原撰。

列女傳六卷　皇甫謐撰。

列女傳七卷　綦毋邃撰。

列女傳要録三卷

女記十卷　杜預撰。

美婦人傳六卷

妒記二卷　虞通之撰。

道人善道開傳一卷　康泓撰。

名僧傳三十卷　釋寶唱撰。

高僧傳十四卷　釋僧祐撰。[1]

---

① “釋僧祐”，殿本同，中華本據《開元釋教録》及《舊唐志》上、《新唐志》三改作“釋慧皎”。

江東名德傳三卷　釋法進撰。

法師傳十卷　王巾撰。

衆僧傳二十卷　裴子野撰。

薩婆多部傳五卷　釋僧祐撰。

梁故草堂法師傳一卷。

尼傳二卷　皎法師撰。①

法顯傳二卷。

法顯行傳一卷。

梁武皇帝大捨三卷　嚴曷撰。

列仙傳讚三卷　劉向撰。殷續，孫綽讚。

列仙傳讚二卷　劉向撰，晋郭元祖讚。

神仙傳十卷　葛洪撰。

説仙傳一卷　朱思祖撰。

養性傳二卷。

漢武内傳三卷。

太元真人東鄉司命茅君内傳一卷　弟子李遵撰。

清虛真人王君内傳一卷　弟子華存撰。

清虛真人裴君内傳一卷

正一真人三天法師張君内傳一卷

太極左仙公葛君内傳一卷

仙人馬君陰君内傳一卷

仙人許遠遊傳一卷

靈人辛玄子自序一卷

劉君内記一卷　王珍撰。

---

　　① “皎法師”，殿本同，中華本據《開元釋教録》及《舊唐志》上、《新唐志》三改作“釋寶唱”。

陸先生傳一卷　<small>孔稚珪撰。</small>

列仙讚序一卷　<small>郭元祖撰。</small>

集仙傳十卷

洞仙傳十卷

王喬傳一卷

關令内傳一卷　<small>鬼谷先生撰。</small>

南嶽夫人内傳一卷

蘇君記一卷　<small>周季通撰。</small>

嵩高寇天師傳一卷

華陽子自序一卷

太上真人内記一卷　<small>李氏撰。</small>

道學傳二十卷

宣驗記十三卷　<small>劉義慶撰。</small>

應驗記一卷　<small>宋光禄大夫傅亮撰。</small>

冥祥記十卷　<small>王琰撰。</small>

列異傳三卷　<small>魏文帝撰。</small>

感應傳八卷　<small>王延秀撰。</small>

古異傳三卷　<small>宋永嘉太守袁王壽撰。</small>

甄異傳三卷　<small>晋西戎主簿戴祚撰。</small>

述異記十卷　<small>祖冲之撰。</small>

異苑十卷　<small>宋給事劉敬叔撰。</small>

續異苑十卷

搜神記三十卷　<small>干寶撰。</small>

搜神後記十卷　<small>陶潛撰。</small>

靈鬼志三卷　<small>荀氏撰。</small>

志怪二卷　<small>祖台之撰。</small>

志怪四卷　<small>孔氏撰。</small>

神録五卷 劉之遴撰。

齊諧記七卷 宋散騎侍郎東陽元疑撰。①

續齊諧記一卷 吳均撰。

幽明録二十卷 劉義慶撰。

補續冥祥記一卷 王曼穎撰。

漢武洞冥記一卷 郭氏撰。

嘉瑞記三卷 陸瓊撰。

祥瑞記三卷

符瑞記十卷 許善心撰。

靈異録十卷

靈異記十卷

研神記十卷 蕭繹撰。

旌異記十五卷 侯君素撰。

近異録二卷 劉質撰。

鬼神列傳一卷 謝氏撰。

志怪記三卷 殖氏撰。

舍利感應記三卷 王劭撰。

真應記十卷

周氏冥通記一卷

集靈記二十卷 顏之推撰。

寃魂志三卷 顏之推撰。

右二百一十七部，一千二百八十六卷。 通計亡書，合二百一十九部，一
千五百三卷。

古之史官，必廣其所記，非獨人君之舉。《周官》，外史掌四方之
志，則諸侯史記，兼而有之。《春秋傳》曰："虢仲、虢叔、王季

---

① "元疑"，殿本同，中華本據《廣韵》"東"字注及《新唐志》三改作"无疑"。

之穆，勳在王室，藏於盟府。"臧紇之叛，季孫命太史召掌惡臣而盟之。《周官》，司寇凡大盟約，涖其盟書，登于天府。太史、內史、司會，六官皆受其貳而藏之。是則王者誅賞，具錄其事，昭告神明，百官史臣，皆藏其書。故自公卿諸侯，至于群士，善惡之迹，畢集史職。而又閭胥之政，凡聚衆庶，書其敬敏任邺者，族師每月書其孝悌睦婣有學者，黨正歲書其德行道藝者，而入之於鄉大夫。鄉大夫三年大比，考其德行道藝，舉其賢者能者，而獻其書。王再拜受之，登于天府，內史貳之。是以窮居側陋之士，言行必達，皆有史傳。自史官曠絕，其道廢壞，漢初，始有丹書之約，白馬之盟。武帝從董仲舒之言，始舉賢良文學。天下計書，先上太史，善惡之事，靡不畢集。司馬遷、班固，撰而成之，股肱輔弼之臣，扶義俶儻之士，皆有記錄。而操行高絜，不涉於世者，《史記》獨傳夷、齊，《漢書》但述楊王孫之傳，其餘皆略而不説。又漢時阮倉作《列仙圖》，劉向典校經籍，始作《列仙》、《列士》、《列女》之傳，皆因其志尚，率爾而作，不在正史。後漢光武，始詔南陽，撰作風俗，故沛、三輔有耆舊節士之序，魯、廬江有名德先賢之讚。郡國之書，由是而作。魏文帝又作《列異》，以序鬼物奇怪之事，嵇康作《高士傳》，以叙聖賢之風。因其事類，相繼而作者甚衆，名目轉廣，而又雜以虛誕怪妄之説。推其本源，蓋亦史官之末事也。載筆之士，删採其要焉。魯、沛、三輔，序贊並亡，後之作者，亦多零失。今取其見存，部而類之，謂之雜傳。

山海經二十三卷　郭璞注。

水經三卷　郭璞注。

黃圖一卷　記三輔宮觀、陵廟、明堂、辟雍、郊畤等事。

洛陽記四卷

洛陽記一卷 陸機撰。

洛陽宮殿簿一卷。

洛陽圖一卷 晋懷州刺史楊佺期撰。

述征記二卷 郭緣生撰。

西征記二卷 戴延之撰。

婁地記一卷 吳顧啓期撰。

風土記三卷 晋平西將軍周處撰。

吳興記三卷 山謙之撰。

吳郡記一卷 顧夷撰。

京口記二卷 宋太常卿劉損撰。

南徐州記二卷 山謙之撰。

會稽土地記一卷 朱育撰。

會稽記一卷 賀循撰。

隋王入沔記六卷① 宋侍中沈懷文撰。

荆州記三卷 宋臨川王侍郎盛弘之撰。

神壤記一卷 記滎陽山水。黃閔撰。

豫章記一卷 雷次宗撰。

蜀王本記一卷 揚雄撰。

三巴記一卷 譙周撰。

珠崖傳一卷 僞燕聘晉使蓋泓撰。

陳留風俗傳三卷 圈稱撰。

鄴中記二卷 晋國子助教陸翽撰。

春秋土地名三卷 晋裴秀客京相璠撰。

衡山記一卷 宋居士撰。②

---

① "隋王入沔記"，殿本同，中華本據《新唐志》三改"隋"作"隨"。

② "宋居士"，殿本同，中華本據《南齊書·宗測傳》改作"宗居士"。

遊名山志一卷　謝靈運撰。

聖賢冢墓記一卷　李彤撰。

佛國記一卷　沙門釋法顯撰。

遊行外國傳一卷　沙門釋智猛撰。

交州以南外國傳一卷

十洲記一卷　東方朔撰。

神異經一卷　東方朔撰，張華注。

異物志一卷　後漢議郎楊孚撰。

南州異物志一卷　吳丹楊太守萬震撰。

蜀志一卷　東京武平太守常寬撰。

發蒙記一卷　束晳撰。載物産之異。

地理書一百四十九卷　録一卷。陸澄合《山海經》已來一百六十家，以爲此書。
　　澄本之外，其舊事並多零失，見存別部自行者，唯四十二家，今列之於上。

三輔故事二卷　晉世撰。

湘州記二卷　庾仲雍撰。

吳郡記二卷　晉本州主簿顧夷撰。

日南傳一卷

江記五卷　庾仲雍撰。

漢水記五卷　庾仲雍撰。

居名山志一卷　謝靈運撰。

西征記一卷　戴祚撰。

廬山南陵雲精舍記一卷

永初山川古今記二十卷　齊都官尚書劉澄之撰。

元康三年地記六卷

司州記二卷

并帖省置諸郡舊事一卷

地記二百五十二卷　梁任昉增陸澄之書八十四家，以爲此記。其所增舊書，亦多零失，見存別部行者，唯十二家，今列之於上。

山海經圖讚二卷 郭璞注。

山海經音二卷

水經四十卷 酈善長注。

廟記一卷

地理書抄二十卷 陸澄撰。

地理書抄九卷 任昉撰。

地理書抄十卷 劉黄門撰。

洛陽伽藍記五卷 後魏楊衒之撰。

荆南地志二卷 蕭世誠撰。

巴蜀記一卷

交州異物志一卷 楊孚撰。

元康六年户口簿記三卷

元嘉六年地記三卷

九州郡縣名九卷

扶南異物志一卷 朱應撰。

臨海水土物志一卷 ①沈瑩撰。

益州記三卷 李氏撰。

湘州記一卷 郭仲彦撰。②

湘州圖副記一卷

四海百川水源記一卷 釋道安撰。

京師寺塔記十卷 録一卷。劉璆撰。

華山精舍記一卷 張光禄撰。

南雍州記六卷 鮑至撰。

---

① “臨海水土物志”，殿本同，中華本據兩《唐志》於“土”後補“異”。

② “郭仲彦”，殿本同，中華本據《史通·正史篇》、《崇文總目》改作“郭仲產”。

京師寺塔記二卷　釋曇景撰。①

張騫出關志一卷

外國傳五卷　釋曇景撰。

歷國傳二卷　釋法盛撰。

西京記三卷

京師録七卷

尋江源記一卷

後園記一卷

江表行記一卷

淮南記一卷

古來國名二卷

十三州志十卷　闞駰撰。

慧生行傳一卷

宋武北征記一卷　戴氏撰。

林邑國記一卷

涼州異物志一卷

閩象傳二卷　閭先生撰。

司州山川古今記三卷　劉澄之撰。

江圖一卷　張氏撰。

江圖二卷　劉氏撰。

廣梁南徐州記九卷　虞孝敬撰。

水飾圖二十卷

甌閩傳一卷

北荒風俗記二卷

諸番風俗記二卷

---

① "釋曇景"，殿本同，中華本據《高僧傳》改作"釋曇宗"。

男女二國傳一卷

突厥所出風俗事一卷

古今地譜二卷

輿地志三十卷　陳顧野王撰。

序行記十卷　姚最撰。

魏永安記三卷　温子昇撰。

國都城記二卷

周地圖記一百九卷

冀州圖經一卷

齊州圖經一卷

齊州記四卷　李叔布撰。

幽州圖經一卷

魏聘使行記六卷

聘北道里記三卷　江德藻撰。

李諧行記一卷

聘遊記三卷　劉師知撰。

朝覲記六卷

封君義行記一卷　李繪撰。

輿駕東行記一卷　薛泰撰。

北伐記七卷　諸葛穎撰。

巡撫楊州記七卷　諸葛穎撰。

大魏諸州記二十一卷

并州入朝道里記一卷　蔡允恭撰。

趙記十卷

代都略記三卷

世界記五卷　釋僧祐撰。

州郡縣簿七卷

大隋翻經婆羅門法師外國傳五卷

隋區宇圖志一百二十九卷

隋西域圖三卷　裴矩撰。

隋諸州圖經集一百卷　郎蔚之撰。

隋諸郡土俗物産一百五十一卷

西域道里記三卷

諸蕃國記十七卷

方物志二十卷　許善心撰。

并州總管内諸州圖一卷

右一百三十九部，一千四百三十二卷。　通計亡書，合一百四十部，一千四百三十四卷。

昔者先王之化民也，以五方土地，風氣所生，剛柔輕重，飲食衣服，各有其性，不可遷變。是故疆理天下，物其土宜，知其利害，達其志而通其欲，齊其政而脩其教。故曰廣谷大川異制，人居其間異俗。《書》録禹別九州，定其山川，分其圻界，條其物産，辨其貢賦，斯之謂也。周則夏官司險，掌建九州之圖，周知山林川澤之阻，達其道路。地官誦訓，掌方志以詔觀事，以知地俗。春官保章，以星土辨九州之地，所封之域，以觀祆祥。秋官職方，①掌天下之圖地，辨四夷八蠻九貉五戎六狄之人，與其財用九穀六畜之數，周知利害，辨九州之國，使同其貫。司徒掌邦之土地之圖，與其人民之教，以佐王擾邦國，周知九州之域，廣輪之數，辨其山林川澤丘陵墳衍原隰之名物，及土會之法。然則其事分在衆職，而冢宰掌建邦之六典，實揔其事。太史以典逆冢宰之治，其書蓋亦揔爲史官之職。漢初，蕭何得秦圖書，故知天下要害。後又得《山海經》，相傳以

---

①　“秋”，殿本同，中華本據《周禮》改作“夏”。

爲夏禹所記。武帝時計書既上太史，郡國地志，固亦在焉。
而史遷所記，但述河渠而已。其後劉向略言地域。丞相張禹
使屬朱貢條記風俗，班固因之作《地理志》。其州國郡縣山川
夷險時俗之異，經星之分，風氣所生，區域之廣，户口之數，各
有攸叙。與古《禹貢》、《周官》所記相埒。是後載筆之士，管
窺末學，不能及遠，但記州郡之名而已。晋世摯虞依《禹貢》、
《周官》，作《畿服經》，其州郡及縣分野封略事業，國邑山陵水
泉，鄉亭城道里土田，民物風俗，先賢舊好，靡不具悉，凡一百
七十卷，今亡。而學者因其經歷，並有記載，然不能成一家之
體。齊時，陸澄聚一百六十家之説，依其前後遠近，編而爲
部，謂之《地理書》。任昉又增陸澄之書八十四家，謂之《地
記》。陳時顧野王抄撰衆家之言，作《輿地志》。隋大業中，普
詔天下諸郡，條其風俗物産地圖，上于尚書。故隋代有《諸郡
物産土俗記》一百五十一卷，《區宇圖志》一百二十九卷，《諸
州圖經集》一百卷。其餘記注甚衆。今任、陸二家所記之内
而又別行者，各録在其書之上，自餘次之於下，以備地理之
記焉。

世本王侯大夫譜二卷

世本二卷　　劉向撰。

世本四卷　　宋衷撰。

漢氏帝王譜三卷　　梁有《宋譜》四卷，劉湛《百家譜》二卷，亡。

齊帝譜屬十卷

百家集譜十卷　　王儉撰。梁有王逡之續儉《百家譜》四卷，《南族譜》二卷，《百家譜
拾遺》一卷。又有《齊梁帝譜》四卷，《梁帝譜》十三卷。亡。

百家譜三十卷　　王僧孺撰。

百家譜集鈔十五卷　　王僧孺撰。

百家譜二十卷　賈執撰。

百家譜十五卷　溥昭撰。①

百家譜世統十卷

百家譜鈔五卷

姓氏英賢譜一百卷　賈執撰。案梁有《王司空新集諸州譜》十一卷，又別有《諸姓譜》一百一十六卷，《益州譜》四十卷，《關東關北譜》三十三卷，《梁武帝揔責境內十八州譜》六百九十卷。②　亡。

後魏辯宗録二卷　元曄業撰。③

後魏皇帝宗族譜四卷

魏孝文列姓族牒一卷

後齊宗譜一卷

益州譜三十卷

冀州姓族譜二卷

洪州諸姓譜九卷

吉州諸姓譜八卷

江州諸姓譜十一卷

諸州雜譜八卷

袁州諸姓譜八卷

楊州譜鈔五卷

京兆韋氏譜二卷

謝氏譜一十卷

楊氏血脉譜二卷

楊氏家譜狀并墓記一卷

楊氏枝分譜一卷

---

① “溥昭”，殿本、中華本作“傅昭”。
② “揔責”，殿本同，中華本據姚振宗《隋書經籍志考證》改作“揔集”。
③ “元曄業”，殿本同，中華本據《魏書·景穆十三王傳》、《北齊書》改作“元暉業”。

楊氏譜一卷

北地傅氏譜一卷

蘇氏譜一卷

述系傳一卷　姚最撰。

氏族要狀十五卷

姓苑一卷　何氏撰。

複姓苑一卷

齊永元中表簿五卷

竹譜一卷

錢譜一卷　顧烜撰。

錢圖一卷

右四十一部，三百六十卷。　通計亡書，合五十三部，一千二百八十卷。

氏姓之書，其所由來遠矣。《書》稱：“別生分類。”《傳》曰：“天子
　建德，因生以賜姓。”周家小史定繫世，辨昭穆，則亦史之職
　也。秦兼天下，剗除舊迹，公侯子孫，失其本繫。漢初，得《世
　本》，叙黃帝已來祖世所出。而漢又有《帝王年譜》，後漢有
　《鄧氏官譜》。晉摯虞作《族姓昭穆記》十卷，齊、梁之間，其書
　轉廣。後魏遷洛，有八氏十姓，咸出帝族。又有三十六族，則
　諸國之從魏者；九十二姓，世爲部落大人者，並爲河南洛陽
　人。其中國士人，則第其門閥，有四海大姓、郡姓、州姓、縣
　姓。及周太祖入關，諸姓子孫有功者，並令爲其宗長，仍撰譜
　録，紀其所承。又以關內諸州，爲其本望。其《鄧氏官譜》及
　《族姓昭穆記》，晉亂已亡。自餘亦多遺失。今録其見存者，
　以爲譜系篇。

七略別録二十卷　劉向撰。

七略七卷　劉歆撰。

晉中經十四卷　荀勖撰。

晉義熙已來新集目録三卷

宋元徽元年四部書目録四卷　王儉撰。

今書七志七十卷　王儉撰。

梁天監六年四部書目録四卷　殷鈞撰。

梁東宮四部目録四卷　劉遵撰。

梁文德殿四部目録四卷　劉孝標撰。

七録十二卷　阮孝緒撰。

魏闕書目録一卷

陳祕閣圖書法書目録一卷

陳天嘉六年壽安殿四部目録四卷

陳德教殿四部目録四卷

陳承香殿五經史記目録二卷

開皇四年四部目録四卷

開皇八年四部書目録四卷

香厨四部目録四卷

隋大業正御書目録九卷

法書目録六卷

雜儀注目録四卷

雜撰文章家集叙十卷　荀勖撰。

文章志四卷　摯虞撰。

續文章志二卷　傅亮撰。

晉江左文章志三卷　宋明帝撰。

宋世文章志二卷　沈約撰。

書品二卷

名手畫録一卷

正流論一卷

右三十部,二百一十四卷。

古者史官既司典籍,蓋有目録,以爲綱紀,體制堙滅,不可復知。
　孔子删書,別爲之序,各陳作者所由。韓、毛二《詩》,亦皆相
　類。漢時劉向《別録》、劉歆《七略》,剖析條流,各有其部,推
　尋事迹,疑則古之制也。自是之後,不能辨其流別,但記書名
　而已。博覽之士,疾其渾漫,故王儉作《七志》,阮孝緒作《七
　録》,並皆別行。大體雖準向、歆,而遠不逮矣。其先代目録,
　亦多散亡,今揔其見存,編爲簿録篇。

凡史之所記,八百一十七部,一萬三千二百六十四卷。　　通計亡書,
合八百七十四部,一萬六千五百五十八卷。

夫史官者,必求博聞强識,疏通知遠之士,使居其位,百官衆職,
　咸所貳焉。是故前言往行,無不識也;天文地理,無不察也;
　人事之紀,無不達也。内掌八柄,以詔王治,外執六典,以逆
　官政。書美以彰善,記惡以垂戒,範圍神化,昭明令德,窮聖
　人之至賾,詳一代之韞韥。自史官廢絶久矣,漢氏頗循其舊,
　班、馬因之。魏、晋已來,其道逾替。南、董之位,以禄貴遊,
　正、駿之司,罕因才授。故梁世諺曰:"上車不落則著作,體中
　何如則祕書。"於是尸素之儔,盱衡延閣之上,立言之士,揮翰
　蓬茨之下。一代之記,至數十家,傳説不同,聞見舛駁,理失
　中庸,辭乖體要。致令允恭之德,有闕於典墳,忠肅之才,不
　傳於簡策。斯所以爲蔽也。班固以《史記》附《春秋》,今開其
　事類,凡十三種,別爲史部。

三、子

晏子春秋七卷　齊大夫晏嬰撰。

曾子二卷　目一卷。魯國曾參撰。

子思子七卷　魯穆公師孔伋撰。

公孫尼子一卷　尼，似孔子弟子。

孟子十四卷　齊卿孟軻撰，趙岐注。

孟子七卷　鄭玄注。

孟子七卷　劉熙注。梁有《孟子》九卷，綦毋邃撰，亡。

孫卿子十二卷　楚蘭陵令荀況撰。梁有《王孫子》一卷，亡。

董子一卷　戰國時董無心撰。

魯連子五卷　録一卷　魯連，齊人，不仕，稱爲先生。

新語二卷　陸賈撰。

賈子十卷　録一卷。漢梁太傅賈誼撰。

鹽鐵論十卷　漢盧江府丞桓寬撰。

新序三十卷　録一卷。劉向撰。

説苑二十卷　劉向撰。

揚子法言十五卷　解一卷　揚雄撰，李軌注。梁有《揚子法言》六卷，侯苞注，亡。

揚子法言十三卷　宋衷撰。①

揚子太玄經九卷　宋衷注。梁有《揚子太玄經》九卷，揚雄自作章句，亡。

揚子太玄經十卷　陸績、宋衷撰。

---

　　① “撰”，殿本同，中華本據《舊唐志》上、《新唐志》三改作“注”。下“揚子太玄經十卷陸績宋衷撰”條同。

揚子太玄經十卷　蔡文邵注。梁有《揚子太玄經》十四卷，虞翻注。《揚子太玄經》十三卷，陸凱注。《揚子太玄經》七卷，王肅注。亡。

桓子新論十七卷　後漢六安丞桓譚撰。

潛夫論十卷　後漢處士王符撰。梁有《王逸正部論》八卷，後漢侍中王逸撰。《後序》十二卷，後漢司隸校尉應奉撰。《周生子要論》一卷，録一卷，魏侍中周生烈撰。亡。

申鑒五卷　荀悦撰。

魏子三卷　後漢會稽人魏朗撰。梁有《文檢》六卷，似後漢末人作，亡。

牟子二卷　後漢太尉牟融撰。

典論五卷　魏文帝撰。

徐氏中論六卷　魏太子文學徐幹撰。梁目一卷。

王子正論十卷　王肅撰。梁有《去伐論集》三卷，王粲撰，亡。

杜氏體論四卷　魏幽州刺史杜恕撰。梁有《新書》五卷，王基撰。《周子》九卷，吳中書郎周昭撰。亡。

顧子新語十二卷　吳太常顧譚撰。《通語》十卷，晉尚書左丞殷興撰。《典語》十卷，《典語別》二卷，並吳中夏督陸景撰。亡。

譙子法訓八卷　譙周撰。梁有《譙子五教志》五卷，亡。

袁子正論十九卷　袁準撰。梁又有《袁子正書》二十五卷，袁準撰。《孫氏成敗志》三卷，孫毓撰。《古今通論》二卷，松滋令王嬰撰。《蔡氏化清經》十卷，蔡洪撰。①《通經》二卷，晉丞相從事中郎王長元撰。② 亡。

新論十卷　晉散騎常侍夏侯湛撰。梁有《揚子物理論》十六卷，《揚子大元經》十四卷，並晉徵士楊泉撰。《新論》十卷，晉金紫禄大夫華譚撰。《梅子新論》一卷。亡。

志林新書三十卷　虞喜撰。梁有《廣林》二十四卷，又《後林》十卷，虞喜撰。《干子》十八卷，干寶撰。《閑論》二卷，晉江州從事蔡韶撰。《顧子》十卷，晉揚州主簿顧夷撰。亡。

---

① "蔡洪"，殿本同，中華本據姚振宗《隋書經籍志考證》及本志集部別集類，移"王嬰"前"松滋令"於"蔡洪"前。

② "王長元"，殿本同，中華本據《晉書·王長文傳》、《華陽國志》改作"王長文"。

要覽十卷 晋郡儒林祭酒吕竦撰。

正覽六卷 梁太子詹事周捨撰。梁有《三統五德論》二卷，曹思文撰，亡。

諸葛武侯集誡二卷

衆賢誡十三卷

女篇一卷

女鑒一卷

婦人訓誡集十一卷

婦姒訓一卷①

曹大家女誡一卷

貞順志一卷

右六十二部，五百三十卷。 通計亡書，合六十七部，六百九卷。

儒者，所以助人君明教化者也。聖人之教，非家至而户説，故有
儒者宣而明之。其大抵本於仁義及五常之道，黄帝、堯、舜、
禹、湯、文、武，咸由此則。《周官》，太宰以九兩繫邦國之人，
其四曰儒，是也。其後陵夷衰亂，儒道廢闕。仲尼祖述前代，
修正六經，三千之徒，並受其義。至于戰國，孟軻、子思、荀卿
之流，宗而師之，各有著述，發明其指。所謂中庸之教，百王
不易者也。俗儒爲之，不顧其本，苟欲譁衆，多設問難，便辭
巧説，亂其大體，致令學者難曉，故曰“博而寡要”。

鬻子一卷 周文王師鬻熊撰。

老子道德經二卷 周柱下史李耳撰，漢文帝時河上公注。梁有戰國時河上丈人
注《老子經》二卷，漢長陵三老毋丘望之注《老子》二卷，漢徵士嚴遵注《老子》二卷，虞
翻注《老子》二卷，亡。

老子道德經二卷 王弼注。梁有《老子道德經》二卷，張嗣注。《老子道德經》二

---

① “婦姒訓”，殿本同，中華本據本志集部總集類改作“娣姒訓”。

卷，蜀才注。亡。

老子道德經二卷　鍾會注。梁有《老子道德經》二卷，晉太傅羊祜解釋。《老子經》二卷，東晉江州刺史王尚述注。《老子》二卷，晉郎中程韶集解。《老子》二卷，邯鄲氏注。《老子》二卷，常氏傳。《老子》二卷，孟氏注。《老子》二卷，盈氏注。亡。

老子道德經二卷　音一卷　晉尚書郎孫登注。

老子道德經二卷　劉仲融注。梁有《老子道德經》二卷，巨生解。《老子道德經》二卷，晉西中郎將袁真注。《老子道德經》二卷，張憑注。《老子道德經》二卷，釋惠琳注。《老子道德經》二卷，釋惠嚴注。《老子道德經》二卷，王玄載注。亡。

老子道德經二卷　盧景裕撰。

老子音一卷　李軌撰。梁有《老子音》一卷，晉散騎常侍戴逵撰，亡。

老子四卷　梁曠撰。

老子指歸十一卷　嚴遵注。

老子指趣三卷　毋丘望之撰。

老子義綱一卷　顧歡撰。梁有《老子道德論》二卷，何晏撰。《老子序決》一卷，葛仙公撰。《老子雜論》一卷，何、王等注。《老子私記》十卷，梁簡文帝撰。《老子玄示》一卷，韓壯撰。《老子玄譜》一卷，晉柴桑令劉遺民撰。《老子玄機》三卷，宗塞撰。《老子幽易》五卷，又《老子志》一卷，山琮撰。亡。

老子義疏一卷　顧歡撰。梁有《老子義疏》一卷，釋慧觀撰，亡。

老子義疏五卷　孟智周私記。

老子義疏四卷　韋處玄撰。

老子講疏六卷　梁武帝撰。

老子義疏九卷　戴詵撰。

老子節解二卷

老子章門一卷

文子十二卷　文子，老子弟子。《七略》有九篇，梁《七錄》十卷，亡。

鶡冠子三卷　楚之隱人。

列子八卷　鄭之隱人列禦寇撰，東晉光祿勳張湛注。

莊子二十卷　梁漆園吏莊周撰，晉散騎常侍向秀注。本二十卷，今闕。梁有《莊子》

十卷,東晋議郎崔譔注,亡。

莊子十六卷　司馬彪注。本二十一卷,今闕。

莊子三十卷　目一卷　晋太傅主簿郭象注。梁《七録》三十三卷。

集注莊子六卷　梁有《莊子》三十卷。晋丞相參軍李頤注。《莊子》十八卷,孟氏注,録一卷。亡。

莊子音一卷　李軌撰。

莊子音三卷　徐邈撰。

莊子集音三卷　徐邈撰。

莊子註音一卷　司馬彪等撰。

莊子音三卷　郭象撰。梁有向秀《莊子音》一卷。

莊子外篇雜音一卷

莊子内篇音義一卷

莊子講疏十卷　梁簡文帝撰。本二十卷,今闕。

莊子講疏二卷　張機撰。亡。①

莊子講疏八卷

莊子文句義二十八卷　本三十卷,今闕。梁有《莊子義疏》十卷,又《莊子義疏》三卷,宋處士李叔之撰,②亡。

莊子内篇講疏八卷　周弘正撰。

莊子義疏八卷　戴詵撰。

南華論二十五卷　梁曠撰。本三十卷。

南華論音三卷

莊成子十二卷　梁有《蹇子》一卷,今亡。

玄言新記明莊部二卷　梁澡撰。

守白論一卷

---

① "張機",殿本同,中華本據《陳書》本傳改作"張譏"。下"游玄桂林"條同。

② "李叔之",殿本同,中華本據《經典釋文・叙録》、《舊唐志》下等書改作"王叔之"。

任子道論十卷　魏河東太守任嘏撰。梁有《渾輿經》一卷，魏安成令桓威撰，亡。

唐子十卷　吳唐滂撰。梁有《蘇子》七卷，晉北中郎參軍蘇彥撰。《宜子》二卷，晉宜
　城令宣聘撰。①《陸子》十卷，陸雲撰。亡。

杜氏幽求新書二十卷　杜夷撰。

抱朴子内篇二十一卷　音一卷　葛洪撰。梁有《顧道士新書論經》三卷，晉
　方士顧谷撰，亡。

孫子十二卷　孫綽撰。

符子二十卷　東晉員外郎符朗撰。梁有《賀子述言》十卷，宋太學博士賀道養撰。
　《少子》五卷，齊司徒左長史張融撰。梁有《養生論》三卷，嵇康撰。《攝生論》二卷，晉
　河内太守阮侃撰。《無宗論》四卷，《聖人無情論》六卷。亡。

夷夏論一卷　顧歡撰。梁二卷。梁又有《談衆》三卷，亡。

簡文談疏六卷　晉簡文帝撰。

無名子一卷　張太衡撰。

玄子五卷

游玄桂林二十一卷　目一卷　張機撰。

廣成子十三卷　商洛公撰。張太衡注，疑近人作。

右七十八部，合五百二十五卷。

道者，蓋爲萬物之奧，聖人之至賾也。《易》曰：“一陰一陽之謂
　道。”又曰：“仁者見之謂之仁，智者見之謂之智，百姓日用而
　不知。”夫陰陽者，天地之謂也。天地變化，萬物蠢生，則有經
　營之迹。至於道者，精微淳粹，而莫知其體，處陰與陰爲一，
　在陽與陽不二。仁者資道以成仁，道非仁之謂也。智者資道
　以爲智，道非智之謂也。百姓資道而日用，而不知其用也。
　聖人體道成性，清虛自守，爲而不恃，長而不宰，故能不勞聰
　明而人自化，不假脩營而功自成。其玄德深遠，言象不測。
　先王懼人之惑，置于方外，六經之義，是所罕言。《周官》九

---

①　“宣聘”，殿本同，中華本據《經典釋文·叙録》及本志別集類注，改作“宣舒”。

兩,其三曰師,蓋近之矣。然自黃帝以下,聖哲之士,所言道者,傳之其人,世無師説。漢時,曹參始薦蓋公能言黃老,文帝宗之。自是相傳,道學衆矣。下士爲之,不推其本,苟以異俗爲高,狂狷爲尚,迂誕譎怪而失其真。

管子十九卷　齊相管夷吾撰。

商君書五卷　秦相衞鞅撰。梁有《申子》三卷,韓相申不害撰,亡。

慎子十卷　戰國時處士慎到撰。

韓子二十卷　目一卷　韓非撰。梁有《韓氏新書》三卷,漢御史大夫鼂錯撰,亡。

正論六卷　漢大尚書崔寔撰。梁有《法論》十卷,劉邵撰。《政論》五卷,魏侍中劉廙撰。《阮子正論》五卷,魏清河太守阮武撰。亡。

世要論十二卷　魏大司農桓範撰。梁有二十卷。又有《陳子要言》十四卷,吳豫章太守陳融撰。《蔡司徒難論》五卷,晉三公令史黃命撰。亡。

右六部,合七十二卷。

法者,人君所以禁淫慝,齊不軌,而輔於治者也。《易》著“先王明罰飭法”,《書》美“明于五刑,以弼五教”。《周官》,司寇“掌建國之三典,以佐王刑邦國,詰四方”;司刑“以五刑之法,麗萬民之罪”,是也。刻者爲之,則杜哀矜,絕仁愛,欲以威劫爲化,殘忍爲治,乃至傷恩害親。

鄧析子一卷　析,鄭大夫。

尹文子二卷　尹文,周之處士,遊齊稷下。

士操一卷　魏文帝撰。梁有《刑聲論》一卷,亡。

人物志三卷　劉邵撰。梁有《士緯新書》十卷,姚信撰,又《姚氏新書》二卷,與《士緯》相似。《九州人士論》一卷,魏司空盧毓撰。《通古人論》一卷。亡。

右四部,合七卷。

名者,所以正百物,叙尊卑,列貴賤,各控名而責實,無相僭濫者

也。《春秋傳》曰："古者名位不同,節文異數。"孔子曰："名不
正則言不順,言不順則事不成。"《周官》,宗伯"以九儀之命,
正邦國之位,辨其名物之類",是也。拘者爲之,則苛察繳繞,
滯於析辭而失大體。

墨子十五卷　目一卷 <small>宋大夫墨翟撰。</small>

隨巢子一卷 <small>巢,似墨翟弟子。</small>

胡非子一卷 <small>非,似墨翟弟子。梁有《田休子》一卷,①亡。</small>

右三部,合一十七卷。

墨者,强本節用之術也。上述堯、舜、夏禹之行,茅茨不翦,糲粱
之食,桐棺三寸,貴儉兼愛,嚴父上德,以孝示天下,右鬼神而
非命。《漢書》以爲本出清廟之守。然則《周官》宗伯"掌建邦
之天神地祇人鬼",肆師"掌立國祀及兆中廟中之禁令",是其
職也。愚者爲之,則守於節儉,不達時變,推心兼愛,而混於
親疏也。

鬼谷子三卷 <small>皇甫謐注。鬼谷子,周世隱於鬼谷。梁有《補闕子》十卷,《湘東鴻烈》</small>
<small>十卷,並元帝撰,亡。</small>

鬼谷子三卷 <small>樂一注。</small>

右二部,合六卷。

從橫者,所以明辯説,善辭令,以通上下之志者也。《漢書》以爲
本出行人之官,受命出疆,臨事而制,故曰:"誦《詩》三百,使
于四方,不能專對,雖多亦奚以爲?"《周官》,掌交"以節與幣,
巡邦國之諸侯及萬姓之聚,導王之德意志慮,使辟行之,而和
諸侯之好,達萬民之説;諭以九稅之利,九儀之親,九牧之維,

---

① "田休子",殿本同,中華本據《漢書•藝文志》改作"田俅子"。

九禁之難，九戎之威”，是也。佞人爲之，則便辭利口，傾危變
詐，至於賊害忠信，覆邦亂家。

尉繚子五卷　梁並録六卷。尉繚，梁惠王時人。

尸子二十卷　目一卷　梁十九卷。秦相衛鞅上客尸佼撰。其九篇亡，魏黃初
中續。

吕氏春秋二十六卷　秦相吕不韋撰，高誘注。

淮南子二十一卷　漢淮南王劉安撰，許慎注。

淮南子二十一卷　高誘注。

論衡二十九卷　後漢徵士王充撰。梁有《洞序》九卷、録一卷，應奉撰，亡。

風俗通義三十一卷　録一卷。應劭撰。梁三十卷。

仲長子昌言十二卷　録一卷。漢尚書郎仲長統撰。

蔣子萬機論八卷　蔣齊撰。梁有《篤論》四卷，杜恕撰。《芻蕘論》五卷，鍾會撰。
梁有《諸葛子》五卷，吳太傅諸葛恪撰。亡。

傅子百二十　晋司隸校尉傅玄撰。《嘿記》三卷，吳大鴻臚張儼撰。《裴氏新言》
五卷，吳大鴻臚裴玄撰。① 梁有《新義》十八卷，吳太子中庶子劉廙撰。《析言論》二
十卷，晋議郎張顯撰。《桑丘先生書》二卷，晋征南軍師楊偉撰。亡。

時務論十二卷　楊偉撰。梁有《古世論》十七卷，《桓子》一卷。《秦子》三卷，吳秦
菁撰。《劉子》十卷，《何子》五卷。亡。

立言六卷　蘇道撰。梁有《孔氏説林》二卷，孔衍撰，亡。

抱朴子外篇三十卷　葛洪撰。梁有五十一卷。

金樓子十卷　梁元帝撰。

博物志十卷　張華撰。

張公雜記一卷　張華撰。梁有五卷，與《博物志》相似，小小不同。又有《雜記》十
卷，何氏撰，亡。

雜記十一卷　張華撰。梁有《子林》二十卷，孟儀撰，亡。

---

①　“嘿記”、“裴氏新言”，殿本同，中華本認爲原應爲正文，誤入注内。

廣志二卷　郭義恭撰。

部略十五卷

博覽十三卷

諫林五卷　齊晋陵令何望之撰。①

述政論十三卷　陸澄撰。

古今注三卷　崔豹撰。

古今訓十一卷　張顯撰。

古今善言三十卷　宋車騎將軍范泰撰。

善諫二卷　宋領軍長史虞通之撰。

缺文十三卷　陸澄撰。

政論十三卷　陸澄撰。

記聞二卷　宋後軍參軍徐益壽撰。

新舊傳四卷

釋俗語八卷　劉霽撰。

稱謂五卷　後周大將軍盧辯撰。

備遺記三卷

纂要一卷　戴安道撰。亦云顏延之撰。

方類六卷

俗説三卷　沈約撰。梁五卷。

雜説二卷　沈約撰。

袖中記二卷　沈約撰。

袖中略集一卷　沈約撰。

珠叢一卷　沈約撰。

採璧三卷　梁中書舍人庾肩吾撰。

物始十卷　謝吳撰。

宜覽二十二卷

玉府集八卷

鴻寶十卷

顯用九卷

墳典三十卷　盧辯撰。

玉燭寶典十二卷　著作郎杜臺卿撰。

典言四卷　後魏人李穆叔撰。

典言四卷　後齊中書郎苟士遜等撰。

補文六卷

四時錄十二卷

正訓二十卷

內訓二十卷

雜略十三卷

清神三卷

前言八卷

會林五卷

對林十卷

道言六卷　叱羅羨撰。

道術志三卷

述伎藝一卷

諸書要略一卷　魏彥深撰。

文府五卷　梁有《文章義府》三十卷。

語對十卷　朱澹遠撰。

語麗十卷　朱澹遠撰。

對要三卷

雜語三卷

眾書事對三卷

廊廟五格二卷　王彬撰。

名數八卷

新言四卷　裴立撰。

善説五卷

君臣相起發事三卷

物重名五卷

真注要録一卷

天地體二卷

雜事鈔二十四卷

雜書鈔四十四卷

子抄三十卷　梁黟令庾仲容撰。

子鈔二十卷　梁有《子鈔》十五卷，沈約撰，亡。

論集八十六卷　殷仲堪撰。梁九十六卷。梁又有《雜論》五十八卷，《雜論》十三卷，亡。

皇覽一百二十卷　繆卜等撰。① 梁六百八十卷。梁又有《皇覽》一百二十三卷，何承天合。《皇覽》五十卷，徐爰合。《皇覽目》四卷。又有《皇覽抄》二十卷，梁特進蕭琛抄。亡。

帝王集要三十卷　崔安撰。

類苑一百二十卷　梁征虜刑獄參軍劉孝標撰。梁《七録》八十二卷。

華林遍略六百二十卷　梁綏安令徐僧權等撰。

要録六十卷

壽光書苑二百卷　梁尚書左丞劉杳撰。

科録七十卷②　元暉撰。

書圖泉海二十卷　陳張式撰。

---

① “繆卜”，殿本同，中華本據《史記·五帝本紀》索隱改作“繆襲”。

② “科録七十卷”，殿本同，中華本據《魏書·元暉傳》及《舊唐志》下、《新唐志》三於“七十卷”前補“二百”。

聖壽堂御覽三百六十卷

長洲玉鏡二百三十八卷

書鈔一百七十四卷

釋氏譜十五卷

內典博要三十卷

净住子二十卷　齊竟陵王蕭子良撰。

因果記十卷

歷代三寶記三卷　費長房撰。

真言要集十卷

義記二十卷　蕭子良撰。

感應傳八卷　晋尚書郎王延秀撰。①

眾僧傳二十卷　裴子野撰。

高僧傳六卷　虞孝敬撰。

皇帝菩薩清净大捨記三卷　謝吳撰,亡。

寶臺四法藏目錄一百卷　大業中撰。

玄門寶海一百二十卷　大業中撰。

右九十七部,合二千七百二十卷

雜者,兼儒墨之道,通眾家之意,以見王者之化,無所不冠者也。

　　古者,司史歷記前言往行,禍福存亡之道。然則雜者,蓋出史官之職也。放者爲之,不求其本,材少而多學,言非而博是,以雜錯漫羨,而無所指歸。

氾勝之書二卷　漢議郎氾勝之撰。

四人月令一卷　後漢大尚書崔寔撰。

禁苑實錄一卷

---

①　"晋尚書王延秀",殿本同,中華本據《宋書・何尚之傳》改"晋"作"宋"。

齊民要術十卷　賈思勰撰。

春秋濟世六常擬議五卷　楊瑾撰。梁有《陶朱公養魚法》、《卜式養羊法》、《養豬法》、《月政畜牧栽種法》，各一卷，亡。

右五部，一十九卷

農者，所以播五穀，藝桑麻，以供衣食者也。《書》叙八政，其一曰食，二曰貨。孔子曰："所重民食。"《周官》，冢宰"以九職任萬民"，其一曰"三農生九穀"；地官司稼"掌巡邦野之稼，而辨穜稑之種，周知其名與共所宜地，以爲法而懸于邑閭"，是也。鄙者爲之，則棄君臣之義，徇耕稼之利，而亂上下之序。

燕丹子一卷　丹，燕王喜太子。梁有《青史子》一卷。又《宋玉子》一卷，録一卷，楚大夫宋玉撰。《群英論》一卷，郭頒撰。《語林》十卷，東晋處士裴啓撰。亡。

雜語五卷

郭子三卷　東晋中郎郭澄之撰。

雜對語三卷

要用語對四卷

文對三卷

璅語一卷　梁金紫光禄大夫顧協撰。

笑林三卷　後漢給事中邯鄲淳撰。

笑苑四卷

解頤二卷　楊松玢撰。[1]

世説八卷　宋臨川王劉義慶撰。

世説十卷　劉孝標注。梁有《俗説》一卷，亡。

小説十卷　梁武帝勑安右長史殷芸撰。梁目，三十卷。

小説五卷

邇説一卷　梁南臺治書伏㮚撰。[2]

---

① "楊松玢"，殷本同，中華本據姚振宗《隋書經籍志考證》改作"陽玠松"。

② "伏㮚"，殷本同，中華本據《梁書》本傳改作"伏挺"。

辯林二十卷　蕭貢撰。

辯林二卷　席希秀撰。

瓊林七卷　周獸門學士陰顥撰。

古今藝術二十卷

雜書鈔十三卷

座右方八卷　庚元威撰。

座右法一卷

魯史欹器圖一卷　儀同劉徽注。

欹準圖三卷　後魏丞相士曹行參軍信都芳撰。

水飾一卷

右二十五部，合一百五十五卷

小說者，街說巷語之說也。《傳》載輿人之誦，《詩》美詢于芻蕘。古者聖人在上，史爲書，瞽爲詩，工誦箴諫，大夫規誨，士傳言而庶人謗。孟春，徇木鐸以求歌謠，巡省觀人詩，以知風俗。過則正之，失則改之，道聽塗說，靡不畢紀。《周官》，誦訓“掌道方志以詔觀事，道方慝以詔辟忌，以知地俗”；而訓方氏“掌道四方之政事，與其上下之志，誦四方之傳道而觀衣物”，是也。孔子曰：“雖小道，必有可觀者焉，致遠恐泥。”

司馬兵法三卷　齊將司馬穰苴撰。

孫子兵法二卷　吳將孫武撰，魏武帝注。梁三卷。

孫子兵法一卷　魏武、王凌集解。

孫武兵經二卷　張子尚注。

鈔孫子兵法一卷　魏太尉賈詡鈔。梁有《孫子兵法》二卷，孟氏解詁。《孫子兵法》二卷，吳處士沈友撰。又《孫子八陣圖》一卷。亡。

吳起兵法一卷　賈詡注。

吴孫子牝八變陣圖二卷①

續孫子兵法二卷　魏武帝撰。

孫子兵法雜占四卷　梁有《諸葛亮兵法》五卷，又《慕容氏兵法》一卷，亡。

皇帝兵法一卷　宋武帝所傳神人書。梁有《雜兵注》二十四卷，《兵法序》二卷，亡。

太公六韜五卷　梁六卷。周文王師姜望撰。

太公陰謀一卷　梁六卷。梁又有《太公陰謀》三卷，魏武帝解。

太公陰符鈐録一卷

太公金匱二卷

太公兵法二卷　梁三卷。

太公兵法六卷　梁有《太公雜兵書》六卷。

太公伏符陰陽謀一卷

黄帝兵法孤虚雜記一卷

太公三宫兵法一卷　梁有《太一三宫兵法立成圖》二卷。

太公書禁忌立成集二卷

太公枕中記一卷

周書陰符九卷

周吕書一卷

黄石公内記敵法一卷

黄石公三略三卷　下邳神人撰，成氏注。梁又有《黄石公記》三卷，《黄石公略注》
　三卷。

黄石公三奇法一卷　梁有《兵書》一卷，《張良經》與《三略》往往同，亡。

黄石公五壘圖一卷

黄石公陰謀行軍祕法一卷　梁有《黄石公祕經》二卷。

大將軍兵法一卷

黄石公兵書三卷

---

①　"吴孫子牝八變陣圖"，殿本同，中華本據《歷代名畫記》於"牝"後補"牡"字。

兵書接要十卷　魏武帝撰。梁有《兵書接要別本》五卷，又有《兵書要論》七卷，亡。

兵法接要三卷　魏武帝撰。

三宮用兵法一卷

兵書略要九卷　魏武帝撰。梁有《兵要》二卷。

魏武帝兵法一卷　梁有《魏時群臣表伐吳策》一卷，《諸州策》四卷，《軍令》八卷，《尉繚子兵書》一卷。

兵林六卷　東晉江都相孔衍撰。

兵林一卷

玄女戰經一卷

武林一卷　王略撰。

黃帝問玄女兵法四卷　梁三卷。

秦戰鬭一卷

梁主兵法一卷

梁武帝兵書鈔一卷①

梁武帝兵書要鈔一卷

玉韜十卷　梁元帝撰。

金韜十卷

金策十九卷

兵書要略五卷　後周齊王宇文憲撰。

兵書七卷

兵書要術四卷　伍景志撰。

兵記八卷　司馬彪撰。一本二十卷。

兵書要序十卷　趙氏撰。

兵法五卷

雜兵書十卷　梁有《雜兵書》八卷，《三家兵法要集》三卷，《戎略機品》二卷，亡。

---

①　"一"原脱，據武英殿本、中華本補。

大將軍一卷

雜兵圖二卷

兵略五卷

軍勝見十卷　許昉撰。

戎決十三卷　許昉撰。

陣圖一卷

陰策二十二卷　大都督劉祐撰。

陰策林一卷

承神兵書二十卷

真人水鏡十卷

戰略二十六卷　金城公趙㷸撰。

金海三十卷　蕭吉撰。

兵書二十五卷

雜撰陰陽兵書五卷　莫珍寶撰。

黃帝兵法雜要決一卷

黃帝軍出大師年命立成一卷

黃帝複姓符二卷　許昉撰。梁有《辟兵法》一卷。

黃帝太一兵歷一卷

黃帝蚩尤風后行軍祕術二卷　梁有《黃帝蚩尤兵法》一卷，亡。

老子兵書一卷

吳有道占出軍決勝負事一卷　梁二卷。又《黃帝出軍雜用決》十二卷，《風氣
占軍決勝戰》二卷，太史令全範撰①。

對敵權變一卷　吳氏撰。

對敵占風一卷　梁有《黃帝夏氏占氣》六卷，《兵法風氣等占》三卷，亡。

對敵權變逆順一卷

---

①　“全範”，殿本同，中華本據本志曆術類、五行類及《吳志》本傳改作“吳範”。

兵法權儀一卷

六甲孤虛雜決一卷　梁有《孫子戰鬥六甲兵法》一卷。

六甲孤虛兵法一卷

孤虛法十卷　梁有《兵法遁甲孤虛斗中域法》九卷。

兵書雜占十卷　梁有《兵法日月風雲背向雜占》十二卷,《兵法》三卷,《虛占》三卷,
《京氏征伐軍候》八卷。

兵書雜歷八卷

太一兵書一十一卷　梁二十卷。

兵書內術二卷

兵法書決九卷　闕一卷。

軍國要略一卷

兵法要錄二卷

用兵撮要二卷

用兵要術一卷

用兵祕法雲氣占一卷

五家兵法一卷

兵法三家軍占祕要一卷　李行撰。

氣經上部占一卷

天大芒雾氣占一卷

鬼谷先生占氣一卷

五行候氣占災一卷

乾坤氣法一卷

雜匈奴占一卷　漢武帝王朔注。

對敵占一卷

雜占八卷　梁有《推元嘉十二年日時兵法》二卷,《逆推元嘉五十年太歲計用兵法》
一卷。

兵殺歷一卷

馬槊譜一卷 梁二卷。梁有《騎馬都格》一卷，《騎馬變圖》一卷，《馬射譜》一卷，亡。

碁勢四卷 梁有《術藝略序》五卷，孫暢之撰。《圍碁勢》七卷，湘東太守徐泓撰。《齊高碁圖》二卷。《圍碁九品序録》五卷，范汪等撰。《圍碁勢》二十九卷，晉趙王倫舍人馬朗等撰。《碁品叙略》三卷。建元、永明《碁品》二卷，宋員外殿中將軍褚思莊撰。天監《碁品》一卷，梁尚書僕射柳惲撰。亡。

雜博戲五卷

投壺經一卷

梁東宮撰太一博法一卷

雙博法一卷

皇博法一卷 梁有《大小博法》一卷。《投壺經》四卷，《投壺變》一卷，晉左光禄大夫虞潭撰。《投壺道》一卷，郝冲撰。《擊壤經》一卷。亡。

象經一卷 周武帝撰。

博塞經一卷 邵綱撰。

碁勢十卷 沈敞撰。

碁勢十卷 二卷，成。

碁勢十卷 王子冲撰。

碁勢八卷

碁圖勢十卷

碁九品序録一卷 范汪等注。

碁後九品序一卷 袁遵撰。

圍碁品一卷 梁武帝撰。

碁品序一卷 陸雲撰。①

碁法一卷 梁武帝撰。

彈碁譜一卷 徐廣撰。

二儀十博經一卷

象經一卷 王褒注。

---

① "陸雲"，殿本同，中華本據《梁書》、《南史》本傳於"陸雲"後補"公"。

象經三卷　<small>王裕注。</small>

象經一卷　<small>何妥注。</small>

象經發題義一卷

右一百三十三部，五百一十二卷。

兵者，所以禁暴静亂者也。《易》曰："古者弦木爲弧，剡木爲矢，弧矢
之利，以威天下。"孔子曰："不教人戰，是謂棄之。"《周官》，大司馬
"掌九法九伐，以正邦國"，是也。然皆動之以仁，行之以義，故能
誅暴静亂，以濟百姓。下至三季，恣情逞欲，爭伐尋常，不撫其人，
設變詐而滅仁義，至乃百姓離叛，以致於亂。

周髀一卷　<small>趙嬰注。</small>

周髀一卷　<small>甄鸞重述。</small>

周髀圖一卷

靈憲一卷　<small>張衡撰。</small>

渾天象注一卷　<small>吳散騎常侍王蕃撰。</small>

渾天義二卷

渾天圖一卷　<small>石氏。</small>

渾天圖一卷

渾天圖記一卷　<small>梁有《昕天論》一卷，姚信撰。《安天論》六卷，虞喜。①《圖天圖》
一卷，《原天論》一卷，《神光内抄》一卷。</small>

定天論三卷

天儀説要一卷　<small>陶弘景撰。</small>

玄圖一卷

石氏星簿經讚一卷

星經二卷

———————

① "虞喜"，殿本同，中華本據《舊唐志》下於"虞喜"後補"撰"。

甘氏四七法一卷

巫咸五星占一卷

天儀説要一卷　　陶弘景撰。

録軌象以頌其章一卷　　内有圖。

天文集占十卷　　晋太史令陳卓定。

天文要集四十卷　　晋太史令韓楊撰。

天文要集四卷

天文要集三卷

天文集占十卷　　梁百卷。梁有石氏、甘氏《天文占》各八卷。

天文占六卷　　李暹撰。

天文占一卷

天文占氣書一卷

天文集要鈔二卷

天文書二卷　　梁有《雜天文書》二十五卷。

雜天文横占一卷

天文横圖一卷　　高文洪撰。

天文集占圖十一卷　　梁有《天文五行圖》十二卷,《天文雜占》十六卷,亡。

天文録三十卷　　梁奉朝請祖師撰。①

天文志十二卷　　吳雲撰。

天文志雜占一卷　　吳雲撰。梁有《天文雜占》十五卷,亡。

天文十二卷　　史崇注。

天文十二次圖一卷　　梁有《天宫宿野圖》一卷,亡。

婆羅門天文經二十一卷　　婆羅門捨仙人所説。

婆羅門竭伽仙人天文説三十卷

婆羅門天文一卷

---

①　“祖師”,殿本、中華本作“祖暅”。

陳卓四方宿占一卷　<small>梁四卷。</small>

黃帝五星占一卷

五星占一卷　<small>丁巡撰。</small>

五星占一卷　<small>梁有《五星集占》六卷，《日月五星集占》十卷。</small>

五星占一卷　<small>陳卓撰。</small>

五星犯列宿占六卷

雜星書一卷

星占二十八卷　<small>孫僧化等撰。</small>

星占一卷　<small>梁有《石氏星經》七卷，陳卓記。又《石氏星官》十九卷，又《星經》七卷，郭歷撰。亡。</small>

天官星占十卷　<small>陳卓撰。梁《天官星占》二十卷，吳襲撰。</small>

星占八卷　<small>梁又有《星占》十八卷。</small>

中星經簿十五卷　<small>梁有《星官簿贊》十三卷，又有《星書》三十四卷，《雜家星占》六卷，《論星》一卷，亡。</small>

著明集十卷

雜星圖五卷

天文外官占八卷

雜星占七卷

雜星占十卷

海中星占一卷　<small>梁有《論星》一卷。</small>

星圖海中占一卷

解天命星宿要決一卷

摩登伽經說星圖一卷

星圖二卷　<small>梁有《星書圖》七卷。</small>

彗星占一卷

妖星流星形名占一卷

太白占一卷

流星占一卷

石氏星占一卷　吳襲撰。

候雲氣一卷

星官次占一卷

彗孛占一卷

二十八宿二百八十三官圖一卷

荊州占二十卷　宋通直郎劉嚴撰。梁二十二卷。

翼氏占風一卷

日月暈三卷　梁《日月暈圖》二卷。

孝經内記二卷

京氏釋五星災異傳一卷

京氏日占圖三卷

夏氏日旁氣一卷　許氏撰。梁四卷。

日食莿候占一卷

魏氏日旁氣圖一卷

日旁雲氣圖五卷

天文占雲氣圖一卷　梁有《雜望氣經》八卷,《候氣占》一卷,《章賢十二時雲氣圖》二卷。

天文洪範日月變一卷

洪範占二卷　梁有《洪範五行星曆》四卷。

黄道晷景占一卷　梁有《晷景記》二卷。

月行黄道圖一卷　梁有《日月交會圖》鄭玄注一卷,又《日月本次位圖》二卷。

月暈占一卷

日月食暈占四卷

日食占一卷

日月薄蝕圖一卷

日變異食占一卷

日月暈珥雲氣圖占一卷　梁有《君失政大雲雨日月占》二卷。

二十八宿十二次一卷

二十八宿分野圖一卷

五緯合雜一卷

五星合雜說一卷

垂象志一百四十八卷

太史注記六卷

靈臺祕苑一百一十五卷　太史令庚季才撰。

右九十七部，合六百七十五卷。

天文者，所以察星辰之變，而參於政者也。《易》曰："天垂象，見吉凶。"《書》稱："天視自我人視，天聽自我人聽。"故曰："王政不脩，謫見于天，日爲之蝕。后德不修，謫見於天，月爲之蝕。"其餘孛彗飛流，見伏陵犯，各有其應。《周官》，馮相"掌十有二歲、十有二月、十有二辰、十日、二十有八星之位，辨其叙事，以會天位"，是也。小人爲之，則指凶爲吉，謂惡爲善，是以數術錯亂而難明。

四分曆三卷　梁《四分曆》三卷，漢修曆人李梵撰。梁又有《三統曆法》三卷，劉歆撰。亡。

趙隱居四分曆一卷

魏甲子元三統曆一卷

姜氏三紀曆一卷

曆序一卷　姜氏撰。

乾象曆三卷　吳太子太傅闞澤撰。梁有《乾象曆》五卷，漢會稽都尉劉洪等注。又有闞澤注五卷。又《乾象五星幻術》一卷。亡。

曆術一卷　吳太史令吳範撰。

景初曆三卷　晋楊偉撰。梁有《景初曆術》二卷，《景初曆法》三卷，又一本五卷，並楊偉撰。並《景初曆略要》二卷。亡。

景初壬辰元曆一卷　楊冲撰。

正曆四卷　晋太常劉智撰。

河西甲寅元曆一卷　涼太史趙歐撰。

甲寅元曆序一卷　趙歐撰。

宋元嘉曆二卷　何承天撰。梁又有《元嘉曆統》二卷,《元嘉中論曆事》六卷,《元嘉曆疏》一卷,《元嘉二十六年度日景數》一卷,亡。

曆術一卷　何承天撰。梁有《驗日食法》三卷,何承天撰。又有《論頻月合朔法》五卷,《雜曆》七卷,《曆法集》十卷,又《曆術》十卷,《京氏要集曆術》四卷,姜岌撰。亡。

曆術一卷　崔浩撰。

神龜壬子元曆一卷　後魏護軍將軍祖瑩撰。

魏後元年甲子曆一卷

壬子元曆一卷　後魏校書郎李業興撰。

甲寅元曆序一卷　趙歐撰。

魏武定曆一卷

齊甲子元曆一卷　宋氏撰。

宋景業曆一卷　景業,後齊散騎常侍。

周天和年曆一卷　甄鸞撰。

甲子元曆一卷　李業興撰。

周大象年曆一卷　王琛撰。

曆術一卷　王琛撰。

壬辰元曆一卷

甲午紀曆術一卷

新造曆法一卷

開皇甲子元曆一卷

曆術一卷　華州刺史張賓撰。

七曜本起三卷　後魏甄叔遵撰。

七曜小甲子元曆一卷

七曜曆術一卷　梁《七曜曆法》四卷。

七曜要術一卷

七曜曆法一卷

推七曜曆一卷

五星曆術一卷

天圖曆術一卷

陳永定七曜曆四卷

陳天嘉七曜曆七卷

陳天康二年七曜曆一卷

陳光大元年七曜曆二卷

陳光大二年七曜曆一卷

陳太建年七曜曆十三卷

陳至德年七曜曆二卷

陳禎明年七曜曆二卷

開皇七曜年曆一卷

仁壽二年七曜曆一卷

七曜曆經四卷　張賓撰。

春秋去交分曆一卷

曆日義説一卷

律曆注解一卷

龍曆草一卷

推漢書律曆志術一卷

推曆法一卷　崔隱居撰。

曆疑質讞序二卷

興和曆疏二卷

七曜曆數筭經一卷　趙歆撰。

筭元嘉曆術一卷

七曜曆疏一卷　李業興撰。

七曜義疏一卷　李業興撰。

七曜術筭二卷　甄鸞撰。

七曜曆疏五卷　太史令張冑玄撰。

陰陽曆術一卷　趙歐撰。梁有《朔氣長曆》二卷,皇甫謐撰。《曆章句》二卷,《月令七十二候》一卷,《三五曆説圖》一卷。亡。

雜注一卷

曆注一卷

曆記一卷

雜曆二卷

雜曆術一卷　梁《三朞推法》一卷。

太史注記六卷

太史記注六卷

見行曆一卷

八家曆一卷

漏刻經一卷　何承天撰。梁有後漢待詔太史霍融、何承天、楊偉等撰三卷,亡。

漏刻經一卷　祖晅撰。

漏刻經一卷　梁中書舍人朱史撰。

漏刻經一卷　梁伏撰。梁有《天監五年修漏刻事》一卷,亡。

漏刻經一卷　陳太史令宋景撰。

雜漏刻法十一卷　皇甫洪澤撰。

晷漏經一卷

九章術義序一卷

九章筭術十卷　劉徽撰。

九章筭術二卷　徐岳、甄鸞重述。

九章筭術一卷　李遵義疏。

九九筭術二卷　楊淑撰。

九章別術二卷

九章筭經二十九卷　徐岳、甄鸞等撰。

九章筭經二卷　徐岳注。

九章六曹筭經一卷

九章重差圖一卷　劉徽撰。

九章推圖經法一卷　張峻撰。

綴術六卷

孫子筭經二卷

趙歐筭經一卷

夏候陽筭經二卷

張丘建筭經二卷

五經筭術録遺一卷

五經筭術一卷

筭經異義一卷　張纘撰。

張去斤筭疏一卷

筭法一卷

黃鍾筭法三十八卷

筭律吕法一卷

衆家筭陰陽法一卷

婆羅門筭法三卷

婆羅門陰陽筭曆一卷

婆羅門筭經三卷

右一百部，二百六十三卷。

曆數者，所以揆天道，察昏明，以定時日，以處百事，以辨三統，
　　以知阨會，吉隆終始，窮理盡性，而至於命者也。《易》曰："先
　　王以治曆明時。"《書》叙："昔，三百有六旬有六日，以閏月定
　　四時，成歲。"《春秋傳》曰："先王之正時也，履端於始，舉正於

中,歸餘於終。"又曰:"閏以正時,時以序事,事以厚生,生民
之道。"其在《周官》,則亦太史之職。小人爲之,則壞大爲小,
削遠爲近,是以道術破碎而難知。

黃帝飛鳥曆一卷 張衡撰。

黃帝四神曆一卷 吳範撰。

黃帝地曆一卷

黃帝斗曆一卷

黃石公北斗三奇法一卷

風角集要占十二卷

風角要占三卷 梁八卷,京房撰。

風角占三卷 梁有《侯公領中風角占》四卷,亡。

風角揔占要決十一卷 梁有《風角揔集》一卷,《風角雜占要決》十二卷,亡。

風角雜占四卷 梁有《風角雜占》十卷,亡。

風角要集十卷

風角要集六卷 梁十一卷。

風角要集一卷

風角要候十一卷 翼奉撰。

風角書十二卷 梁十卷。

風角七卷 章仇太翼撰。

風角占候四卷 梁有《風角雜兵候》十三卷,亡。

風角鐶歷占二卷 吕氏撰。

風角要候一卷 章仇太翼撰。

兵法風角式一卷

戰鬭風角鳥情三卷 梁有《風角五音六情經》十三卷,《風角兵候》十二卷,亡。

風角鳥情一卷 翼氏撰。

風角鳥情二卷 儀同臨孝恭撰。

陰陽風角相動法一卷　梁有《風角廻風卒起占》五卷,《風角地辰》一卷,《風角望氣》八卷,《風雷集占》一卷。

五音相動法二卷

五音相動法一卷　梁有《風角五音占》五卷,京房撰,亡。

風角五音圖二卷

風角雜占五音圖五卷　翼氏撰。梁十三卷,京房撰,翼奉撰,亡。

黄帝九宫經一卷

九宫經三卷　鄭玄注。梁有《黄帝四部九宫》五卷,亡。

九宫行棊經三卷　鄭玄注。

九宫行棊經三卷

九宫行棊法一卷　房氏撰。

九州行棊立成法一卷　王深撰。①

九宫行棊雜法一卷

九宫行棊法一卷

行棊新術一卷

九宫行棊鈔一卷

九宫推法一卷

三元九宫立成二卷

九宫要集一卷　豆盧晃撰。

九宫經解二卷　李氏注。

九宫圖一卷

九宫變圖一卷

九宫八卦式蟠龍圖一卷

九宫郡縣録一卷

---

①　"九州行棊立成法一卷王深撰",殿本、中華本同,姚振宗《隋書經籍志考證》認爲"九州"當作"九宫","王深"當作"王琛"。

九宫雜書十卷　梁有《太一九宮雜占》十二卷,亡。

射候二卷

太一飛鳥曆一卷　王琛撰。

太一飛鳥曆一卷

太一飛鳥曆二卷

太一十精飛鳥曆一卷

太一飛鳥立成一卷

太一飛鳥雜決捕盜賊法一卷

太一三合五元要決一卷　梁有《黃帝太一雜書》十六卷,《黃帝太一度厄祕術》八卷,《太一帝記法》八卷,《太一雜用》十四卷,《太一雜要》七卷,《雜太一經》八卷,亡。

太一龍首式經一卷　董氏注。梁三卷。梁又有《式經》三十三卷,亡。

太一經二卷　宋琨撰。

太一式雜占十卷　梁二十卷。

太一九宮雜占十卷

黃帝飛鳥曆一卷

黃帝集靈三卷

黃帝絳圖一卷

黃帝龍首經二卷

黃帝式經三十六用一卷　曹氏撰。

黃帝式用當陽經二卷

黃帝奄心圖一卷

玄女式經要法一卷

黃帝陰陽遁甲六卷

遁甲決一卷　吳相伍子胥撰。

遁甲文一卷　伍子胥撰。

遁甲經要鈔一卷

遁甲萬一決二卷

遁甲九元九局立成法一卷

遁甲肘後立成囊中祕一卷　葛洪撰。

遁甲囊中經一卷

遁甲囊中經疏一卷

遁甲立成六卷

遁甲叙三元玉曆立成一卷　郭弘遠撰。

遁甲立成二卷

遁甲立成法一卷　臨孝恭撰。

遁甲穴隱祕處經一卷

黃帝九元遁甲一卷　王琛撰。

黃帝出軍遁甲式法一卷

遁甲法一卷

遁甲術一卷

陽遁甲用局法一卷　臨孝恭撰。

雜遁甲鈔四卷

三元遁甲上圖一卷

三元遁甲圖三卷

遁甲九宮八門圖一卷

遁甲開山圖三卷　榮氏撰。

遁甲返覆圖一卷　葛洪撰。

遁甲年錄一卷

遁甲支手決一卷

遁甲肘後立成一卷

遁甲行日時一卷

遁甲孤虛記一卷　伍子胥撰。

遁甲孤虛注一卷

東方朔歲占一卷

斗中孤虛圖一卷

孤虛占一卷

遁甲九宮亭亭白姦書一卷

戰鬪博戲等法一卷

玉女反閉局法三卷

逆刺一卷　京房撰。

逆刺占一卷

逆刺揔決一卷

壬子決一卷

鳥情占一卷　王喬撰。

鳥情逆占一卷

鳥情書二卷

鳥情雜占禽獸語一卷

占鳥情二卷

六情決一卷　王琛撰。

六情鳥音內祕一卷　焦氏撰。

孝經元辰決九卷

孝經元辰二卷

元辰本屬經一卷

推元辰厄會一卷

元辰事一卷

元辰救生削死法一卷

推元辰要祕次序一卷

元辰章用二卷

雜推元辰要祕立成六卷

元辰立成譜一卷

方正百對一卷　京房撰。

晉災祥一卷　京房撰。

災祥集七十六卷

地形志八十七卷　庚季才撰。

海中仙人占災祥書三卷

周易占事十二卷　漢魏郡太守京房撰。

遁甲三卷　梁有《遁甲經》十卷,《遁甲正經》五卷,《太一遁甲》一卷,亡。

遁甲要用四卷　葛洪撰。

遁甲祕要一卷　葛洪撰。

遁甲要一卷　葛洪撰。

遁甲三十三卷　後魏信都芳撰。

三元遁甲六卷　許昉撰。

三元遁甲六卷　陳員外散騎常侍劉毗撰。

三元遁甲二卷　梁《太一遁甲》一卷,《遁甲三元》三卷。

三元九宮遁甲二卷　梁有《遁甲三元》三卷,亡。

三正遁甲一卷　杜仲撰。

遁甲三十五卷

遁甲時下決三十三卷

陰陽遁甲十四卷

遁甲正經三卷　梁五卷。

遁甲經十卷

遁甲開山圖一卷　梁《遁甲開山經圖》一卷。

遁甲九星曆一卷

遁甲三奇三卷

遁甲推時要一卷

遁甲三元九甲立成一卷

雜遁甲五卷　梁九卷。《遁甲經外篇》一百卷,《六甲隱圖》並《遁甲圖》二卷,亡。

陽遯甲九卷 釋智海撰。

陰遯甲九卷

武王須臾二卷

六壬式經雜占九卷 梁有《六壬式經》三卷,亡。

六壬釋兆六卷

破字要決一卷

桓安吳式經一卷 梁有《雜式占》五卷,《式經雜要》、《決式立成》各九卷,《式王曆》、《伍子胥式經章句》、《起射覆式》、《越相范蠡玉笒式》各二卷,亡。

光明符十二卷 錄一卷,梁簡文帝撰。

龜經一卷 晋掌卜大夫史蘇撰。梁有《史蘇龜經》十卷。《龜決》二卷,①葛洪撰。《管郭近要決》、《龜音色》、《九官著龜序》各一卷。《龜卜要決》、《龜圖五行九親》各四卷。又《龜親經》三十卷,周子曜撰。亡。

史蘇沉思經一卷

龜卜五兆動搖決一卷

周易占十二卷 京房撰。梁《周易妖占》十三卷,京房撰。

周易守林三卷 京房撰。

周易集林十二卷 京房撰。《七錄》云,伏萬壽撰。

周易飛候九卷 京房撰。梁有《周易飛候六日七分》八卷,亡。

周易飛候六卷 京房撰。

周易四時候四卷 京房撰。

周易錯卦七卷 京房撰。

周易混沌四卷 京房撰。

周易委化四卷 京房撰。

周易逆剌占災異十二卷 京房撰。

周易占一卷 張浩撰。

---

① "梁",原在"龜決"前,殿本同,據中華本移正。

周易雜占十三卷

周易雜占十一卷

周易雜占九卷　尚廣撰。梁有《周易雜占》八卷，武靖撰，亡。

易林十六卷　焦贛撰。梁又本三十二卷。

易林變占十六卷　焦贛撰。

易林二卷　費直撰。梁五卷。

易内神筮二卷　費直撰。梁有《周易筮占林》五卷，費直撰，亡。

易新林一卷　後漢方士許峻等撰。梁十卷。

易災條二卷　許峻撰。

易決一卷　許峻撰。梁有《易雜占》七卷，許峻撰，又《易要決》三卷。亡。

周易通靈決二卷　魏少府丞管輅撰。

周易通靈要決一卷　管輅撰。

周易集林律曆一卷　虞翻撰。梁有《周易筮占》二十四卷，晋徵士徐苗撰，亡。

周易新林四卷　郭璞撰。梁有《周易雜占》十卷，葛洪撰，亡。

周易新林九卷　郭璞撰。梁有《周易林》五卷，郭璞撰，亡。

易洞林三卷　郭璞撰。

周易新林一卷

周易新林二卷

易林三卷　魯洪度撰。

周易林十卷　梁《周易林》三十三卷，録一卷。

易讚林二卷

易立成林二卷　郭氏撰。

易立成四卷

易玄成一卷

周易立成占三卷　顏氏撰。

神農重卦經二卷

文王幡音一卷

易三備三卷

易三備 一卷

易占三卷

易射覆二卷

易射覆一卷

周易孔子通覆決三卷　　顏氏撰。

易林要決一卷

易要決二卷　　梁有《周易曆》、《周易初學筮要法》各一卷。

周易髓腦二卷

易腦經一卷　　鄭氏撰。

周易玄品二卷

易律曆一卷　　虞翻撰。

易曆七卷

易曆決疑二卷

周易卦林一卷

洞林三卷　　梁元帝撰。

連山三十卷　　梁元帝撰。

雜筮占四卷

五兆筭經一卷

十二靈棊卜經一卷　　梁有《管公明筭占書》一卷，《五行雜卜經》十卷，亡。

京君明推偷盜書一卷

天皇大神氣君注曆一卷

太史公萬歲曆一卷

千歲曆祠一卷　　任氏撰。

萬歲曆祠二卷

萬年曆二十八宿人神一卷

六甲周天曆一卷　　孫僧化撰。

六十甲子曆八卷

曆祀一卷

田家曆十二卷

三合紀飢穰一卷

師曠書三卷

海中仙人占災祥書三卷

東方朔占二卷

東方朔書二卷

東方朔書鈔二卷

東方朔曆一卷

東方朔占候水旱下人善惡一卷　梁有《擇日書》十卷,《太歲所在占善惡書》一卷,亡。

雜忌曆二卷　魏光祿勳高堂隆撰。

百忌大曆要鈔一卷

百忌曆術一卷

百忌通曆法一卷　梁有《雜百忌》五卷,亡。

曆忌新書十二卷

太史百忌曆圖一卷　梁有《太史百忌》一卷,亡。

雜殺曆九卷　梁有《秦災異》一卷,後漢中郎郗萌撰。《後漢災異》十五卷,《晋災異簿》二卷,《宋災異簿》四卷,《雜凶妖》一卷,《破書》、《玄武書契》各一卷,亡。

二儀曆頭堪餘一卷

堪餘曆二卷

注曆堪餘一卷

地節堪餘二卷

堪餘曆注一卷

堪餘四卷

大小堪餘曆術一卷　梁《大小堪餘》三卷。

四序堪餘二卷　殷紹撰。梁《堪餘天赦有書》七卷,①《雜堪餘》四卷,亡。

八會堪餘一卷

雜要堪餘一卷

元辰五羅筭一卷

孝經元辰四卷　梁有《五行元辰厄會》十三卷,《孝經元辰會》九卷,《孝經元辰決》
一卷,亡。

元辰曆一卷

雜元辰禄命二卷

澁河禄命三卷　梁有《五行禄命厄會》十卷,亡。

乾坤氣法一卷　許辯撰。

易通統卦驗玄圖一卷

易通統圖二卷

易新圖序一卷

易通統圖一卷

易八卦命録斗内圖一卷　郭璞撰。

易斗圖一卷　郭璞撰。

易八卦斗内圖二卷

八卦斗内圖二卷　梁有《周易八卦五行圖》、《周易斗中八卦絶命圖》、《周易斗中
八卦推遊年圖》各一卷,亡。

周易分野星圖一卷

舉百事略一卷

五姓歲月禁忌一卷

舉百事要一卷

嫁娶經四卷

陰陽婚嫁書四卷

---

①　“梁堪餘天赦有書七卷”,殿本同,中華本改爲“梁有堪餘天赦書七卷”。

雜陰陽婚嫁書三卷

婚嫁書二卷

婚嫁黃籍科一卷

六合婚嫁曆一卷　梁《六合婚嫁書》及《圖》各一卷。

嫁娶迎書四卷

雜婚嫁書六卷

嫁娶陰陽圖二卷

陰陽嫁娶圖二卷

雜嫁娶房內圖術四卷

九天嫁娶圖一卷

六甲貫胎書一卷

產乳書二卷

產經一卷

推產婦何時產法一卷　王琛撰。

推產法一卷

雜產書六卷

生產符儀一卷

產圖二卷

雜產圖四卷

拜官書三卷

臨官冠帶書一卷

仙人務子傳神通黃帝登壇經一卷

壇經一卷　四等撰。

登壇經三卷

五姓登壇圖一卷

登壇文一卷　梁有《二公地基》一卷,《雜地基立成》五卷,《八神圖》二卷,《十二屬神圖》一卷,亡。

沐浴書一卷　梁有《裁衣書》一卷，亡。

占夢書三卷　京房撰。

占夢書一卷　崔元撰。

竭伽仙人占夢書一卷

占夢書一卷　周宣等撰。

新撰占夢書十七卷　並目録。

夢書十卷

解夢書二卷

海中仙人占體瞷及雜吉凶書三卷

海中仙人占吉凶要略二卷

雜占夢書一卷　梁有《師曠占》五卷，《東方朔占》七卷，《黄帝太一雜占》十卷，《和菟鳥鳴書》、《王喬鮮鳥語經》、《嚏書》、《耳鳴書》、《目瞷書》各一卷，《董仲舒請禱圖》三卷，亡。

竈經十四卷　梁簡文帝撰。梁又有《祠竈書》一卷，《六甲祀書》二卷，又有《太玄禁經》、《白獸七變經》、《墨子枕中五行要記》、《淮南万畢經》、《淮南變化術》、《陶朱變化術》各一卷，《三五步剛》三十卷，《五行變化墨子》五卷，《淮南中經》四卷，《六甲隱形圖》五卷，太史公《素王妙議》二卷，①亡。

瑞應圖三卷

瑞圖讚二卷　梁有孫柔之《瑞應圖記》、《孫氏瑞應圖讚》各三卷，亡。

祥瑞圖十一卷

祥瑞圖八卷　侯亶撰。

芝英圖一卷

祥異圖十一卷

災異圖一卷

地動圖一卷

---

①　"素王妙議"，殿本作"素王妙義"，中華本據《史記·越王句踐世家》集解引文改作"素王妙論"。

張掖郡玄石圖一卷　高堂隆撰。

張掖郡玄石圖一卷　孟衆撰。梁有《晋玄石圖》一卷，《晋德易天圖》二卷，亡。

天鏡二卷

乾坤鏡二卷　梁《天鏡》、《地鏡》、《日月鏡》、《四規鏡經》各一卷，《地鏡圖》六卷，亡。

望氣書七卷

雲氣占一卷　梁《望氣相山川寶藏祕記》一卷，《仙寶劍經》二卷，亡。

地形志八十卷　庾季才撰。

宅吉凶論三卷

相宅圖八卷

五姓墓圖一卷　梁有《冢書》、《黄帝葬山圖》各四卷，《五音相墓書》五卷，《五音圖墓書》九十一卷，《五姓圖山龍》及《科墓葬不傳》各一卷，《雜相墓書》四十五卷，亡。

相書四十六卷

相經要錄一卷　蕭吉撰。《相經》三十卷，鍾武隸撰。《相書》十一卷，樊、許、唐氏、《武王相書》一卷，《雜相書》九卷，《相書圖》七卷，亡。

相手板經六卷　梁《相手板經》、《受版圖》、韋氏《相板印法指略抄》、魏征東將軍程申伯《相印法》各一卷，亡。

大智海四卷

白澤圖一卷

相馬經一卷　梁有《伯樂相馬經》、《關中銅馬法》、《周穆王八馬圖》、《齊侯大夫甯戚相牛經》、《王良相牛經》、《高堂隆相牛經》、《淮南八公相鵠經》、《浮丘公相鶴書》、《相鴨經》、《相鷄經》、《相鵝經》、《相貝經》、《祖㐌權衡記》、①《稱物重率術》各二卷，《劉潜泉圖記》三卷，亡。

右二百七十二部，合一千二十二卷。

五行者，金、木、水、火、土，五常之形氣者也。在天爲五星，在人爲五藏，在目爲五色，在耳爲五音，在口爲五味，在鼻爲五臭。在上則出氣施變，在下則養人不倦。故《傳》曰："天生五材，

---

①　"祖㐌"，殿本、中華本作"祖㐌"。

廢一不可。"是以聖人推其終始，以通神明之變，爲卜筮以考其吉凶，占百事以觀於來物，覩形法以辨其貴賤。《周官》則分在保章，馮相、卜師、筮人、占夢、眠祲，而太史之職，實司揔之。小數者纔得其十梢，便以細事相亂，以惑於世。

黃帝素問九卷　梁八卷。

黃帝甲乙經十卷　音一卷。梁十二卷。

黃帝八十一難二卷　梁有《黃帝衆難經》一卷，呂博望注，亡。

黃帝鍼經九卷　梁有《黃帝鍼灸經》十二卷，徐悦、龍銜素《鍼並孔穴蝦蟇圖》三卷，①《雜鍼經》四卷，程天祚《鍼經》六卷，《灸經》五卷，《曹氏灸方》七卷，秦承祖《偃側雜鍼灸經》三卷，亡。

徐叔嚮鍼灸要鈔一卷

玉匱鍼經一卷

赤烏神鍼經一卷

岐伯經十卷

脉經十卷　王叔和撰。

脉經二卷　梁《脉經》十四卷，又《脉生死要訣》二卷。又《脉經》六卷，黃公興撰。《脉經》六卷，秦承祖撰。《脉經》十卷，康普思撰。亡。

黃帝流注脉經一卷　梁有《明堂流注》六卷，亡。

明堂孔穴五卷　梁《明堂孔穴》二卷，《新撰鍼灸穴》一卷，亡。

明堂孔穴圖三卷

明堂孔穴圖三卷　梁有《偃側圖》八卷，又《偃側圖》二卷。

神農本草八卷　梁有《神農本草》五卷，《神農本草屬物》二卷，《神農明堂圖》一卷，《蔡邕本草》七卷，《華佗弟子吳普本草》六卷，《陶隱居本草》十卷，《隨費本草》九卷，《秦承祖本草》六卷，《王季璞本草經》三卷，《李譜之本草經》、《談道術本草經鈔》各一

———

①　"鍼並孔穴蝦蟇圖"，殿本同，中華本據《舊唐志》後、《新唐志》三於"鍼"後補"經"。

卷,《宋大將軍參軍徐叔嚮本草病源合藥要鈔》五卷,徐叔嚮等四家體療雜病本草要
鈔十卷,《王末鈔小兒用藥本草》二卷,《甘濬之癱疽耳眼本草要鈔》九卷,《陶弘景本
草經集注》七卷,《趙贊本草經》一卷,《本草經輕行》、《本草經利用》各一卷,亡。

神農本草四卷　雷公集注。

甄氏本草三卷

桐君藥録三卷　梁有《雲麾將軍徐滔新集藥録》四卷,《李譡之藥録》六卷,《藥法》
四十二卷,《藥律》三卷,《藥性》、《藥對》各二卷,《藥目》三卷,《神農採藥經》二卷,《藥
忌》一卷,亡。

太清草木集要二卷　陶隱居撰。

張仲景方十五卷　仲景,後漢人。梁有《黃素藥方》二十五卷,亡。

華佗方十卷　吳普撰。佗,後漢人。梁有《華佗内事》五卷,又《耿奉方》六卷,亡。

集略雜方十卷

雜藥方一卷　梁有《雜藥方》四十六卷。

雜藥方十卷

寒食散論二卷　梁有《寒食散湯方》二十卷,《寒食散方》一十卷,《皇甫謐、曹歙論
寒食散方》二卷,①亡。

寒食散對療一卷　釋道洪撰。

解寒食散方二卷　釋智斌撰。梁《鮮散論》二卷。

解寒食散論二卷　梁有徐叔嚮《鮮寒食散方》六卷,《釋慧義寒食解雜論》七
卷,亡。

雜散方八卷　梁有《鮮散方》、《鮮散論》各十三卷,《徐叔嚮鮮散消息節度》八卷,《范
氏鮮散方》七卷,《鮮釋慧義鮮散方》一卷,亡。

湯丸方十卷

雜丸方十卷　梁有《百病膏方》十卷,《雜湯丸散酒煎薄帖膏湯婦人少小方》九卷,
《羊中散雜湯丸散酒方》一卷,《療下湯丸散方》十卷。

石論一卷

---

① "曹歙",殿本同,中華本據《魏志·東平靈王徽傳》改作"曹翕"。

醫方論七卷　梁有《張仲景辨傷寒》十卷,《療傷寒身驗方》、《徐方伯辨傷寒》各一卷,①《傷寒揔要》二卷,《支法存申蘇方》五卷,《王叔和論病》六卷,《張仲景評病要方》一卷,《徐叔嚮、談道述、徐悦體療雜病疾源》三卷,《甘濬之瘫疽部黨雜病疾源》三卷,《府藏要》三卷,亡。

肘後方六卷　葛洪撰。梁二卷。《陶弘景補闕肘後百一方》九卷,亡。

姚大夫集驗方十二卷

范陽東方一百五卷②　録一卷。范汪撰。梁一百七十六卷。梁又有《阮河南藥方》十六卷,阮文叔撰。《釋僧深藥方》三十卷,《孔中郎雜藥方》二十九卷,《宋建平王典術》一百二十卷。《羊中散藥方》三十卷,羊欣撰。《褚澄雜藥方》二十卷,齊吴郡太守褚澄撰。亡。

秦承祖藥方四十卷　見三卷。梁有《陽昒藥方》二十八卷,《夏侯氏藥方》七卷,《王季琰藥方》一卷,《徐叔嚮雜療方》二十二卷,《徐叔嚮雜病方》六卷,《李諧之藥方》一卷,《徐文伯藥方》二卷,亡。

胡洽百病方二卷　梁有《治卒病方》一卷。《徐奘要方》一卷,無錫令徐奘撰。《遼東備急方》三卷,都尉臣廣上。《殷荆州要方》一卷,殷仲堪撰。亡。

俞氏療小兒方四卷　梁有《范氏療婦人藥方》十一卷,《徐叔嚮療少小百病雜方》三十七卷,《療少小雜方》二十卷,《療少小雜方》二十九卷,《范氏療小兒藥方》一卷,《王末療小兒雜方》十七卷。亡。

徐嗣伯落年方三卷　梁有《徐叔嚮療脚弱雜方》八卷,《徐方伯辨脚弱方》一卷,③《甘濬之療瘫疽金創要方》十四卷,《甘濬之療瘫疽毒惋雜病方》三卷,《甘伯齊療瘫疽金創方》十五卷,亡。

陶氏效驗方六卷　梁五卷。梁又有《療目方》五卷,《甘濬之療耳眼方》十四卷,《神枕方》一卷。《雜戎狄方》一卷,宋武帝撰。《摩訶出胡國方》十卷,摩訶胡沙門撰。又《范曄上香方》一卷,《雜香膏方》一卷。亡。

彭祖養性經一卷

---

①　"徐方伯",殿本同,中華本據《南史·張邵傳》、《通志》卷六十九《藝文略》改作"徐文伯"。

②　"范陽東",殿本同,中華本據《晋書·范汪傳》、《新唐志》三改作"范東陽"。

③　"徐方伯",殿本同,中華本據《南史·張邵傳》、《通志》卷六十九《藝文略》改作"徐文伯"。

養生要集十卷　張湛撰。

玉房祕决十卷

墨子枕内五行紀要一卷　梁有《神枕方》一卷,疑此即是。

如意方十卷

練化術一卷

神仙服食經十卷

雜仙餌方八卷

服食諸雜方二卷　梁有《仙人水玉酒經》一卷。

老子禁食經一卷

崔氏食經四卷

食經十四卷　梁有《食經》二卷,又《食經》十九卷。《劉休食方》一卷,齊冠軍將軍劉
休撰。亡。

食饌次第法一卷　梁有《黄帝雜飲食忌》二卷。

四時御食經一卷　梁有《太官食經》五卷,又《太官食法》二十卷,《食法雜酒食要
方白酒》並《作物法》十二卷,《家政方》十二卷,《食圖》、《四時酒要方》、《白酒方》、《七
日麴酒法》、《雜酒食要法》、《雜藏釀法》、《雜酒食要法》、《酒》並《飲食方》、《鮓及鱐蟹
方》、《羹臛法》、《䲙膜朐法》、《北方生醬法》各一卷,亡。

療馬方一卷　梁有《伯樂療馬經》一卷,疑與此同。

黄帝素問八卷　全元越注。①

脉經二卷　徐氏撰。

華佗觀形察色並三部脉經一卷

脉經决二卷　徐氏新撰。

脉經鈔二卷　許建吳撰。

黄帝素問女胎一卷

三部四時五藏辨診色决事脉一卷

脉經略一卷

---

① “全元越”,殿本同,中華本據《舊唐志》下、《新唐志》三改作“全元起”。

辨病形證七卷

五藏決一卷

論病源候論五卷　目一卷，吳景賢撰。

服石論一卷

癰疽論方一卷

五藏論五卷

瘡論並方一卷

神農本草經三卷

本草經四卷　蔡英撰。

藥目要用二卷

本草經略一卷

本草二卷　徐大山撰。①

本草經類用三卷

本草音義三卷　姚最撰。

本草音義七卷　甄立言撰。

本草集錄二卷

本草鈔四卷

本草雜要決一卷

本草要方三卷　甘濬之撰。

依本草錄藥性三卷　錄一卷。

靈秀本草圖六卷　原平仲撰。

芝草圖一卷

入林採藥法二卷

太常採藥時月一卷

四時採藥及合目錄四卷

---

①　"徐大山"，殿本同，中華本認爲當是"徐太山"，並據改。下同。

藥録二卷　李密撰。

諸藥異名八卷　沙門行矩撰。本十卷,今闕。

諸藥要性二卷

種植藥法一卷

種神芝一卷

藥方二卷　徐文伯撰。

解散經論並增損寒食節度一卷

張仲景療婦人方二卷

徐氏雜方一卷

少小方一卷

療小兒丹法一卷

徐大山試驗方二卷

徐文伯療婦人瘕一卷

徐大山巾箱中方三卷

藥方五卷　徐嗣伯撰。

墮年方二卷　徐大山撰。

效驗方三卷　徐氏撰。

雜要方一卷

玉函煎方五卷　葛洪撰。

小品方十二卷　陳延之撰。

千金方三卷　范世英撰。

徐王方五卷

徐王八世家傳效驗方十卷

徐氏家傳祕方二卷

藥方五十七卷　後齊李思祖撰。① 本百一十卷。

---

①　"後齊李思祖",殿本同,中華本據《魏書·李修傳》改"齊"作"魏"。

稟丘公論一卷

太一護命石寒食散二卷　　宋尚撰。

皇甫士安依諸方撰一卷

序服石方一卷

服玉方法一卷

劉涓子鬼遺方十卷　　龔慶宣撰。

療癩經一卷

療三十六瘻方一卷

王世榮單方一卷

集驗方十卷　　姚僧坦撰。①

集驗方十二卷

備急草要方三卷　　許證撰。②

藥方二十一卷　　徐辨卿撰。

名醫集驗方六卷

名醫別録三卷　　陶氏撰。

删繁方十三卷　　謝士秦撰。

吳山居方三卷

新撰藥方五卷

療癰疽諸瘡方二卷　　秦政應撰。

單複要驗方二卷　　釋莫滿撰。

釋道洪方一卷

小兒經一卷

散方二卷

---

①　"姚僧坦"，殿本同，中華本據《周書》本傳改作"姚僧垣"。

②　"備急草要方許證撰"，殿本同，中華本據《隋書·許智藏傳》附《許澄傳》改作
"備急單要方許澄撰"。

雜散方八卷

療百病雜丸方三卷　釋曇鸞撰。

療百病散三卷

雜湯方十卷　成毅撰。

雜療方十三卷

雜藥酒方十五卷

趙婆療漯方一卷

議論備豫方一卷　于法開撰。

扁鵲陷冰丸方一卷

扁鵲肘後方三卷

療消渴衆方一卷　謝南郡撰。

論氣治療方一卷　釋曇鸞撰。

梁武帝所服雜藥方一卷

大略丸五卷

靈壽雜方二卷

經心録方八卷　宋候撰。①

黃帝養胎經一卷

療婦人産後雜方三卷

黃帝明堂偃人圖十二卷

黃帝鍼灸蝦蟇忌一卷

明堂蝦蟇圖一卷

鍼灸圖要決一卷

鍼灸圖經十一卷　本十八卷。

十二人圖一卷

---

①　"宋候"，殿本同，中華本據《舊唐書·方技傳》、《經籍志》下、《新唐志》三改作"宋俠"。

鍼炙經一卷

扁鵲偃側鍼炙圖三卷

流注鍼經一卷

曹氏炙經一卷

偃側人經二卷　秦承祖撰。

華佗枕中炙刺經一卷

謝氏鍼經一卷

殷元鍼經一卷

要用孔穴一卷

九部鍼經一卷

釋僧匡鍼炙經一卷

三奇六儀鍼要經一卷

黃帝十二經脉明堂五藏人圖一卷

老子石室蘭臺中治癩符一卷

龍樹菩薩藥方四卷

西域諸仙所説藥方二十三卷　目一卷。本二十五卷。

香山仙人藥方十卷

西録波羅仙人方三卷①

西域名醫所集要方四卷　本十二卷。

婆羅門諸仙藥方二十卷

婆羅門藥方五卷

耆婆所述仙人命論方二卷　目一卷。本三卷。

乾陀利治鬼方十卷

新録乾陀利治鬼方四卷　本五卷，闕。

伯樂治馬雜病經一卷

---

①　"西録波羅仙人方"，殿本同，中華本據《通志·藝文略》改"録"作"域"。

治馬經三卷 <small>俞極撰,亡。</small>

治馬經四卷

治馬經目一卷

治馬經圖二卷

馬經孔穴圖一卷

雜撰馬經一卷

治馬牛駝騾等經三卷 <small>目一卷。</small>

香方一卷 <small>宋明帝撰。</small>

雜香方五卷

龍樹菩薩和香法二卷

食經三卷 <small>馬琬撰。</small>

會稽郡造海味法一卷

論服餌一卷

淮南王食經並目百六十五卷 <small>大業中撰。</small>

膳羞養療二十卷

金匱錄二十三卷 <small>目一卷。京里先生撰。</small>

練化雜術一卷 <small>陶隱居撰。</small>

玉衡隱書七十卷 <small>目一卷。周弘讓撰。</small>

太清諸丹集要四卷 <small>陶隱居撰。</small>

雜神丹方九卷

合丹大師口訣一卷

合丹節度四卷 <small>陶隱居撰。</small>

合丹要略序一卷 <small>孫文韜撰。</small>

仙人金銀經並長生方一卷

狐剛子萬金決二卷 <small>葛仙公撰。</small>

雜仙方一卷

神仙服食經十卷

神仙服食神祕方二卷

神仙服食藥方十卷　　抱朴子撰。

神仙餌金丹沙祕方一卷

衛叔卿服食雜方一卷

金丹藥方四卷

雜神仙丹經十卷

雜神仙黃白法十二卷

神仙雜方十五卷

神仙服食雜方十卷

神仙服食方五卷

服食諸雜方二卷

服餌方三卷　　陶隱居撰。

真人九丹經一卷

太極真人九轉還丹經一卷

練寶法二十五卷　　目三卷。本四十卷,闕。

太清璇璣文七卷　　冲子。①

陵陽子說黃金祕法一卷

神方二卷

狐子雜決三卷

太山八景神丹經一卷

太清神丹中經一卷

養生注十一卷　　目一卷。

養生術一卷　　翟平撰。

龍樹菩薩養性方一卷

引氣圖一卷

---

① "冲子",殿本同,中華本據兩《唐志》改作"冲和子撰"。

道引圖三卷　<small>立一，坐一，臥一。</small>

養身經一卷

養生要術一卷

養生服食禁忌一卷

養生傳二卷

帝王養生要方二卷　<small>蕭吉撰。</small>

素女祕道經一卷　<small>並《玄女經》。</small>

素女方一卷

彭祖養性一卷

郯子說陰陽經一卷

序房內祕術一卷　<small>葛氏撰。</small>

玉房祕決八卷

徐太山房內祕要一卷

新撰玉房祕決九卷

四海類聚方二千六百卷

四海類聚單要方三百卷

右二百五十六部，合四千五百一十卷。

醫方者，所以除疾疢，保性命之術者也。天有陰陽風雨晦明之
　氣，人有喜怒哀樂好惡之情，節而行之，則和平調理，專壹其
　情，則溺而生疢。是以聖人原血脉之本，因鍼石之用，假藥物
　之滋，調中養氣，通滯解結，而反之於素。其善者，則原脉以
　知政，推疾以及國。《周官》，醫師之職"掌聚諸藥物，凡有疾
　者治之"，是其事也。鄙者爲之，則反本傷性。故曰："有疾不
　治，恒得中醫。"

凡諸子，合八百五十三部，六千四百三十七卷。

《易》曰："天下同歸而殊塗，一致而百慮。"儒、道、小說，聖人之

教也，而有所偏。兵及醫方，聖人之政也，所施各異。世之治也，列在衆職，下至衰亂，官失其守。或以其業遊説諸侯，各崇所習，分鑣並騖。若使總而不遺，折之中道，亦可以興化致治者矣。《漢書》有諸子、兵書、數術、方伎之略，今合而叙之，爲十四種，謂之子部。

四、集　道經　佛經

楚辭十二卷　並目録。後漢校書郎王逸注。

楚辭三卷　郭璞注。梁有《楚辭》十一卷,宋何偃删王逸注,亡。

楚辭九悼一卷　楊穆撰。

參解楚辭七卷　皇甫遵訓撰。

楚辭音一卷　徐邈撰。

楚辭音一卷　宋處士諸葛氏撰。

楚辭音一卷　孟奥撰。

楚辭音一卷

楚辭音一卷　釋道騫撰。

離騷草木疏二卷　劉杳撰。

右十部,二十九卷。　通計亡書,十一部,四十卷。

《楚辭》者,屈原之所作也。自周室衰亂,詩人寢息,諂佞之道興,諷刺之辭廢。楚有賢臣屈原,被讒放逐,乃著《離騷》八篇,言己離別愁思,申杼其心,自明無罪,因以諷諫,冀君覺悟,卒不省察,遂赴汨羅死焉。弟子宋玉,痛惜其師,傷而和之。其後,賈誼、東方朔、劉向、揚雄,嘉其文彩,擬之而作。蓋以原楚人也,謂之"楚辭"。然其氣質高麗,雅致清遠,後之文人,咸不能逮。始漢武帝命淮南王爲之章句,旦受詔,食時而奏之,其書今亡。後漢校書郎王逸,集屈原已下,迄於劉向,逸又自爲一篇,①並叙而注之,今行於世。隋時有釋道騫,善讀之,能爲楚聲,音韻清切,至今傳楚辭者,皆祖騫

---

①　"又",原誤作"文",據殿本、中華本改正。

公之音。

楚蘭陵令荀況集一卷 殘缺，梁二卷。

楚大夫宋玉集三卷

漢武帝集一卷 梁二卷。

漢淮南王集一卷 梁二卷。又有《賈誼集》四卷，《晁錯集》三卷，《漢弘農都尉枚乘集》二卷，錄各一卷，亡。

漢中書令司馬遷集一卷

漢太中大夫東方朔集二卷 梁有《漢光禄大夫吾丘壽王集》二卷，亡。

漢文園令司馬相如集一卷①

漢膠西相董仲舒集一卷 梁二卷。又有《漢太常孔臧集》二卷，亡。

漢騎都尉李陵集二卷 梁有《漢丞相魏相集》二卷，錄一卷。《左馮翊張敞集》一卷，錄一卷。亡。

漢諫議大夫王褒集五卷

漢諫議大夫劉向集六卷 梁有《漢射聲校尉陳湯集》二卷，《丞相韋玄成集》二卷，亡。

漢諫議大夫谷永集二卷 梁有《涼州刺史杜鄴集》二卷，《騎都尉李尋集》二卷，亡。

漢司空師丹集一卷 梁三卷，錄一卷。

漢光禄大夫息夫躬集一卷

漢太中大夫揚雄集五卷

漢太中大夫劉歆集五卷

漢成帝班婕妤集一卷 梁有《班昭集》三卷，《王莽建新大尹崔篆集》一卷，《保成師友唐林集》一卷，《中謁者史岑集》二卷，《後漢東平王蒼集》五卷，《桓譚集》五卷，亡。

後漢司隸從事馮衍集五卷

---

① "漢文園令"，殿本同，中華本據《史記·司馬相如列傳》於"文園"前補"孝"。

後漢徐令班彪集二卷　梁五卷。又有《司徒掾陳元集》一卷,《王隆集》二卷,《雲陽令朱勃集》二卷,《後漢處士梁鴻集》二卷,亡。

後漢車騎從事杜篤集一卷

後漢車騎司馬傅毅集二卷　梁五卷。

後漢大將軍護軍司馬班固集十七卷　梁有《魏郡太守黃香集》一卷,亡。

後漢長岑長崔駰集十卷

後漢侍中賈逵集一卷　梁二卷。

後漢校書郎劉騊騄集一卷　梁二卷,録一卷。又有《樂安相李尤集》五卷,《大鴻臚竇章集》二卷,亡。

後漢濟北相崔瑗集六卷　梁五卷。

後漢劉珍集二卷　録一卷。

後漢河間張衡集十一卷①　梁十二卷,又一本十四卷。又有《郎中籍順集》二卷,②録二卷。《後漢太傅胡廣集》二卷,録一卷。亡。

後漢黃門郎葛龔集六卷　梁五卷,一本七卷。

後漢司空李固集十二卷　梁十卷。

後漢南郡太守馬融集九卷　梁有《外黃令高彪集》二卷,録一卷。《王逸集》二卷,録一卷。《司徒掾桓鱗集》二卷,③録一卷。亡。

後漢徵士崔琦集一卷　梁二卷。又有《酈炎集》二卷,録二卷。《陳相邊韶集》一卷,録一卷。《益州刺史朱穆集》二卷,録一卷。亡。

後漢京兆尹延篤集一卷　梁二卷,録一卷。又有《司農卿皇甫規集》五卷,《太常卿張奐集》二卷,録一卷。《王延壽集》三卷。《五原太守崔寔集》二卷,録一卷。《上計趙壹集》二卷,録一卷。亡。

後漢諫議大夫劉陶集三卷　梁二卷,録一卷。又有《外黃令張升集》二卷,録一卷。《侯瑾集》二卷,《盧植集》二卷,《議郎廉品集》二卷。亡。

後漢司空荀爽集一卷　梁三卷,録一卷。

---

① "後漢河間張衡集",殿本同,中華本據《後漢書》本傳於"河間"後補"相"。

② "籍順",殿本同,中華本據《舊唐志》下、《新唐志》四改作"蘇順"。

③ "桓鱗",殿本同,中華本據《後漢書·桓榮傳》改作"桓麟"。

後漢野王令劉梁集三卷 梁二卷，錄一卷。又有《鄭玄集》二卷，錄一卷，亡。

後漢左中郎將蔡邕集十二卷 梁有二十卷，錄一卷。又有《尚書令士孫瑞集》二卷，亡。

後漢太山太守應劭集二卷 梁四卷。又有《別部司馬張超集》五卷，亡。

後漢少府孔融集九卷 梁十卷，錄一卷。

後漢侍御史虞翻集二卷 梁三卷，錄一卷。

後漢討虜長史張紘集一卷 梁二卷，錄一卷。梁有《後漢處士禰衡集》二卷，錄一卷，亡。

後漢尚書右丞潘勗集二卷 梁有錄一卷，亡。

後漢丞相倉曹屬阮瑀集五卷 梁有錄一卷，亡。

魏太子文學徐幹集五卷 梁有錄一卷，亡。

魏太子文學應瑒集一卷 梁有五卷，錄一卷，亡。

後漢丞相軍謀掾陳琳集三卷 梁十卷，錄一卷。

魏太子文學劉楨集四卷 錄一卷。

後漢丞相主簿繁欽集十卷 梁錄一卷，亡。

後漢丞相主簿楊脩集一卷 梁二卷，錄一卷。

後漢侍中王粲集十一卷 梁有《魏國郎中令路粹集》二卷，錄一卷。《行御史大夫袁渙集》五卷，錄一卷。《魏國奉常王脩集》二卷。亡。

後漢尚書丁儀集一卷 梁二卷，錄一卷。

後漢黃門郎丁廙集一卷 梁二卷，錄一卷。梁又有婦人《後漢黃門郎秦嘉妻徐淑集》一卷，《後漢董祀妻蔡文姬集》一卷，《傅石甫妻孔氏集》一卷，亡。

魏武帝集二十六卷 梁三十卷，錄一卷。梁又有《武皇帝逸集》十卷，亡。

魏武帝集新撰十卷

魏文帝集十卷 梁二十三卷。

魏明帝集七卷 梁五卷，或九卷，錄一卷。梁又有《高貴鄉公集》四卷，亡。

魏陳思王曹植集三十卷 梁又有《司徒華歆集》二卷，亡。

魏司徒王朗集三十四卷 梁三十卷。又《司徒陳群集》五卷，①亡。

---

① "司徒陳群"，殿本同，中華本據《魏志》本傳改作"司空陳群"。

魏給事中邯鄲淳集二卷　梁有録一卷。又有《劉廙集》二卷,《侍中吳質集》五卷,《新城太守孟達集》三卷,《魏徵士管寧集》三卷,録一卷,亡。

魏光禄勳高堂隆六卷①　梁十卷,録一卷。又有《光禄勳劉邵集》二卷,録一卷,亡。

魏散騎常侍繆襲集五卷　梁有録一卷。又有《散騎常侍王象集》一卷。《光禄大夫韋誕集》三卷,録一卷。《散騎常侍廉元集》五卷。《遊擊將軍卞蘭集》二卷,録一卷。《隰陽侯李康集》二卷,録一卷。《陳郡太守孫該集》二卷,録一卷。《尚書傅巽集》二卷,録一卷。亡。

魏章武太守殷褒集一卷　梁二卷。

魏司空王昶集五卷　梁有録一卷。

魏衛將軍王肅集五卷　梁有録一卷。又有《桓範集》二卷,《中領軍曹羲集》五卷,録一卷,亡。

魏尚書何晏集十一卷　梁十卷,録一卷。

魏衛尉卿應璩集十卷　梁有録一卷。又有《王弼集》五卷,録一卷。《中書令劉陶集》二卷。《太常卿傅嘏集》二卷,録一卷。《樂安太守夏侯惠集》二卷,録一卷。亡。

魏校書郎杜摯集二卷　梁有《毌丘儉集》二卷,録一卷。《征東軍司馬江奉集》二卷。亡。

魏太常夏侯玄集三卷　梁有《車騎將軍鍾毓集》五卷,録一卷,亡。

魏步兵校尉阮籍集十卷　梁十三卷,録一卷。

魏中散大夫嵇康集十三卷　梁十五卷,録一卷。又有《魏徵士吕安集》二卷,録一卷,亡。

魏司徒鍾會集九卷　梁十卷,録一卷。

魏汝南太守程曉集二卷　梁録一卷。

蜀丞相諸葛亮集二十五卷　梁二十四卷。又有《蜀司徒許靖集》二卷,録一卷。《征北將軍夏侯霸集》二卷。亡。

吳輔義中郎將張温集六卷　梁有《士燮集》五卷,亡。

---

①　"高堂隆",殿本同,中華本據《舊唐志》下於"隆"後補"集"字。

吳偏將軍駱統集十卷　梁有錄一卷。又有《太子少傅薛綜集》三卷，錄一卷，亡。

吳選曹尚書暨豔集二卷　梁三卷，錄一卷。又有《姚信集》二卷，錄一卷。《謝
丞集》四卷。① 今亡。

吳人楊厚集二卷　梁又有錄一卷。

吳丞相陸凱集五卷　梁有錄一卷。

吳侍中胡綜集二卷　梁有錄一卷。又有《東觀令華覆集》五卷，錄一卷，亡。

吳侍中張儼集一卷　梁二卷，錄一卷。又有《韋昭集》二卷，錄一卷，亡。

吳中書令紀騭集三卷　梁有錄一卷。又有《陸景集》一卷，亡。

晉宣帝集五卷　梁有錄一卷。

晉文帝集三卷

齊王攸集二卷　梁三卷。

晉王沈集五卷　梁有《鄭袤集》二卷，亡。

晉宗正稽喜集一卷　殘缺。梁二卷，錄一卷。

晉散騎常侍應貞集一卷　梁五卷。

晉司隸校尉傅玄集十五卷　梁五十卷，錄一卷，亡。

晉著作郎成公綏集九卷　殘缺。梁十卷。又有《裴秀集》三卷，錄一卷，亡。

晉金紫光祿大夫何禎集一卷②　梁五卷。又有《袁準集》二卷，錄一卷，亡。

晉少傅山濤集九卷　梁五卷，錄一卷，又一本十卷。齊奉朝請裴津注。又梁有
《向秀集》二卷，錄一卷。《平原太守阮种集》二卷，錄一卷。《阮侃集》五卷，錄一
卷。亡。

晉太傅羊祜集一卷　殘缺。梁二卷，錄一卷。又有《蔡玄通集》五卷。《太宰賈充
集》五卷，錄一卷。《荀勖集》三卷，錄一卷。亡。

晉征南將軍杜預集十八卷

晉輔國將軍王濬集一卷　殘缺。梁二卷，錄一卷。

晉徵士皇甫謐集二卷　錄一卷。

---

①　“謝丞”，殿本同，中華本據本志史部正史類及《舊唐志》下改作“謝承”。

②　“何禎”，殿本同，中華本據《舊唐志》下、《新唐志》四改作“何楨”。

晉侍中程咸集三卷　梁有《光祿大夫劉毅集》二卷，錄一卷。《晉侍中庾峻集》二卷，錄一卷。亡。

晉巴西太守郤正集一卷

晉散騎常侍薛瑩集三卷　梁又有《散騎常侍陶濬集》二卷，錄一卷，亡。

晉通事郎江偉集六卷　梁有《宣舒集》五卷。《散騎常侍曹志集》二卷，錄一卷。《郲湛集》三卷，錄一卷。亡。

晉汝南太守孫毓集六卷

晉處士楊泉集二卷　錄一卷。梁有《司徒王渾集》五卷，《冀州刺史王深集》五卷，亡。

晉徵士閔鴻集三卷　梁有《光祿大夫裴楷集》二卷，錄一卷，亡。

晉司空張華集十卷　錄一卷。

晉尚書僕射裴頠集九卷　梁有《太子中庶子許孟集》三卷，錄一卷。《太宰何邵集》二卷，[1]錄一卷。《光祿大夫劉頌集》三卷，錄一卷。《劉寔集》二卷，錄一卷。亡。

晉散騎常侍王佑集三卷　錄一卷。梁有《晉驃騎將軍王濟集》二卷，亡。

華嶠集八卷　梁二卷。

晉祕書丞司馬彪集四卷　梁三卷，錄一卷。又有《尚書庾儵集》二卷，錄一卷。《國子祭酒謝衡集》二卷。亡。

晉漢中太守李虔集一卷　梁二卷，錄一卷。

晉司隸校尉傅咸集十七卷　梁三十卷，錄一卷。又有《太子中庶子棗據集》二卷，錄一卷。《劉寶集》三卷。亡。

晉馮翊太守孫楚集六卷　梁十二卷，錄一卷。

晉散騎常侍夏侯湛集十卷　梁有錄一卷。又有《弋陽太守夏侯淳集》二卷，《散騎侍郎王讚集》五卷，亡。

晉衛尉卿石崇集六卷　梁有錄一卷。

晉尚書郎張敏集二卷　梁五卷。又有《黃門郎伏偉集》一卷，亡。

晉黃門郎潘岳集十卷

---

① “何邵”，殿本同，中華本據《晉書·何曾傳》改作“何劭”。

晋太常卿潘尼集十卷

晋頓丘太守歐陽建集二卷　梁有《宗正劉訏集》二卷，①録一卷。《散騎常侍李重集》二卷，《光禄大夫樂廣集》二卷，録一卷。《阮渾集》三卷，録一卷。亡。

晋侍中嵇紹集二卷　録一卷。梁有《錢唐令楊建集》九卷，《長沙相盛彦集》五卷，《左長史楊乂集》三卷，録一卷。

晋尚書盧播集一卷　梁二卷，録一卷。又有《樂肇集》五卷，録一卷。《南中郎長史應亨集》二卷。亡。

晋國子祭酒杜育集二卷

晋太常卿摯虞集九卷　梁十卷，録一卷。又《祕書監繆徵集》二卷，録一卷，亡。

晋齊王府記室左思集二卷　梁有五卷，録一卷。又有《晋豫章太守夏靖集》二卷，録一卷。《吳王文學鄭豐集》二卷，録一卷。《大司馬東曹掾張翰集》二卷，録一卷。《清河王文學陳略集》二卷，録一卷。《揚州從事陸冲集》二卷，録一卷。亡。

晋平原内史陸機集十四卷　梁四十七卷，録一卷，亡。

晋清河太守陸雲集十二卷　梁十卷，録一卷。又有《少府丞孫極集》二卷，録一卷，亡。

晋中書郎張載集七卷　梁一本二卷，録一卷。

晋黄門郎張協集三卷　梁四卷，録一卷。

晋著作郎束皙集七卷　梁五卷，録一卷。又有《征南司馬曹攄集》三卷，録一卷。《散騎常侍江統集》十卷，録一卷。《著作郎胡濟集》五卷，録一卷。亡。

晋中書令卞粹集一卷　梁五卷。又有《光禄勳閭丘冲集》二卷，録一卷，亡。

晋太傅從事中郎庾敳集一卷　梁五卷，録一卷。又有《太子中舍人阮瞻集》二卷，録一卷。《太子洗馬阮脩集》二卷，録一卷。《廣威將軍裴邈集》二卷，録一卷。亡。

晋太傅郭象集二卷②　梁五卷，録一卷。又有《廣州刺史嵇含集》十卷，録一卷，亡。

---

① "劉訏"，殿本同，中華本據《魏志·劉放傳》注及《世説新語·排調篇》注改作"劉許"。

② "晋太傅郭象"，殿本同，中華本據《晋書》本傳於"太傅"後補"主簿"。

晉安豐太守孫惠集八卷 梁十一卷,録一卷。又有《松滋令蔡洪集》二卷,録一卷,亡。

晉平北將軍牽秀集四卷 梁三卷,録一卷。又有《車騎從事中郎蔡克集》二卷,録一卷。《游擊將軍索靖集》三卷。《隴西太守閻纂集》二卷,録一卷。《秦州刺史張輔集》二卷,録一卷。《交阯太守殷巨集》二卷,録一卷。《太子洗馬陶佐集》五卷,録一卷。《東晉鄱陽太守虞溥集》二卷,録一卷。《益陽令吳商集》五卷。《仲長敖集》二卷。《晉太常卿劉弘集》三卷,録一卷。《開府山簡集》二卷,録一卷。《兗州刺史宗岱集》二卷。《侍中王峻集》二卷,録一卷。《濟陽内史王曠集》五卷,録一卷。亡。

晉散騎常侍棗嵩集一卷 梁二卷,録一卷。又有《襄陽太守棗腆集》二卷,録一卷,亡。

晉太尉劉琨集九卷 梁十卷。

劉琨別集十二卷

晉司空從事中郎盧諶集十卷 梁有録一卷。

晉祕書丞傅暢集五卷 梁有録一卷。又有《晉明帝集》五卷,録一卷。《簡文帝集》五卷,録一卷。《孝武帝集》二卷,録一卷。《彭城王紘集》二卷。《譙烈王集》九卷,録一卷。亡。

晉會稽王司馬道子集八卷 梁九卷。又有《鎮東從事中郎傅毅集》五卷,亡。

晉衡陽内史曾瓛集三卷 梁四卷,録一卷。又有《驃騎將軍顧榮集》五卷,録一卷,亡。

晉司空賀循集十八卷 梁四卷,録一卷,又有《散騎常侍張杭集》二卷,①録一卷。《車騎長史賈彬集》三卷,録一卷。亡。

晉光禄大夫衛展集十二卷 梁十五卷。又有《東晉太尉荀組集》三卷,録一卷,亡。

晉祕書郎張委集九卷 梁五卷。又有《關内侯傅珉集》一卷。《光禄大夫周顗集》二卷,録一卷。亡。

晉太常謝鯤集六卷 梁二卷。

晉驃騎將軍王廙集十卷 梁三十四卷,録一卷。又有《華譚集》二卷,亡。

---

① "張杭",殿本同,中華本據《晉書·張載傳》改作"張亢"。

晋御史中丞熊遠集十二卷 梁五卷，録一卷。又有《湘州秀才谷儉集》一卷。
《大鴻臚周嵩集》三卷，録一卷。亡。

晋弘農太守郭璞集十七卷 梁十卷，録一卷。

晋張駿集八卷 殘缺。

晋大將軍王敦集十卷 梁有《吳興太守沈充集》三卷。《散騎常侍傅純集》二卷，
録一卷。亡。

晋光禄太夫梅陶集九卷 梁二十卷，録一卷。又有《金紫光禄大夫苟邃集》二
卷，録一卷，亡。

晋散騎常侍王鑒集九卷 梁五卷。又有《晋著作佐郎王濤集》五卷。《廷尉卿
阮放集》十卷，録一卷。《宗正卿張俊集》五卷，録一卷。《汝南太守應碩集》二卷。
《金紫光禄大夫張闓集》二卷，録一卷。《揚州從事陸沈集》二卷，録一卷。《驃騎將軍
卞壺集》二卷，録一卷。《光禄勳鍾雅集》一卷。《衛尉卿劉超集》二卷。《衛將軍戴邈
集》五卷，録一卷。《光禄大夫苟崧集》一卷。亡。

晋大將軍温嶠集十卷 梁録一卷。

晋侍中孔坦集十七卷 梁五卷，録一卷。又有《臧冲集》一卷，《晋鎮南大將軍應
瞻集》五卷，①亡。

晋太僕卿王嶠集八卷 梁有《衛尉苟闓集》一卷。《鎮北將軍劉隗集》二卷。《大
司馬陶侃集》二卷，録一卷。亡。

晋丞相王導集十一卷 梁十卷，録一卷。

晋太尉郗鑒集十卷 録一卷。

晋太尉庾亮集二十一卷 梁二十卷，録一卷。又有《虞預集》十卷，録一卷。
《平越司馬黃整集》十卷，録一卷。亡。

晋護軍長史庾堅集十三卷 梁十卷，録一卷。

晋司空庾冰集七卷 梁二十卷，録一卷。

晋給事中庾闡集九卷 梁十卷，録一卷。

晋著作郎王隱集十卷 梁二十卷，録一卷。

晋散騎常侍干寶集四卷 梁五卷。

---

① “應瞻”，殿本同，中華本據《晋書》本傳改作“應詹”。

晉太常卿殷融集十卷　梁有《衛尉張虞集》十卷。《光禄大夫諸葛恢集》五卷,録一卷。亡。

晉車騎將軍庾翼集二十二卷　梁二十卷,録一卷。

晉司空何充集四卷　梁五卷。又有《御史中丞郗默集》五卷,《征西諮議甄述集》十二卷,《武昌太守徐彦則集》十卷,亡。

晉散騎常侍王愆期集七卷　梁十卷,録一卷。又有《司徒左長史王濛集》五卷。《丹楊尹劉恢集》二卷,①録一卷。《益州刺史袁喬集》七卷。亡。

晉尚書令顧和集五卷　梁有録一卷。又有《尚書僕射劉遐集》五卷。《徵士江淳集》三卷,②録一卷。《魏興太守荀述集》一卷。《平南將軍賀翹集》五卷。《李軌集》八卷。亡。

晉李充集二十二卷　梁十五卷,録一卷。

晉司徒蔡謨集十七卷　梁四十三卷。

晉揚州刺史殷浩集四卷　梁五卷,録一卷。又有《吳興孝廉鈕滔集》五卷,録一卷。《宣城内史劉系之集》五卷,録一卷。亡。

庾赤王集四卷

晉尋陽太守庾純集八卷③　梁有《驃騎司馬王修集》二卷,録一卷。《衛將軍謝尚集》十卷,録一卷。《青州刺史王俠集》二卷。亡。

晉西中郎將王胡之集十卷　梁五卷,録一卷。

晉中書令王洽集五卷　録一卷。梁有《宜春令范保集》七卷。《徵士范宣集》十卷,録一卷。《建安太守丁纂集》四卷,録一卷。亡。

晉金紫光禄大夫王羲之集九卷　梁十卷,録一卷。

晉散騎常侍謝萬集十六卷　梁十卷。

晉司徒長史張憑集五卷　梁有録一卷。梁有《高涼太守楊方集》二卷,亡。

晉徵士許詢集三卷　梁八卷,録一卷。

---

① "劉恢",殿本同,中華本據《晉書》本傳及《舊唐志》下、《新唐志》四改作"劉惔"。

② "江淳",殿本同,中華本據本志經部春秋類及《晉書·江統傳》改作"江惇"。

③ "庾赤王集"、"庾純集",殿本同,中華本據《晉書·庾亮傳》附《庾統傳》及《世説新語·賞譽篇》改"王"作"玉",改"純"作"統"。

晋征西將軍張望集十卷　梁十二卷，録一卷。

晋餘姚令孫統集二卷　梁九卷，録一卷。又有《晋陵令戴元集》三卷，録一卷，亡。

晋衛尉卿孫綽集十五卷　梁二十五卷。

晋太常江逌集九卷　梁有《謝沈集》十卷，亡。

晋李顒集十卷　録一卷。

晋光禄勳曹毗集十卷　梁十五卷，録一卷。又有《郡主簿王箋集》五卷，亡。

晋沙門支遁集八卷　梁十三卷。又有《劉彧集》十六卷，亡。

張重華酒泉太守謝艾集七卷　梁八卷。又有《撫軍長史蔡系集》二卷。《護軍將軍江彬集》五卷，[1]録一卷。亡。

晋范汪集一卷　梁十卷。

晋尚書僕射王述集八卷　梁又有《王度集》五卷，録一卷。《中領軍庾龢集》二卷，録一卷。《將作大匠喻希集》一卷。《吳興太守孔嚴集》十一卷，録一卷。亡。

晋大司馬桓温集十一卷　梁有四十三卷。又有《桓温要集》二十卷，録一卷。《豫章太守車灌集》五卷，録一卷。亡。

晋尚書僕射王坦之集七卷　梁五卷，録一卷，亡。

晋左光禄王彪之集二十卷　梁有録一卷。

晋中書郎郗超集九卷　梁十卷。又有《南中郎桓嗣集》五卷。《平固令邵毅集》五卷，録一卷。《太學博士滕輔集》五卷，録一卷。亡。

晋符堅丞相王猛集九卷　録一卷。梁有《顧夷集》五卷，《散騎常侍鄭襲集》四卷，《撫軍掾劉暢集》一卷，亡。

晋太常卿韓康伯集十六卷　梁有《黄門郎范啓集》四卷。《豫章太守王恪集》十卷。《零陵太守陶混集》七卷。《海鹽令祖撫集》三卷。《吳興太守殷康集》五卷，録一卷。亡。

晋太傅謝安集十卷　梁十卷，録一卷。又有《中軍參軍孫嗣集》三卷，録一卷。《司徒左長史劉袞集》三卷。亡。

晋御史中丞孔欣時集八卷　梁七卷。

---

①　"江彬"，殿本同，中華本據《晋書·江統傳》改作"江彪"。

晋伏滔集十一卷　並目録。梁五卷,録一卷。

晋滎陽太守習鑿齒集五卷

晋祕書監孫盛集五卷　殘缺。梁十卷,録一卷。

晋東陽太守袁宏集十五卷　梁二十卷,録一卷。又有《晋黄門郎顧淳集》一卷,《尋陽太守熊鳴鵠集》十卷,《車騎司馬謝韶集》三卷。《金紫光禄大夫王獻之集》十卷,録一卷。《琅邪内史袁質集》二卷,録一卷。《太宰從事中郎袁邵集》五卷,録一卷。《車騎長史謝朗集》六卷,録一卷。《車騎將軍謝顗集》十卷,録一卷。亡。

晋新安太守郗愔集四卷　殘缺。梁五卷。又有《吳郡功曹陸法之集》十九卷,亡。

晋太常卿王岷集十卷[①]　梁録一卷。

晋中散大夫羅含集三卷　梁有《太宰長史庾蒨集》二卷,《大司馬參軍庾悠之集》三卷,《司徒右長史庾凱集》二卷,亡。

晋國子博士孫放集一卷　殘缺。梁十卷。

晋聘士殷叔獻集四卷　並目録。梁三卷,録一卷。

晋湘東太守庾蕭之集十卷　録一卷。梁有《晋北中郎參軍蘇彦集》十卷。《太子左率王肅之集》三卷,録一卷。《黄門郎王徽之集》八卷。《徵士謝敷集》五卷,録一卷。《太常卿孔汪集》十卷,《陳統集》七卷,《太常王愷集》十五卷。《右將軍王忱集》五卷,録一卷。《太常殷允集》十卷。亡。

晋徵士戴逵集九卷　殘缺。梁十卷,録一卷。又有《晋光禄大夫孫廠集》十卷,《尚書左丞徐禪集》六卷,亡。

晋太子前率徐邈集九卷　並目録。梁二十卷,録一卷。

晋給事中徐乾集二十一卷　並目録。梁二十卷,録一卷。又有《晋冠軍將軍張玄之集》五卷,録一卷。《員外常侍荀世之集》八卷,《袁崧集》十卷,《黄門郎魏邊之集》五卷,《驃騎參軍卞湛集》五卷。《金紫光禄大夫褚爽集》十六卷,録一卷。亡。

晋豫章太守范寧集十六卷　梁有《晋餘杭令范弘之集》六卷,亡。

晋司徒王珣集十一卷　並目録。梁十卷,録一卷,亡。

晋處士薄蕭之集九卷　梁十卷。又有《晋安北參軍薄要集》九卷,《薄邕集》七

①　"王岷",殿本同,中華本據《晋書·王導傳》附《王珉傳》改作"王珉"。

卷。《延陵令唐邁之集》十一卷,録一卷。亡。

晉孫恩集五卷 梁有《晉殿中將軍傅綽集》十五卷,《驍騎將軍弘戎集》十六卷,《御
史中丞魏叔齊集》十五卷,《司徒右長史劉寧之集》五卷,亡。

晉臨海太守辛德遠集五卷 梁四卷。又有《晉車騎參軍何瑾之集》十一卷。
《太保王恭集》五卷,録一卷。《殷覬集》十卷,録一卷。亡。

晉荊州刺史殷仲堪集十二卷 並目録。梁十卷,録一卷,亡。

晉驃騎長史謝景重集一卷

晉桓玄集二十卷 梁有《晉丹楊令卞範之集》王卷,①録一卷。《光禄勳卞承之集》
十卷,録一卷。亡。

晉東陽太守殷仲文集七卷 梁五卷。

晉司徒王謐集十卷 録一卷。梁有《晉光禄大夫伏系之集》十卷,録一卷,亡。

晉右軍參軍孔璠集二卷

晉衛軍諮議湛方生集十卷 録一卷。

晉光禄大夫祖台之集十六卷 梁二十卷。

晉通直常侍顧愷之集七卷 梁二十卷。

晉太常卿劉瑾集九卷 梁五卷。

晉左僕射謝混集三卷 梁五卷。

晉祕書監滕演集十卷 録一卷。

晉司徒長史王誕集二卷 梁有《晉太尉諮議劉簡之集》十卷,亡。

晉丹楊太守袁豹集八卷② 梁十卷,録一卷。又有《晉廬江太守殷遵集》五卷,
録一卷。《興平令荀軌集》五卷。亡。

晉西中郎長史羊徽集九卷 梁十卷,録一卷。

晉國子博士周祇集十一卷 梁二十卷,録一卷。又有《晉相國主簿殷闡集》十
卷,録一卷。《太常傅迪集》十卷。亡。

晉始安太守卞裕集十三卷 梁十五卷。又有《晉韋公藝集》六卷,亡。

---

① "丹楊令卞範之",殿本作"丹陽令卞範之",中華本據《晉書》本傳改作"丹陽尹
卞範之"。

② "丹楊",殿本、中華本作"丹陽"。

晋毛伯成集一卷

晋沙門支曇諦集六卷

晋沙門釋惠遠集十二卷

晋姚萇沙門釋僧肇集一卷

晋王茂略集四卷

晋曹毗集四卷

晋宗欽集二卷　梁有《晋中軍功曹殷曠之集》五卷，《太學博士魏説集》十三卷。
《征西主簿丘道護集》五卷，録一卷。《柴桑令劉遺民集》五卷，録一卷。《郭澄之集》
十卷，《士周桓之集》一卷，①《孔瞻集》九卷。亡。

晋江州刺史王凝之妻謝道韞集二卷　梁有婦人《晋司徒王渾妻鍾夫人集》
五卷，《晋武帝左九嬪集》四卷，《晋太宰賈充妻李扶集》一卷，《晋武平都尉陶融妻陳
窈集》一卷，《晋都水使者妻陳玢集》五卷，②《晋海西令劉驎妻陳騕集》七卷，③《晋劉
柔妻王邵之集》十卷，《晋散騎常侍傅优妻辛蕭集》一卷，《晋松陽令鈕滔母孫瓊集》二
卷，《晋成公道賢妻龐馥集》一卷，《晋宣城太守何殷妻徐氏集》一卷。亡。

宋武帝集十二卷　梁二十卷，録一卷。

宋文帝集七卷　梁十卷，亡。

宋孝武帝集二十五卷　梁三十一卷，録一卷。又有《宋廢帝景和集》十卷，録一
卷。《明帝集》三十三卷。亡。

宋長沙王道憐集十卷　録一卷。梁有《宋臨川王道規集》四卷，録一卷，亡。

宋臨川王義慶集八卷

宋江夏王義恭集十一卷　梁十五卷，録一卷。又有《江夏王集別本》十五卷。
《宋衡陽王義季集》十卷，録一卷。亡。

宋南平王鑠集五卷　梁有《宋竟陵王誕集》二十卷，《建平王休祐集》十卷，④《新
渝惠侯義宗集》十二卷，《散騎常侍祖柔之集》二十卷，亡。

---

①　"周桓之"，殿本同，中華本據《宋書》、《南史》本傳改作"周續之"。

②　中華本認爲"使者"後當有脱文。

③　"劉驎妻陳騕"，殿本作"劉驎妻陳珍"，中華本據《晋書・列女傳》及《舊唐志》下
《新唐志》四改作"劉臻妻陳騕"。

④　"休祐"，殿本同，中華本據《宋書・文九王傳》、《建平宣簡王宏傳》改作"休度"。

宋豫章太守謝瞻集三卷　梁有《宋征虜將軍沈林子集》七卷,亡。

宋太常卿孔琳之集九卷　並目録,梁十卷,録一卷。

宋王叔之集七卷　梁十卷,録一卷。

宋太中大夫徐廣集十五卷　録一卷。

宋秘書監盧繁集一卷　殘缺。梁十卷,録一卷。

宋侍中孔甯子集十一卷　並目録。梁十五卷,録一卷。

宋建安太守卞瑾集十卷　梁十卷。

宋太常卿蔡廓集九卷　並目録。梁十卷,録一卷。又有《宋王韶之集》二十四卷,亡。

宋尚書令傅亮集三十一卷　梁二十卷,録一卷。又有《宋征南長史孫康集》十卷,《左軍長史范述集》三卷,亡。

宋太常卿鄭鮮之集十三卷　梁二十卷,録一卷。

宋徵士陶潛集九卷　梁五卷,録一卷。又有《張野集》十卷,《宋零陵令陶階集》八卷,《東莞太守張元瑾集》八卷。《光禄大夫王曇首集》二卷,録一卷。亡。

宋太常卿范泰集十九卷　梁二十卷,録一卷。

宋中書郎荀昶集十四卷　梁十五卷,録一卷。又有《卞伯玉集》五卷,録一卷。《中散大夫羊欣集》七卷。亡。

宋司徒王弘集一卷　梁二十卷,録一卷。又有《宋金紫光禄大夫沈演集》十卷,《廣平太守范凱集》八卷,亡。

宋沙門釋惠琳集五卷　梁九卷,録一卷。又有《宋范晏集》十四卷,亡。

宋司徒府參軍謝惠連集六卷　梁五卷,録一卷。又有《宋太常謝弘微集》二卷,亡。

宋臨川内史謝靈運集十九卷　梁二十卷,録一卷。

宋給事中丘深之集七卷　梁十五卷。又有《義成太守祖欣之集》五卷,《荆州西曹孫韶集》十卷,《殷淳集》二卷,《揚州刺史殷景仁集》九卷。《國子博士姚濤之集》二十卷,録一卷。《周祗集》十一卷。亡。

殷闡之集一卷

宋徵士宗景集十六卷　梁十五卷。

宋徵士雷次宗集十六卷 梁二十九卷,錄一卷。

宋奉朝請伍緝之集十二卷 梁有《宋南蠻主簿衛令元集》八卷。《范曄集》十

五卷,錄一卷。《撫軍諮議范廣集》一卷。《右光禄大夫王敬集》五卷,①錄一卷。《任

豫集》六卷。

宋御史中丞何承天集二十卷 梁三十二卷,亡。

宋太史大夫裴松之集十三卷 梁二十一卷。又有《王韶之集》十九卷。《宋光

禄大夫江湛集》四卷,錄一卷。亡。

宋太尉袁淑集十一卷 並目錄。梁十卷,錄一卷。

宋秘書監王微集十卷 梁有錄一卷。又有《宋太子舍人王僧謙集》二卷,《金紫

光禄大夫王僧綽集》一卷,《征北行參軍顧邁集》二十卷,《魚復令陳超之集》十卷,《平

南將軍何長瑜集》八卷,亡。

宋員外郎荀雍集二卷 梁四卷。又有《宋國子博士范演集》八卷,《錢唐令顧昱

集》六卷,《臨成令韓濬之集》八卷,《南陽太守沈亮之集》七卷,《國子博士孔欣集》九

卷,《臨海太守江玄叔集》四卷,《尚書郎劉馥集》十一卷,《太子中舍人張演集》八卷,

《南昌令蔡眇之集》三卷,《太學博士顧雅集》十三卷,《巴東太守孫仲之集》十一卷,

《太尉諮議參軍謝元集》一卷,《南海太守陸展集》九卷,《棘陽令山謙之集》十二卷,

《廣州刺史楊希集》九卷,②《員外常侍周始之集》十一卷,《主客郎羊崇集》六卷,《太

子舍人孔景亮集》三卷,亡。

宋中書郎袁伯文集十一卷 並目錄。梁有《宋丞相諮議蔡超集》七卷,亡。

宋東中郎長史孫緬集八卷 並目錄。梁十一卷又有《宋賀道養集》十卷,《太

子洗馬謝登集》六卷,《新安太守張鏡集》十卷。《兼中書舍人褚詮之集》八卷,錄一

卷。亡。

宋特進顏延之集二十五卷 梁三十卷。又有《顏延之逸集》一卷,亡。

宋東揚州刺史顏竣集十四卷 並目錄。

宋大司馬錄事顏測集十一卷 並目錄。

宋護軍將軍王僧達集十卷 梁有錄一卷。又有《國子博士羊戎集》十卷,《江

寧令蘇寶生集》四卷,《兗州別駕范義集》十二卷,《吳興太守劉瑀集》七卷,本郡《孝廉

---

① "王敬",殿本同,中華本據《宋書》、《南史》《王裕之傳》於"王敬"後補"弘"。

② "楊希",殿本同,中華本據《宋書》本傳改作"羊希"。

劉氏集》九卷，亡。

宋會稽太守張暢集十二卷　殘缺。梁十四卷，録一卷，又有《宋司空何尚之集》十卷，亡。

宋吏部尚書何偃集十九卷　梁十六卷。又有《廬江太守周朗集》八卷，亡。

宋侍中沈懷文集十二卷　殘缺。梁十六卷。

宋北中郎長史江智深集九卷　並目一卷。

宋太子中庶子殷琰集七卷　梁又有《宋武陵太守袁顗集》八卷，《荀欽明集》六卷，《安北參軍王詢之集》五卷，《越騎校尉戴法興集》四卷，亡。

宋黃門郎虞通之集十五卷　梁二十卷。

宋司徒左長史沈勃集十五卷　梁二十卷。

宋金紫光禄大夫謝莊集十九卷　梁十五卷。又有《宋金紫光禄大夫謝協集》三卷，《三巴校尉張悦集》十一卷，《揚州從事賀顗集》十一卷，《領軍長史孔邁之集》八卷，《撫軍參軍賀弼集》十六卷，本州《秀才劉遂集》二卷，亡。

宋建平王景素集十卷

宋征虜記室參軍鮑照集十卷　梁六卷。又有《宋武康令沈懷遠集》十九卷，《裴騊集》六卷，《删定郎劉鯤集》五卷，《宜都太守費脩集》十卷，亡。

宋太中大夫徐爰集六卷　梁十卷。又有《宋護軍司馬孫勃集》六卷，《右光禄大夫張永集》十卷，《陽羨令趙繹集》十六卷，亡。

宋庾蔚之集十六卷　梁二十卷。又有太子中舍人徵不就《王素集》十六卷，亡。

宋豫章太守劉愔集八卷　梁十卷。又有《宋起部費鏡運集》二十卷，《光禄大夫孫復集》十一卷，《太尉從事中郎蔡頤集》三卷。《司空劉緬集》二十卷，①録一卷。《青州刺史明舊嵒集》十卷，《吳興太守蕭惠開集》七卷，《沈宗之集》十卷，《大司農張辯集》十六卷。《金紫光禄大夫王瓚集》十五卷，録一卷。《郭坦之集》五卷，《會稽主簿辛湛之集》八卷，《太子舍人朱年集》二卷，②《東海王常侍鮑德遠集》六卷，《會稽郡丞張緩集》六卷。亡。

宋寧國令劉薈集七卷

宋江州從事吳邁遠集一卷　殘缺。梁八卷，亡。

---

①　“劉緬”，殿本同，中華本據《宋書》本傳改作“劉勔”。

②　“朱年”，殿本同，中華本據《宋書》本傳於“朱”後補“百”。

宋宛朐令湯惠休集三卷　梁四卷。又有《南海太守孫奉伯集》十卷,《右將軍成元範集》十卷,《奉朝請虞喜集》十一卷,《延陵令唐思賢集》十五卷,《戴凱之集》六卷,亡。

宋司徒袁粲集十一卷　並目錄。梁九卷。又有婦人《牽氏集》一卷,《宋後宮司儀韓蘭英集》四卷,亡。

齊文帝集一卷　殘缺。梁十一卷。又有《齊晉安王子懋集》四卷,錄一卷,《隨王子隆集》七卷。亡。

齊竟陵王子良集四十卷　梁又有《齊聞喜公蕭遙欣集》十一卷,《領軍諮議劉祥集》十卷,亡。

齊太宰褚彥回集十五卷　梁又有《齊黃門侍郎崔祖思集》二十卷,《中軍佐鐘蹈集》十二卷。《餘杭令丘巨源集》十卷,錄一卷。亡。

齊太尉王儉集五十一卷　梁六十卷。又有《齊東海太守謝顥集》十六卷,《謝籥集》十卷,《豫州刺史劉善明集》十卷,《侍中褚賁集》十二卷,《徵士劉虯集》二十四卷,司徒主簿徵不就《庾易集》十卷,《顧歡集》三十卷,《劉瓛集》三十卷,《射聲校尉劉雄集》三卷,亡。

齊中書郎周顒集八卷　梁十六卷。又有《齊左侍郎鮑鴻集》二十卷,錄一卷,《雍州秀才韋瞻集》十卷。《正員郎劉懷慰集》十卷,錄一卷,《永嘉太守江山圖集》十卷,《驃騎記室參軍荀憲集》十一卷。亡。

齊前軍參軍虞羲集九卷　殘缺。梁十一卷。又有《平陽令韋沈集》十卷,《車騎參軍任文集》十一卷,《卞鑠集》十六卷,《婁幼瑜集》六十六卷,《長水校尉祖冲之集》五十一卷,亡。

齊中書郎王融集十卷

齊吏部郎謝朓集十二卷

謝朓逸集一卷　梁又有《王巾集》十一卷,亡。

齊司徒左長史張融集二十七卷　梁十卷。又有《張融玉海集》十卷、《大澤集》十卷、《金波集》六十卷,又有《齊羽林監庾韶集》十卷、《黃門郎王僧祐集》十卷。《太常卿劉梭集》二十卷,錄一卷。《祕書王寂集》五卷。亡。

齊金紫光祿大夫孔稚珪集十卷

齊後軍法曹參軍陸厥集八卷　梁十卷。

齊太尉徐孝嗣集十卷　梁七卷。又有《侍中劉暄集》一十一卷,《通直常侍裴昭明集》九卷，《虞炎集》七卷，《吏部郎劉瑱集》十卷，《梁國從事中郎劉繪集》十卷，亡。

齊侍中袁彖集五卷　　並録。

齊中書郎江�集九卷　　並録。

齊平西諮議宗躬集十三卷

齊太子舍人沈驎士集六卷

梁武帝集二十六卷　　梁三十二卷。

梁武帝詩賦集二十卷

梁武帝雜文集九卷

梁武帝別集目録二卷

梁武帝淨業賦三卷

梁簡文帝集八十五卷　　陸罩撰，並録。

梁元帝集五十二卷

梁元帝小集十卷

梁昭明太子集二十卷　　梁有《晋安成王集》三十卷，①亡。

梁岳陽王詧集十卷

梁王蕭歸集十卷

梁邵陵王綸集六卷

梁武陵王紀集八卷

梁蕭琛集七卷　　梁又有《安成煬王集》五卷，亡。

梁司徒諮議宗史集九卷②　　並録。

梁國子博士丘遲集十卷　　並録。梁十一卷。又有《謝朓集》十五卷，亡。

梁金紫光禄大夫江淹集九卷　　梁二十卷。

江淹後集十卷

梁尚書僕射范雲集十一卷　　並録。

---

①　“晋安成王”，殿本同，中華本據《梁書》、《南史》本傳改作“梁安成王”。

②　“宗史”，殿本同，姚振宗《隋書經籍志考證》認爲當作“宗夬”。

梁太常卿任昉集三十四卷 梁有《晋安太守謝纂集》十卷,《撫軍將軍柳憕集》
二十卷,①《中護軍柳惲集》十二卷,《豫州刺史柳惔集》六卷,《尚書令柳忱集》十三
卷,《義興郡丞何佪集》三卷,《撫軍中兵參軍韋温集》十卷,《鎮西録事參軍到洽集》十
一卷,《太子洗馬劉苞集》十卷,《南徐州秀才諸葛璩集》十卷,亡。

梁特進沈約集一百一卷 並録。梁又有《謝綽集》十一卷,亡。

梁中軍府諮議王僧孺集三十卷

梁尚書左丞范縝集十一卷

梁護軍將軍周捨集二十卷 梁有《祕書張熾金河集》六十卷,《劉敲集》八卷,
《玄貞處士劉許集》一卷,亡。

梁蕭洽集二卷

梁隱居先生陶弘景集三十卷

陶弘景内集十五卷

梁徵士魏道微集三卷

梁黃門郎張率集三十八卷

梁南徐州治中王同集三卷

梁都官尚書江革集六卷

梁奉朝請吳均集二十卷

梁光禄大夫庾曇隆集十卷 並録。

梁儀同三司徐勉前集三十五卷

徐勉後集十六卷 並序録。

梁吏部郎王錫集七卷 並録。

梁尚書左僕射王暕集二十一卷

梁平西刑獄參軍劉孝標集六卷

梁鴻臚卿裴子野集十四卷

梁仁威府長史司馬褧集九卷

梁蕭子暉集九卷

---

① "柳憕",殿本同,中華本據《梁書》本傳改作"柳惔"。

梁始興內史蕭子範集十三卷

梁建陽令江洪集二卷

梁鎮西府記室鮑畿集八卷

梁尚書祠部郎虞騫集十卷

梁新田令費昶集三卷

梁蕭機集二卷①

梁東陽郡丞謝瑱集八卷

梁通直郎謝琛集五卷

梁仁威記室何遜集七卷　梁有《安西記室劉綏集》四卷,②《沙門釋智藏集》五
　　卷,亡。

梁太常卿陸倕集十四卷

梁廷尉卿劉孝綽集十四卷

梁都官尚書劉孝儀集二十卷

梁太子庶子劉孝威集十卷

梁東陽太守王揖集五卷

梁黃門郎陸雲公集十卷

梁國子祭酒蕭子雲集十九卷

梁征西府長史楊眺集十一卷　　並錄。

梁太子洗馬王筠集十一卷　　並錄。

王筠中書集十一卷　　並錄。

王筠臨海集十一卷　　並錄。

王筠左佐集十一卷　　並錄。

王筠尚書集九卷　　並錄。

梁西昌侯蕭深藻集四卷　　並錄。

---

① “蕭機”,殿本同,中華本據《梁書》本傳改作“蕭幾”。

② “劉綏”,殿本同,中華本據《梁書》、《南史》《劉昭傳》附《劉綏傳》改作“劉緩”。

梁中書郎任孝恭集十卷

梁平北府長史鮑泉集一卷

梁雍州刺史張纘集十一卷　　並錄。

梁尚書僕射張綰集十一卷　　並錄。

梁度支尚書庾肩吾集十卷

梁太常卿劉之遴前集十一卷

劉之遴後集二十一卷

梁豫章世子侍讀謝郁集五卷

梁安成蕃王蕭欣集十卷

梁中書舍人朱超集一卷

梁護軍將軍甄玄成集十卷　　並錄。

梁散騎常侍沈君攸集十三卷①

梁臨安恭公主集三卷　　武帝女。

梁征西記室范靖妻沈滿願集三卷

梁太子洗馬徐俳妻劉令嫻集三卷

後魏孝文帝集三十九卷

後魏司空高允集二十一卷

後魏司農卿李諧集十卷

後魏太常卿盧元明集十七卷

後魏司空祭酒袁躍集十三卷

後魏著作佐郎韓顯宗集十卷

後魏散騎常侍溫子昇集三十九卷

後魏太常卿陽固集三卷

北齊特進邢子才集三十一卷

北齊尚書僕射魏收集六十八卷

---

① “沈君攸”，殿本同，中華本據《周書·蕭詧傳》改作“沈君游”。

北齊儀同劉逖集二十六卷

後周明帝集九卷

後周趙王集八卷

後周滕簡王集八卷

後周儀同宗懍集十二卷　　並録。

後周沙門釋忘名集十卷①

後周小司空王褒集二十一卷　　並録。

後周少傅蕭撝集十卷

後周開府儀同庾信集二十一卷　　並録。

陳後主集三十九卷

陳後主沈后集十卷

陳大匠卿杜之偉集十二卷

陳金紫光禄大夫周弘讓集九卷

陳周弘讓後集十二卷

陳侍中沈炯前集七卷

陳沈炯後集十三卷

陳沙門釋標集二卷

陳沙門釋洪偃集八卷

陳沙門釋瑗集六卷

陳沙門釋靈裕集四卷

陳尚書僕射周弘正集二十卷

陳鎮南府司馬陰鏗集一卷

陳左衛將軍顧野王集十九卷

陳沙門策上人集五卷

① 　“釋忘名”，殿本同，中華本據《舊唐志》下、《新唐志》四及《日本國見在書目》改作“釋亡名”。

陳尚書左僕射徐陵集三十卷

陳右衛將軍張式集十四卷

陳尚書度支郎張正見集十四卷

陳司農卿陸琰集二卷

陳少府卿陸玢集十卷①

陳光祿卿陸瑜集十一卷　　並錄。

陳護軍將軍蔡景歷集五卷

陳沙門釋㬭集六卷

陳御史中丞褚玠集十卷

陳安右府諮議司馬君卿集二卷

陳著作佐郎張仲簡集一卷

煬帝集五十五卷

王祐集一卷

武陽太守盧思道集三十卷

金州刺史李元操集十卷

蜀王府記室辛德源集三十卷

太尉楊素集十卷

懷州刺史李德林集十卷

吏部尚書牛弘集十二卷

司隸大夫薛道衡集三十卷

國子祭酒何妥集十卷

祕書監柳䛒集五卷

開府江摠集三十卷

江摠後集二卷

記室參軍蕭愨集九卷

---

①　"陸玢"，殿本同，中華本據《陳書·陸琰傳》改作"陸玠"。

著作郎魏彥深集三卷

著作郎諸葛穎集十四卷

劉子政母祖氏集九卷

著作郎王胄集十卷

右四百三十七部，四千三百八十一卷。　通計亡書，合八百八十六部，八
　千一百二十六卷。

別集之名，蓋漢東京之所創也。自靈均已降，屬文之士衆矣，然
　其志尚不同，風流殊別。後之君子，欲觀其體勢，而見其心
　靈，故別聚焉，名之爲集。辭人景慕，並自記載，以成書部。
　年代遷徙，亦頗遺散。其高唱絕俗者，略皆具存，今依其先
　後，次之於此。

文章流別集四十一卷　梁六十卷，志二卷，論二卷，摯虞撰。

文章流別志論二卷　摯虞撰。

文章流別本十二卷　謝混撰。

續文章流別三卷　孔甯撰。

集苑四十五卷　梁六十卷。

集林一百八十一卷　宋臨川王劉義慶撰。梁二百卷。

集林鈔十一卷

集鈔十卷　沈約撰。梁有《集鈔》四十卷，丘遲撰，亡。

集略二十卷

撰遺六卷　梁又有《零集》三十六卷，亡。

翰林論三卷　李充撰。梁五十四卷。

文苑一百卷　孔逭撰。

文苑鈔三十卷

文選三十卷　梁昭明太子撰。

詞林五十八卷

文海五十卷

吳朝士文集十卷　梁十三卷。又有《漢書文府》三卷，亡。

巾箱集七卷　梁有《文章志録雜文》八卷，謝沈撰，又《名士雜文》八卷，亡。

婦人集二十卷　梁有《婦人集》三十卷，殷淳撰。又有《婦人集》十一卷。亡。

婦人集鈔二卷

雜文十六卷　爲婦人作。

文選音三卷　蕭該撰。

文心彫龍十卷　梁兼東宮通事舍人劉勰撰。

文章始一卷　姚蔡撰。① 梁有《文章始》一卷，任昉撰。《四代文章記》一卷，吳郡功曹張防撰。亡。

賦集九十二卷　謝靈運撰。梁又有《賦集》五十卷，宋新渝惠侯撰。《賦集》四十卷，宋明帝撰。《樂器賦》十卷。《伎藝賦》六卷。亡。

賦集鈔一卷

賦集八十六卷　後魏祕書丞崔浩撰。

續賦集十九卷　殘缺。

歷代賦十卷　梁武帝撰。

皇德瑞應賦頌一卷　梁十六卷。

五都賦六卷　並録。張衡及左思撰。

雜都賦十一卷　梁《雜賦》十六卷。又《東都賦》一卷，孔逭作。《二京賦》二卷，②李軌、綦毋邃撰。《齊都賦》二卷，並音，左思撰。《相風賦》七卷，傅玄等撰。《迦維國賦》二卷，晋右軍行參軍虞干紀撰。《遂志賦》十卷，《乘輿赭白馬》二卷。亡。

述征賦一卷

神雀賦一卷　後漢傅毅撰。

雜賦注本三卷　梁有郭璞注《子虛上林賦》一卷，薛綜注張衡《二京賦》二卷，晁矯

---

① "姚蔡"，殿本同，中華本作"姚察"，姚振宗《隋書經籍志考證》認爲當作"姚察"。

② "二京賦"，殿本同，中華本據兩《唐志》於"賦"後補"音"字，

注《二京賦》一卷，武異注《二京賦》二卷，①張載及晋侍中劉逵、晋懷令衛瓘注左思《三都賦》三卷，②綦毋邃注《三都賦》三卷，項氏注《幽通賦》，蕭廣濟注木玄虚《海賦》一卷，徐爰注《射雉賦》一卷，亡。

獻賦十八卷

圍碁賦一卷　梁武帝撰。

觀象賦一卷

洛神賦一卷　孫壑注。

枕賦一卷　張居祖撰。

二都賦音一卷　李軌撰。

百賦音十卷　宋御史褚詮之撰。梁有《賦音》二卷，郭徵之撰。《雜賦圖》十七卷。亡。

大隋封禪書一卷

上封禪書二卷　梁有《雜封禪文》八卷，《秦帝刻石文》一卷，宋會稽太守褚淡撰，亡。

集雅篇五卷

靖恭堂頌一卷　晋凉王李暠撰。梁有《頌集》二十卷，王僧綽撰。《木連理頌》二卷，太元十九年群臣上。亡。

詩集五十卷　謝靈運撰。梁五十一卷。又有宋侍中張敷、袁淑補謝靈運《詩集》一百卷。又《詩集》百卷，並例、録二卷，顔峻撰。《詩集》四十卷，宋明帝撰。《雜詩》七十九卷，江邃撰。《雜詩》二十卷，宋太子洗馬劉和注。《二晋雜詩》二十卷。《古今五言詩美文》五卷，荀綽撰。《詩鈔》十卷。亡。

詩集鈔十卷　謝靈運撰。梁有《雜詩鈔》十卷，録一卷，謝靈運撰，亡。

古詩集九卷

六代詩集鈔四卷　梁有《雜言詩鈔》五卷，謝朓撰，亡。

詩英九卷　謝靈運集。梁十卷。又有《文章英華》三十卷，梁昭明太子撰，亡。

今詩英八卷

---

① “武異”，殿本同，中華本據《通志》卷七〇《藝文略》改作“傅異”。
② “衛瓘”，殿本同，中華本據《晋書·衛臻傳》注改作“衛權”。

古今詩苑英華十九卷　梁昭明太子撰。

詩纘十三卷

衆詩英華一卷

詩類六卷

玉臺新詠十卷　徐陵撰。

百志詩九卷　干寶撰。梁五卷。又有《古遊仙詩》一卷，應貞注應璩《百一詩》八卷。《百一詩》二卷，晉蜀郡太守李彪撰。亡。

齊釋奠會詩一十卷

齊讌會詩十七卷

青溪詩三十卷　齊讌會作。梁有魏、晉、宋《雜祖餞讌會詩集》二十一部，一百四十三卷，亡，今略其數。

西府新文十一卷　並錄。梁蕭淑撰。

百國詩四十三卷

文林館詩府八卷　後齊文林館作。

詩評三卷　鍾嶸撰，或曰《詩品》。

古樂府八卷

文會詩三卷　陳仁威記室徐伯陽撰。

五岳七星廻文詩一卷　梁有《雜詩圖》一卷，亡。

毛伯成詩一卷　伯成，東晉征西將軍。[1]

春秋寶藏詩四卷　張朏撰。

江淹擬古一卷　羅潛注。

樂府歌辭鈔一卷

歌錄十卷

古歌錄鈔二卷

晉歌章八卷　梁十卷。

---

[1]　“將軍”，殿本同，中華本據《世說新語·言語篇》改作“參軍”。

吳聲歌辭曲一卷　梁二卷。又有《樂府歌詩》二十卷，秦伯文撰。《樂府歌詩》十二卷，《樂府二校歌詩》十卷，《樂府歌辭》九卷。《大樂歌詩》八卷，《歌辭》四卷，張永記。《魏讌樂歌辭》七卷，《晉歌章》十卷。又《晉歌詩》十八卷，《晉讌樂歌辭》十卷，荀勖撰。《宋太始祭高禖歌辭》十一卷，《齊三調雅辭》五卷。《古今九代歌詩》七卷，張湛撰。《三調相和歌辭》五卷，《三調詩吟錄》六卷，《奏鞞鐸舞曲》二卷，《管絃錄》一卷，《伎錄》一卷。《太樂備問鍾鐸律奏舞歌》四卷，郝生撰。《廻文集》十卷，謝靈運撰。又《廻文詩》八卷。《織錦廻文詩》一卷，符堅秦州刺史竇氏妻蘇氏作。《頌集》二十卷，王僧綽撰。《木連理頌》二卷，晉太元十九年群臣上。又有鼓吹、清商、樂府、讌樂、高禖、鞞、鐸等《歌辭舞錄》，凡十部。

陳郊廟歌辭三卷　並錄。徐陵撰。

樂府新歌十卷　秦王記室崔子發撰。

樂府新歌二卷　秦王司馬殷僧首撰。

古今箴銘集十四卷　張湛撰。錄一卷。梁有《箴集》十六卷，《雜誡箴》二十四卷，《女箴》一卷，《女史箴圖》一卷，又有《銘集》十一卷，又陸少玄撰《佛像雜銘》十三卷，釋僧祐撰《箴器雜銘》五卷，亡。

衆賢誡集十卷　殘缺。梁有《誡林》三卷，綦毋邃撰。《四帝誡》三卷，王誕撰。《雜家誡》七卷，《諸家雜誡》九卷，《集誡》二十二卷。亡。

諸葛武侯誡一卷

女誡一卷

女誡一卷　曹大家撰。

女鑒一卷　梁有《女訓》十六卷。

婦人訓誡集十一卷　並錄。梁十卷。宋司空徐湛之撰。

娣姒訓一卷　馮少冑撰。

貞順志一卷

讚集五卷　謝莊撰。

畫讚五卷　漢明帝殿閣畫，魏陳思王讚。梁五十卷。又有《誄集》十五卷，謝莊撰，亡。

七集十卷　謝靈運集。

七林十卷　梁十二卷，錄二卷，卞景撰。梁又有《七林》三十卷，音一卷，亡。

七悟一卷　顏之推撰。梁有《弔文集》六卷，録一卷。《弔文》二卷。亡。

碑集二十九卷

雜碑集二十九卷

雜碑集二十二卷　梁有《碑集》十卷，謝莊撰。《釋氏碑文》三十卷，梁元帝撰。《雜碑》二十二卷，《碑文》十五卷，晉將作大匠陳緫撰。《碑文》十卷，車灌撰。又有《羊祜墮淚碑》一卷，《桓宣武碑》十卷，《長沙景王碑文》三卷，《荊州雜碑》三卷，《雍州雜碑》四卷，《廣州刺史碑》十二卷，《義興周許碑》一卷，①《太原王氏家碑誄頌讚銘集》二十六卷。《諸寺碑文》四十六卷，釋僧祐撰。《雜祭文》六卷。《衆僧行狀》四十卷，釋僧祐撰。亡。

設論集二卷　劉楷撰。梁有《設論集》三卷，東晉人撰。《客難集》二十卷。亡。

論集七十三卷

雜論十卷

明真論一卷　晉兗州刺史宗岱撰。

東西晉興亡論一卷

陶神論五卷

正流論一卷

黃芳引連珠一卷

梁武連珠一卷　沈約注。

梁武帝制旨連珠十卷　梁邵陵王綸注。

梁武帝制旨連珠十卷　陸緬注。梁有《設論連珠》十卷，謝靈運撰《連珠集》五卷，陳證撰《連珠》十五卷。又《連珠》一卷，陸機撰，何承天注。又班固《典引》一卷，蔡邕注。亡。

梁代雜文三卷

詔集區分四十一卷　後周獸門學士宗幹撰。

魏朝雜詔二卷　梁有《漢高祖手詔》一卷，亡。

録魏吳二志詔二卷　梁有《三國詔誥》十卷，亡。

---

①　"周許"，殿本同，中華本據《晉書》本傳改作"周處"。

晋咸康詔四卷

晋朝雜詔九卷　梁有《晋雜詔》百卷，録一卷。又有《晋雜詔》二十八卷，録一卷。

又《晋詔》六十卷，《晋文王、武帝雜詔》十二卷。亡。

録晋詔十四卷　梁有《晋武帝詔》十二卷，《成帝詔草》十七卷，《康帝詔草》十卷，

《建元直詔》三卷，《永和副詔》九卷，《升平、隆和、興寧副詔》十卷，《泰元、咸寧、寧康

副詔》二十二卷，《隆安直詔》五卷，《元興、太亨副詔》三卷，亡。

晋義熙詔十卷　梁有《義熙副詔》十卷，《義熙以來至于大明詔》三十卷，《晋宋雜

詔》四卷。《又晋宋雜詔》八卷，王韶之撰。又《雜詔》十四卷，《班五條詔》十卷。亡。

宋永初雜詔十三卷　梁有《詔集》百卷，起漢訖宋。《武帝詔》四卷，《宋元熙詔令》

五卷，《永初二年、五年詔》三卷，①《永初已來中書雜詔》二十卷。亡。

宋孝建詔一卷　梁有《宋景平詔》三卷，亡。

宋元嘉副詔十五卷　梁有《宋元嘉詔》六十二卷，《又宋孝武詔》五卷，《宋大明詔》

七十卷，《宋永光、景和詔》五卷，《宋泰始、泰豫詔》二十二卷，《宋義嘉僞詔》一卷，《宋

元徽詔》十三卷，《宋昇明詔》四卷，亡。

齊雜詔十卷

齊中興二年詔三卷　梁有《齊建元詔》五卷，《永明詔》三卷，《武帝中詔》十卷，《齊

隆平、延興、建武詔》九卷，②《齊建武二年副詔》九卷，《梁天監元年至七年詔》十二

卷，《天監九年、十年詔》二卷，亡。

後魏詔集十六卷

後周雜詔八卷

雜詔八卷

雜赦書六卷

陳天嘉詔草三卷

霸朝集三卷　李德林撰。

皇朝詔集九卷

皇朝陳事詔十三卷　梁有《雜九錫文》四卷，亡。

---

① "永初二年五年詔"，殿本同，中華本認爲"永初"無"五年"，"五"疑"三"之誤。
② "齊隆平"，殿本同，中華本改作"隆昌"。

上法書表一卷 虞和撰。

梁中表十一卷 梁邵陵王撰。梁有《漢名臣奏》三十卷。《魏名臣奏》三十卷,陳長壽撰。《魏雜事》七卷,《晉諸公奏》十一卷,《雜表奏駮》三十五卷,《漢丞相匡衡、大司馬王鳳奏》五卷,《劉隗奏》五卷,《孔群奏》二十二卷,《晉金紫光祿大夫周閔奏事》四卷,《晉中丞劉邵奏事》六卷,《中丞司馬無忌奏事》十三卷,《中丞虞谷奏事》六卷,《中丞高崧奏事》五卷,又《諸彈事》等十四部。亡。

雜露布十二卷 梁有《雜檄文》十七卷,《魏武帝露布文》九卷,亡。

山公啓事三卷

范寧啓事三卷 梁十卷。梁有《雜薦文》十二卷,《薦文集》七卷,亡。

善文五十卷 杜預撰。

雜集一卷 殷仲堪撰。

梁魏周齊陳皇朝聘使雜啓九卷

政道集十卷

書集八十八卷 晉散騎常侍王履撰。梁八十卷,亡。

書林十卷

雜逸書六卷 梁二十二卷。徐爰撰。《應璩書林》八卷,夏赤松撰。《抱朴君書》一卷,葛洪撰。《蔡司徒書》三卷,蔡謨撰。《前漢雜筆》十卷,《吳晉雜筆》九卷,《吳朝文》二十四卷,《李氏家書》八卷,《晉左將軍王鎮惡與劉丹楊書》一卷,①亡。

後周與齊軍國書二卷

高澄與侯景書一卷

策集一卷 殷仲堪撰。

策集六卷 梁有《孝秀對策》十二卷,亡。

宋元嘉策孝秀文十卷

誹諧文三卷 袁淑撰。梁有《續誹諧文集》十卷。又有《誹諧文》一卷,沈宗之撰。《任子春秋》一卷,杜嵩撰。《博陽秋》一卷,宋零陵令辛邕之撰。亡。

法集百七卷 梁沙門釋寶唱撰。

① "劉丹楊",殿本、中華本作"劉丹陽"。

右一百七部，二千二百一十三卷。　通計亡書，合二百四十九部，五千二百
二十四卷。

摁集者，以建安之後，辭賦轉繁，衆家之集，日以滋廣，晋代摯
虞，苦覽者之勞倦，於是採摘孔翠，芟剪繁蕪，自詩賦下，各爲
條貫，合而編之，謂爲《流別》。是後文集摁鈔，作者繼軌，屬
辭之士，以爲覃奥，而取則焉。今次其前後，並解釋評論，摁
於此篇。

凡集五百五十四部，六千六百二十二卷。　通計亡書，合一千一百四十
六部，一萬三千三百九十卷。

文者，所以明言也，古者登高能賦，山川能祭，師旅能誓，喪紀能
誄，作器能銘，則可以爲大夫。言其因物騁辭，情靈無擁者
也。唐歌虞詠，商頌、周雅，叙事緣情，紛綸相襲，自斯已降，
其道彌繁。世有澆淳，時移治亂，文體遷變，邪正或殊。宋
玉、屈原，激清風於南楚，嚴、鄒、枚、馬，陳盛藻於西京，平子
豔發於東都，王粲獨步於漳、滏。爰逮晋氏，見稱潘、陸，並黼
藻相輝，宫商間起，清辭潤乎金石，精義薄乎雲天。永嘉已
後，玄風既扇，辭多平淡，文寡風力。降及江東，不勝其弊。
宋、齊之世，下逮梁初，靈運高致之奇，延年錯綜之美，謝玄暉
之藻麗，沈休文之富溢，輝煥斌蔚，辭義可觀。梁簡文之在東
宫，亦好篇什，清辭巧製，止乎衽席之間，彫琢蔓藻，思極閨闈
之内。後生好事，遞相放習，朝野紛紛，號爲宫體。流宕不
已，訖于喪亡。陳氏因之，未能全變。其中原則兵亂積年，文
章道盡。後魏文帝，頗效屬辭，未能變俗，例皆淳古。齊宅漳
濱，辭人間起，高言累句，紛紜絡繹，清辭雅致，是所未聞。後
周草創，干戈不戢，君臣戮力，專事經營，風流文雅，我則未
暇。其後南平漢、沔，東定河朔，訖于有隋，四海一統，采荆南

之杞梓，收會稽之箭竹，辭人才士，捴萃京師。屬以高祖少
文，煬帝多忌，當路執權，逮相擯壓。於是握靈蛇之珠，韞荆
山之玉，轉死溝壑之内者，不可勝數，草澤怨刺，於是興焉。
古者陳詩觀風，斯亦所以關乎盛衰者也。班固有《詩賦略》，
凡五種，今引而伸之，合爲三種，謂之集部。

凡四部經傳，三千一百二十七部，三萬六千七百八卷。 通計亡書，
合四千一百九十一部，四萬九千四百六十七卷。

**經戒三百一部，九百八卷。　餌服四十六部，一百六十七卷。
房中十三部，三十八卷。　符籙十七部，一百三卷。
右三百七十七部，一千二百一十六卷。**

道經者，云有元始天尊，生於太元之先，禀自然之氣，冲虚凝遠，
莫知其極。所以説天地淪壞，劫數終盡，略與佛經同。以爲
天尊之體，[①]常存不滅。每至天地初開，或在玉京之上，或在
窮桑之野，授以祕道，謂之開劫度人。然其開劫，非一度矣，
故有延康、赤明、龍漢、開皇，是其年號。其間相去經四十一
億萬載。所度皆諸天仙上品，有太上老君、太上丈人、天真皇
人、五方天帝及諸仙官，轉共承受，世人莫之豫也。所説之
經，亦禀元一之氣，自然而有，非所造爲，亦與天尊常在不滅，
天地不壞，則藴而莫傳，劫運若開，其文自見。凡八字，盡道
體之奧，謂之天書。字方一丈，八角垂芒，光輝照耀，驚心眩
目，雖諸天仙，不能省視。天尊之開劫也，乃命天真皇人，改
囀天音而辯析之。自天真以下，至于諸仙，展轉節級，以次相
授。諸仙得之，始授世人。然以天尊經歷年載，始一開劫，受

---

① "以爲"，原誤作"以而"，據殿本、中華本改正。

法之人,得而寶祕,亦有年限,方始傳授。上品則年久,下品則年近。故今授道者,經四十九年,始得授人。推其大旨,蓋亦歸於仁愛清静,積而修習,漸致長生,自然神化,或白日登仙,與道合體。其受道之法,初受《五千文籙》,次授《三洞籙》,次受《洞玄籙》,次受《上清籙》。籙皆素書,紀諸天曹官屬佐吏之名有多少,又有諸符,錯在其間,文章詭怪,世所不識。受者必先潔齋,然後齋金環一,並諸贄幣,以見於師。師受其贄,以籙授之,仍剖金環,各持其半,云以爲約。弟子得籙,緘而佩之。

其潔齋之法,有黄籙、玉籙、金籙、塗炭等齋。爲壇三成,每成皆置綿蕝,以爲限域。傍各開門,皆有法象。齋者亦有人數之限,以次入于綿蕝之中,魚貫面縛,陳説愆咎,告白神祇,晝夜不息,或一二七日而止。其齋數之外有人者,並在綿蕝之外,謂之齋客,但拜謝而已,不面縛焉。而又有諸消災度厄之法,依陰陽五行數術,推人年命書之,如章表之儀,並具贄幣,燒香陳讀。云奏上天曹,請爲除厄,謂之上章。夜中,於星辰之下,陳設酒脯麥餌幣物,歷祀天皇太一,祀五星列宿,爲書如上章之儀以奏之,名之爲醮。又以木爲印,刻星辰日月於其上,吸氣執之,以印疾病,多有愈者。又能登刀入火而焚勑之,使刃不能割,火不能熱。而又有諸服餌、辟穀、金丹、玉漿、雲英,蠲除滓穢之法,不可殫記。云自上古黄帝、帝嚳、夏禹之儔,並遇神人,咸受道籙,年代既遠,經史無聞焉。

推尋事迹,漢時諸子,道書之流有三十七家,大旨皆去健羨,處冲虚而已,無上天官符籙之事。其《黄帝》四篇,《老子》二篇,最得深旨。故言陶弘景者,隱於句容,好陰陽五行,風角星筭,修辟穀導引之法,受道經符籙,武帝素與之游。及禪代之際,弘景取圖讖之文,合成“景梁”字以獻之,由是恩遇甚厚。

又撰《登真隱訣》，以證古有神仙之事。又言神丹可成，服之則能長生，與天地永畢。帝令弘景試合神丹，竟不能就，乃言中原隔絕，藥物不精故也。帝以爲然，敬之尤甚。然武帝弱年好事，先受道法，及即位，猶自上章，朝士受道者衆。三吳及邊海之際，信之踰甚。陳武世居吳興，故亦奉焉。後魏之世，嵩山道士寇謙之，自云嘗遇真人成公興，後遇太上老君，授謙之爲天師，而又賜之《雲中音誦科誡》二十卷。又使玉女授其服氣導引之法，遂得辟穀，氣盛體輕，顏色鮮麗。弟子十餘人皆得其術。其後又遇神人李譜，云是老君玄孫，授其圖籙真經，劾召百神，六十餘卷，及銷鍊金丹雲英八石玉漿之法。太武始光之初，奉其書而獻之。帝使謁者，奉玉帛牲牢，祀嵩岳，迎致其餘弟子，於代都東南起壇宇，給道士百二十餘人，顯揚其法，宣布天下，太武親備法駕，而受符籙焉。自是道業大行，每帝即位，必受符籙，以爲故事，刻天尊及諸仙之象，而供養焉。遷洛已後，置道場於南郊之傍，方二百步。正月、十月之十五日，並有道士哥人百六人，拜而祠焉。後齊武帝遷鄴，遂罷之。文襄之世，更置館宇，選其精至者使居焉。後周承魏，崇奉道法，每帝受籙，如魏之舊，尋與佛法俱滅。開皇初又興，高祖雅信佛法，於道士蔑如也。大業中，道士以術進者甚衆。其所講經，由以《老子》爲本，次講《莊子》及《靈寶》、《昇玄》之屬。其餘衆經，或言傳之神人，篇卷非一。自云天尊姓樂名靜信，例皆淺俗，故世甚疑之。其術業優者，行諸符禁，往往神驗。而金丹玉液長生之事，歷代糜費，不可勝紀，竟無效焉。今考其經目之數，附之於此。

大乘經六百一十七部，二千七十六卷。　五百五十八部，一千六百九十七卷，經。五十九部，三百七十九卷，疏。　**小乘經四百八十七部，八百五**

十二卷。　雜經三百八十部，七百一十六卷。　<small>雜經目殘缺甚，見</small>
<small>數如此。</small>　雜疑經一百七十二部，三百三十六卷。　大乘律五
十二部，九十一卷。　小乘律八十部，四百七十二卷。　<small>七十七</small>
<small>部，四百九十卷，律。二部，二十三卷。講疏。</small>　雜律二十七部，四十六卷。
　大乘論三十五部，一百四十一卷。　<small>三十部，九十四卷，論。十五部，</small>
<small>四十七卷，疏。</small>　小乘論四十一部，五百六十七卷。　<small>二十一部，四百</small>
<small>九十一卷，論。十部，七十六卷，講疏。</small>　雜論五十一部，四百三十七卷，
<small>三十二部，二百九十九卷，論。九卷，一百三十八卷，講疏。</small>　記二十部，四
百六十四卷。

右一千九百五十部，六千一百九十八卷。

佛經者，西域天笠之迦維衛國净飯王太子釋加牟尼所説。釋迦
當周莊王之九年四月八日，自母右脅而生，姿貌奇異，有三十
二相，八十二好。捨太子位，出家學道，勤行精進，覺悟一切
種智，而謂之佛，亦曰佛陀，亦曰浮屠，皆胡言也。華言譯之
爲净覺。其所説云，人身雖有生死之異，至於精神，則恒不
滅。此身之前，則經無量身矣。積而修習，精神清净，則佛
道。① 天地之外，四維上下，更有天地，亦無終極，然皆有成有
敗。一成一敗，謂之一劫。自此天地已前，則有無量劫矣。
每劫必有諸佛得道，出世教化，其數不同。今此劫中，當有千
佛。自初至於釋迦，已七佛矣。其次當有彌勒出世，必經三
會，演説法藏，開度衆生。由其道者，有四等之果：一曰須陁
洹，三曰斯陁含，三曰阿那含，四曰阿羅漢。至羅漢者，則出
入生死，去來隱顯，而不爲累。阿羅漢已上，至菩薩者，深見
佛性，以至成道。每佛滅度，遺法相傳，有正、象、末三等淳醨
之異。年歲遠近，亦各不同。末法已後，衆生愚鈍，無復佛

---

① “則佛道”，殿本同，中華本據《文獻通考》卷二二六，於“則”後補“成”字。

教，而業行轉惡，年壽漸短，經數百千載間，乃至朝生夕死。然後有大水、大火、大風之災，一切除去之，而更立生人，又歸淳朴，謂之小劫。每一小劫，則一佛出世。

初天竺中多諸外道，並事水火毒龍，而善諸變幻。釋迦之苦行也，是諸邪道，並來嬲惱，以亂其心，而不能得。及佛道成，盡皆摧伏，並爲弟子。弟子，男曰桑門，譯言息心，而總曰僧，譯言行乞。女曰比丘尼。皆剃落鬚髮，釋累辭家，相與和居，治心修净，行乞以自資，而防心攝行。僧至二百五十戒，尼五百戒。俗人信馮佛法者，男曰優婆塞，女曰優婆夷，皆去殺、盜、淫、妄言、飲酒，是爲五誡。釋迦在世教化四十九年，乃至天龍人鬼並來聽法，弟子得道，以百千萬億數。然後於拘尸那城娑羅雙樹間，以二月十五日入般涅槃。涅槃亦曰泥洹，譯言滅度，亦言常樂我净。初釋迦説法，以人之性識根業各差，故有大乘、小乘之説。至是謝世，弟子大迦葉與阿難等五百人，追共撰述，綴以文字，集載爲十二部。後數百年，有羅漢菩薩，相繼著論，贊明其義。然佛所説，我滅度後，正法五百年，像法一千年，末法三千年，其義如此。

推尋典籍，自漢已上，中國未傳。或云久以流布，遭秦之世，所以堙滅。其後張騫使西域，蓋聞有浮屠之教。哀帝時，博士弟子秦景使伊存口授浮屠經，中土聞之，未之信也。後漢明帝，夜夢金人飛行殿庭，以問於朝，而傅毅以佛對。帝遣郎中蔡愔及秦景使天竺求之，得《佛經四十二章》及釋迦立像。並與沙門攝摩騰、竺法蘭東還。愔之來也，以白馬負經，因立白馬寺於洛城雍門西以處之。其經緘于蘭臺石室，而又畫像於清源臺及顯節陵上。[①] 章帝時，楚王英以崇敬佛法聞，西域沙

---

① "清源臺"，殿本同，中華本據《魏書·釋老志》及王琰《冥祥記》改"源"作"涼"。

門，齎佛經而至者甚衆。永平中，法蘭又譯《十住經》。其餘傳譯，多未能通。至桓帝時，有安息國沙門安静，齎經至洛，翻譯最爲通解。靈帝時，有月支沙門支讖、天竺沙門竺佛朔等，並翻佛經。而支讖所譯《泥洹經》二卷，學者以爲大得本旨。漢末，太守竺融，亦崇佛法。三國時，有西域沙門康僧會，齎佛經至吴譯之，吴主孫權甚大敬信。魏黄初中，中國人始依佛戒，剃髮爲僧。先是西域沙門來此，譯《小品經》，首尾乖舛，未能通解。甘露中，有朱仕行者，往西域，至于闐國，得經九十章，晋元康中，至鄴譯之，題曰《放光般若經》。太始中，有月支沙門竺法護，西游諸國，大得佛經，至洛翻譯，部數甚多。佛教東流，自此而盛。

石勒時，常山沙門衛道安性聰敏，誦經日至萬餘言。以胡僧所譯《維摩》、《法華》，未盡深旨，精思十年，心了神悟，乃正其乖舛，宣揚解釋。時中國紛擾，四方隔絶，道安乃率門徒，南游新野，欲令玄宗所在流布，分遣弟子，各趨諸方。法性詣揚州，法和入蜀，道安與慧遠之襄陽。後至長安，與符堅甚敬之。[①] 道安素聞天竺沙門鳩摩羅什，思通法門，勸堅致之。什亦聞安令問，遥拜致敬。姚萇弘始二年，[②]羅什至長安，時道安卒後已二十載矣，什深慨恨。什之來也，大譯經論，道安所正，與什所譯，義如一，初無乖舛。

初，晋元熙中，新豐沙門智猛，策杖西行，到華氏城，得《泥洹經》及《僧祇律》，東至高昌，譯《泥洹》爲二十卷。後有天竺沙門曇摩羅讖復齎胡本，來至河西。沮渠蒙遜遣使至高昌取猛本，欲相參驗，未還而蒙遜破滅。姚萇弘始十年，猛本始至

---

① "與符堅"，殿本同，中華本據《文獻通考》卷二二六删"與"字。

② "姚萇弘始二年"，殿本同，"萇"是"興"字之誤。下段同。

長安，譯爲三十卷。曇摩羅讖又譯《金光明》等經。時胡僧
至長安者數十輩，惟鳩摩羅什才德最優。其所譯則《維摩》、
《法華》、《成實論》等諸經，及曇無懺所譯《金光明》，曇摩羅
懺所譯《泥洹》等經，並爲大乘之學。而什又譯《十誦律》，天
竺沙門佛陀耶舍譯《長阿含經》及《四方律》，兜法勒沙門雲
摩難提譯《增一阿含經》，①曇摩耶舍譯《阿毗曇論》，並爲小
乘之學。其餘經論，不可勝記。自是佛法流通，極於四海
矣。東晉隆安中，又有罽賓沙門僧伽提婆譯《增一阿含經》
及《中阿含經》。義熙中，沙門支法領，從于闐國得《華嚴經》
三萬六千偈，至金陵宣譯。又有沙門法顯，自長安遊天竺，
經三十餘國，隨有經律之處，學其書語，譯而寫之。還至金
陵，與天竺禪師跋羅，參共辯定，謂《僧祇律》，學者傳之。

齊、梁及陳，並有外國沙門。然所宣譯，無大名部可爲沙門者。
梁武大崇佛法，於華林園中，摠集釋氏經典，凡五千四百卷。
沙門寶唱，撰《經目錄》。又後魏時，太武帝西征長安，以沙
門多違佛律，群聚穢亂，乃詔有司，盡坑殺之，焚破佛像。長
安僧徒，一時殲滅。自餘征鎮，豫聞詔書，亡匿得免者十一
二。文成之世，又使修復。熙平中，遣沙門慧生使西域，采
諸經律，得一百七十部。永平中，又有天竺沙門菩提留支，
大譯佛經，與羅什相埒。其《地持》、《十地論》，並爲大乘學
者所重。後齊遷鄴，佛法不改。至周武帝時，蜀郡沙門衛元
嵩上書，稱僧徒猥濫，武帝出詔，一切廢毀。

開皇元年，高祖普詔天下，任聽出家，仍令計口出錢，營造經像。
而京師及并州、相州、洛州等諸大都邑之處，並官寫一切經，
置于寺內，而又別寫，藏于祕閣。天下之人，從風而靡，競相

---

① “兜法勒”，殿本同，中華本據《高僧傳》一改“法”作“佉”，“雲”作“曇”。

　景慕，民間佛經，多於六經數十百倍。大業時，又令沙門智果，於東都内道場，撰諸經目，分別條貫，以佛所説經爲三部：一曰大乘，二曰小乘，三曰雜經。其餘似後人假託爲之者，別爲一部，謂之疑經。又有菩薩及諸深解奧義、贊明佛理者，名之爲論，及戒律並有大、小及中三部之別。又所學者，録其當時行事，名之爲記。凡十一種，今舉其大數，列於此篇。

右道、佛經二千三百二十九部，七千四百一十四卷。

道、佛者，方外之教，聖人之遠致也。俗士爲之，不通其指，多離以迂怪，假託變幻亂於世，斯所以爲弊也。故中庸之教，是所罕言，然亦不可誣也。故録其大綱。附於四部之末。

大凡經傳存亡及道、佛，六千五百二十部，五萬六千八百八十一卷

隋書經籍志補

張鵬一　撰

陳錦春　整理

底本：清光緒三十年在山草堂活字本

序

　　《隋·經籍志》聚梁、陳、齊、周、隋五代諸人著作，爲《志》二卷，爲書八萬九千六百六十六卷，而兩漢、魏、晉之書並列其中。至後魏、齊、周諸人所著，見於各傳暨《北史》、《唐志》者，《隋志》類多逸漏。夫後魏諸朝，立國北土，雖修短不同，其時人物，若劉芳、徐遵明、熊安生、樂遜之經學，宋顯、劉昞、楊休之、辛彥之之史志，張淵、信都芳、劉焯、何妥之曆算；其文辭一門，若後魏之高閭、李彪、袁飜、常景、祖瑩、楊謙之，北齊之樊遜、李廣、盧詢祖，北周之柳弘、薛慎，隋之王貞、杜臺卿、辛德源，皆才擅專長，名高當世。唐初修史時，諸家之書或副本未傳，或公論未彰，貴遠賤近，收録遂寡。抑知《大戴》作注，景裕始發其凡。七曜推步，劉焯咸悉其奧。遵明爲北學大宗，安生乃三《禮》專家。六藝嫻習，延明學著於敦煌。緯候博通，業興名高於上黨。杜輔玄善談名理，蘇景順才抗山東。治道一集，見重蜀王。正藏百篇，爲世文軌。其人皆當時無兩，其書深慨乎不傳。今據諸人本傳所載，得經説九十二部，史録六十部，子類五十五部，專集七十二家，雜文三十篇。編目既録，姓字益彰。爰依《隋志》分類補入，有論證者悉爲寫録。佚文搜輯，請俟異日。光緒甲辰冬月張鵬一識。

卷一

經部

周易注　後魏敦煌劉昞

本傳云:"著《三史略記》百三十篇八十四卷,《敦煌實錄》二十卷,《志》已錄。《方言》三卷,《靖恭堂銘》一卷,注《周易》、《韓子》、《人物志》、《黄石公三略》,行於世。"《北史》同。

玉函山房輯遺《周易劉氏注》曰:"《魏書》本傳云:'昞字延明,敦煌人。隱居酒泉,不應州郡之命。弟子受業者五百餘人。李暠署爲儒林祭酒從事中郎。注《周易》,行於世。蒙遜平酒泉,拜秘書郎。築陸沉館於西苑,躬往禮焉,號"元處先生",月致羊酒。牧犍尊爲國師,親自致拜,命官屬以下皆北面受學焉。世祖平涼州,拜樂平王從事中郎。'然則其人蓋北方之彦,以著作名世者。史於注《易》不言卷數,《隋》、《唐志》皆不著錄,幸於陸德明《釋文》得其一節,斷珪殘璧,少而益珍。與《盧氏注》考爲景裕撰者比次,以存北學。昞《易注》外尚有《敦煌實錄》二十卷,今亦佚,別爲蒐輯,入雜傳焉。"

易集解　後魏廣平游肇

本傳:"肇耽好經傳,手不釋書。治《周易》、《毛詩》,尤精三《禮》。爲《易集解》,撰《冠昏儀》、《白圭論》、詩、賦、表、啟、凡七十五篇。"《北史》同。

周易注　後魏范陽盧景裕

《北史》本傳：“景裕注《周易》、《尚書》、《孝經》、《論語》、《禮記》、《老子》，其《毛詩》、《春秋左氏》未訖。”《魏書》本傳：“齊文襄入朝，於第開講，招延時雋，令景裕解所注《易》，景裕理義精微，吐發閑雅。”又云：“景裕雖不聚徒教授，所注《易》大行於世。”

王朗易注　後魏敦煌闞駰

本傳云：“注《王朗易傳》，撰《十三州志》，《志》已録。沮渠蒙遜甚重之。”

易注　北齊河間權會

本傳：“少受鄭《易》，探賾索隱，妙盡幽微。《詩》、《書》、三《禮》文義該洽，兼明風角，妙識玄象，注《易》一部行於世。”又云：“會每占筮，大小必中。但用爻辭象象以辨吉凶，《易》占之屬都不經口。”

周易上下繫注　北齊中山杜弼

本傳云：“本京兆杜陵人。臺卿，其次子也。”《北史》本傳云：“注《莊子·惠施篇》並《周易》上下《繫辭》，曰《新注義苑》，行於世。”

周易義記　梁蕭巋　《隋書》本傳。

周易講疏三卷　隋西城何妥

《北史》本傳：“妥撰《周易講疏》三卷、《孝經義疏》二卷、《莊子義疏》四卷，與沈重等撰《三十六科鬼神感應》等大義九卷、《封禪書》一卷、《樂要》一卷、《志》已録。文集十卷，《志》已録。並行於世。”

周易義例　隋渤海李鉉

《北史》本傳：“鉉字寶鼎，從浮陽李周仁受《毛詩》、《尚書》，章武劉子猛受《禮記》，常山房虬受《周官》、《儀禮》，漁陽鮮于靈馥受《左氏春秋》。又以鄉里無可師，遂詣大儒徐遵明受業，居徐門下五年,稱高第。撰定《孝經》、《論語》、《毛詩》、《三禮義疏》及《三傳異同》、《周易義例》,合三十餘卷。”

以上易

尚書王肅注音　後魏彭城劉芳

《北史》本傳:“芳撰《鄭玄注周官儀禮音》、《干寶注周官音》、《何休注公羊音》、《范寧注穀梁音》、《韋昭注國語音》、《范曄注後漢書音》各一卷,《辨類》三卷,《徐州人地記》二十卷,《急就篇續注音義証》三卷,《毛詩箋音義證》十卷,《志》已錄。《禮記義證》十卷,《志》已錄。《周官》、《儀禮義証》各五卷”。

尚書注　盧景裕　詳上。

尚書義疏　後周蕭瓛

尚書注　隋河南宇文弼

古文尚書疏二十卷　隋餘杭顧彪

以上書

毛詩拾遺　後魏渤海高允

毛詩序義注一卷　章句疏三卷　後魏博陵劉獻之

本傳云:“魏承喪亂之後,五經大義雖有師説,而海内諸生多有疑滯,咸決於獻之。六藝之文,雖不悉注,然所標宗旨頗異舊義,撰《三禮大義》四卷、《隋志》有,不著姓名。《三傳略注》三卷、《毛詩序義注》一卷,行於世。並立《章句疏》二卷。注《涅槃經》未就而卒。”又云:“獻之善《春秋》、《毛詩》。”

毛詩音二卷　後周吳郡沈重

本傳云:“重學業該博,爲當世儒宗。至於陰陽、圖緯道經釋典,靡不博綜。又多所撰述,咸得指要。著《周禮義》三十一卷、《志》已錄,作四十。《儀禮義》三十五卷、《禮記義》三十卷、《志》已錄,

作四十。《毛詩義》二十八卷、《志》已録,作《義疏》。《喪服經義》五
　卷、《周禮音》一卷、《儀禮音》一卷、《禮記音》二卷、《毛詩音》
　二卷。"

毛詩義疏　隋李鉉　詳上。

按《隋志》有《毛詩義疏》七種,内四種不著撰者姓名,其卷數有
　二十卷、十卷不等,疑鉉書即在其内。

　以上詩

鄭玄注周官儀禮音　劉芳　詳上。

干寶注周官音一卷　同上。

周禮音一卷　沈重　詳上。

儀禮音二卷　同上。

禮記音二卷　同上。

周官儀禮義證各五卷　劉芳　詳上。

周官義疏二十卷　後周長樂熊安生

本傳:"安生初從陳達受三《傳》,又從房虯受《周禮》,並通大義。
　後事徐遵明,服膺歷年。東魏天平中,受《禮》於李寶鼎,遂通
　五經。然專以三《禮》教授,弟子自遠方至者千餘人。乃討論
　圖緯,据摭異聞。先儒所未悟者,皆發明之。撰《周禮義疏》
　二十卷、《禮記義疏》三十卷、《孝經義》一卷,並行於世。其受
　業擅名於後者,有馬榮伯、張黑《北史》作買。奴、竇士榮、孔籠、
　劉焯、劉炫等。"

禮記義疏四十卷　同上。

玉函山房輯遺《熊氏禮記義疏序》云:"《戴記》自分門王、鄭,晉
　宇迄於周、隋,傳《禮》業者江左尤盛。北人有徐遵明、李業
　興、李寶鼎、侯聰之徒,皆爲義疏,而惟熊氏見於世。《北史》
　云《義疏》三十卷,《隋志》不著録,《唐書·藝文志》云四十卷,

今輯遺爲四卷。孔氏《正義》與皇侃並論，謂熊違背本經，多
引外義，猶之楚向北行，馬雖疾而去愈遠矣。又欲釋經文，惟
聚難義，猶治絲而棼之，手雖繁而絲益亂也。又謂以熊比皇，
皇氏勝。然《正義》以皇氏爲本，其有不備，以熊氏補焉，則既
經剪繁摘要，佚説之存，固皆文證詳悉，義理精審者矣。"

三禮大義四卷　劉獻之　詳上。

按《隋志》有《三禮大義》四卷，不著撰人姓名，疑即獻之著也。

三禮義疏　李鉉　詳上。

禮疏一百卷　隋吳郡褚輝

喪服要記　後魏敦煌索敞

本傳："敞爲劉昞助教，以《喪服》散在衆篇，遂撰比爲《喪服要
記》。"《北史》同。

喪服論　後魏河東柳玄達

《魏書·裴叔業傳》云："玄達曾著《大夫論》，備陳叔業背逆歸
順、契闊危難之旨，又著《喪服論》，約而易尋，文多不録。"

難王儉喪服集記七十餘條　後魏范陽盧道虔

見《北史·盧玄傳》。

喪服經義五卷　沈重　詳上。

喪服章句一卷　後周趙郡李公緒　見《李渾傳》。

喪服義三卷　隋張冲

　以上三禮

大戴禮注　後周范陽盧辯

本傳："辯以《大戴禮》未有解詁，辯乃注之。其兄景裕爲當時碩
儒，謂辯曰：'昔侍中注《小戴》，今爾注《大戴》，庶纂前修
矣。'"《北史》同。

鄭玄《六藝論》曰"戴德傳記八十五篇"，則《大戴禮》是也。鄭注

《小戴》,不注《大戴》,故《小戴禮》合《周禮》、《儀禮》至今稱爲三《禮》,而《大戴禮》漸至亡佚。八十五篇,《隋志》所録已佚其四十七篇,盧辯注亦僅存八卷。《四庫提要》:"司馬貞曰:'《大戴禮》合八十五篇,其四十七篇存,亡三十八篇。'蓋《夏小正》一篇多別行,隋、唐間録《大戴禮》者或闕其篇,是以司馬貞云然。原書不別出《夏小正篇》,實闕四十六篇,存者宜爲三十九篇。《中興書目》乃言存四十篇,則竄入《明堂篇題》,自宋人始矣。書中《夏小正篇》最古,其《諸侯遷廟》、《諸侯釁廟》、《投壺》、《公冠》,皆《禮》古經遺文。又《藝文志》'《曾子》十八篇'久逸,是書猶存其十篇,自《立事》至《天圓篇》,題中悉冠以'曾子'者是也。"皮錫瑞《三禮通論》曰:"《大戴禮記》合十三經爲十四經,見於史繩祖《學齋佔畢》,是宋時常立學。以注者爲北周盧辯,見王應麟《困學紀聞》。近人注此書者,乃有孔廣森、王聘珍二家,阮文達皆以'用力勤,爲功鉅'許之。序王聘珍書以爲孔撝約所未及,其稱許又在孔書之上。"

明堂圖説二卷　後魏渤海封伯偉

《封軌傳》:"時將經始明堂,廣集儒學議其制度,九五之論,久而不定,偉伯乃披揀經緯,上《明堂圖説》六卷。"

明堂圖議二卷釋疑一卷　隋河南宇文愷

本傳有《明議表》一首。

按魏初代都已建明堂,其後遷洛,復營明堂,以李冲領將作大匠監其事。《裴延儁傳》世宗時詔立明堂,羣臣博議,延儁獨著一堂之論,太傅清河王懌時典《禮志》。世宗永平延昌中欲建明堂,而議者或云五室,李謐、袁飜、賈思伯議,見本傳。或云九室,屬年飢,遂寢。熙平二年復議,詔從五室及元議,執政遂改營九室,值世亂不成。宗配之禮,迄無所成。《北齊·邢

邵傳》亦有請置學及立明堂奏。《隋書·牛弘傳》又詳論其
制，而未之行也。皮錫瑞《三禮通論》：“古禮有聚訟千年，至
今日而始明者，明堂、辟雍、封禪是也。阮元曰：‘辟雍與封
禪，是洪荒以前之大典禮，最古不可廢者。竊以上古未有衣
冠，惟用物遮膝前，後有衣冠之制，不肯廢古制，仍留此以爲
韍，與冕並重，此即明堂、辟雍之例也。上古未有宮室，聖人
制爲棟宇，以蔽風雨。帝王有之，民間未必即有。故其制如
今之蒙古包帳房，而又周以外水，如今邨居之必有溝繞宅也。
古人無多宮室，故祭天，祭祖，軍禮，學禮，布月令行政，朝諸
侯，望星象，皆在乎是。故明堂、太廟、太學、靈臺、靈沼皆同
一地，就事殊名。三代後制度大備，王居在城内，有前朝、後
市、左祖、右社之分，又有大學等皆在城内，而別建明堂於郊
外，以存古制，如衣冠之有韍也。鄭康成解爲太學、太廟等各
異處，而不知城外原有明堂。泰山下亦有之。蔡伯喈知明
堂、太廟等同處，而不知此不過城外別建之處，其實祭祀等事
仍在城中。此雖憑虛臆斷，然博綜羣書，究其實之如此也。
此明堂之説也。’”
以上大戴禮

樂書二卷　後魏公孫崇

《魏書·樂志》：“正始元年詔曰：太樂令公孫崇更調金石，變理
　音準，其書二卷，並表悉付尚書。”

樂書七卷　後魏河間信都芳

《魏書·樂志》：“正光中，侍中安豐王延明，受詔監修金石，博採
　古今樂事，令其門生河間信都芳考算之屬，天下多難，終無制
　造。芳後乃撰延明所集樂説，並諸器準圖説二十餘事而注
　之，《器準圖》三卷，《志》已錄。不得在樂署考正聲律也。”

樂書百卷　北齊趙郡李神威

見《李義深傳》。

樂典十卷　後周河南斛斯徵

本傳："徵精三《禮》,兼解音律。"

樂志十五篇　隋武功蘇夔

《北史》本傳:《與鄭譯、何妥議》樂得罪,議寢不行,著《樂志》十五篇以見志。

以上樂

春秋義章三十卷　後魏華陰徐遵明

本傳:"陽平館陶趙世業家有《服氏春秋》,是晉世永嘉舊本,遵明乃往讀之,復經數載,因手撰《春秋義章》三十卷。"

春秋序義　後周河東樂遜

本傳:"魏正光中,從徐遵明受《孝經》、《喪服》、《論語》、《詩》、《書》、《禮》、《易》、《左氏春秋》大義。"又云:"周太祖召遜教授諸王子,在館六年,遜講《論語》、《毛詩》及服虔所注《春秋左氏傳》,著《孝經》、《論語》、《毛詩》、《左氏春秋序論》十餘篇,又著《春秋序義》,通賈、服説,發杜氏違,辭理並可觀。"《北史》同。

春秋攻昧十卷　隋河間劉炫

《北史》本傳:"内史送炫詣吏部尚書韋世康,問其所能。炫自爲狀曰:'《周禮》、《禮記》、《毛詩》、《尚書》、《公羊》、《左傳》、《孝經》、《論語》、孔、鄭、王、何、服、杜等注凡十三家,雖義有精粗,並堪講授。《周易》、《儀禮》、《穀梁》用功差少。史子文集、嘉言故事,咸誦於心。天文律曆,窮覈微妙。至於公私文翰,未嘗假手。'吏部竟不詳試。"又云:"炫著《論語述義》十卷、《志》已錄。《春秋攻昧》十卷、《五經正名》十二卷、《志》已錄。

《孝經述義》五卷、《志》已録。《春秋述義》四十卷、《志》已録。《尚書述
義》二十卷、《志》已録。《毛詩述義》四十卷，《志》已録。注《詩序》
《隋志》作《毛詩集小序》。一卷、《算術》一卷，並文集行於世。"炫又
有《毛詩譜》二卷，《隋志》"太叔求及劉炫注"，本傳遺。玉函
山房輯遺《序》云："炫著《春秋規過》以攻杜氏，杜注外衆説有
不合者，作此以駁難之。'攻昧'，取《尚書·仲虺》文也。《北
史》本傳載十卷，《隋志》不著録，《唐志》十二卷，今佚。孔氏
《正義》引炫難賈逵、何休、服虔及或説，反覆掊繫，《攻昧》之
佚文也。輯録九節。史稱炫强記默識，莫與爲儔。又謂多自
矜伐，好輕侮當世，書適肖其人矣。"

春秋規過三卷　同上。

《玉函山房輯佚》云："炫既作《春秋左氏傳述義》，又摘杜義中之
失以正之，自居乎杜氏之諍友，故書名《規過》。《北史》炫本
傳及《隋志》並無此書之目，《唐志》有三卷。考《北史》'《述
議》'，《隋志》作《述義》，並四十卷。《唐志》'《述議》三十七
卷，《規過》三卷'，知《北史》、《隋志》皆以《規過》附於四十卷
内，唐始分著之也。今佚。孔氏《正義序》謂'規杜氏之失，凡
一百五十餘條'，而《正義》所引乃有一百七十餘條，或有一條
内連及數事，《正義》分載各經傳注下者，然其佚説固散見《正
義》中矣。輯爲二卷。夫劉好非毀，索垢求瘢，固不免煩碎錯
亂之處，亦有顯爲杜失，而孔疏必委曲護之，左杜右劉，前人
固有定論已。"

春秋義略　張冲　詳上。

本傳云："異於杜氏七十餘事。"

公羊何休注音　劉芳　詳上。

穀梁范寧注音　同上。

公羊釋　後魏渤海高允

《北史》本傳："允所製詩、賦、詠、頌、箴、論、贊、誄、《左氏釋》、《公羊釋》、《毛氏拾遺雜解》、《議何鄭膏肓事》，凡百餘篇，別有集《志》已錄。行世。"又云"允明算法，爲《算術》三卷"

左氏釋　同上。

駁杜氏春秋難十卷　賈思同

本傳云："國子博士遼西衞冀隆爲服氏之學，上書難《杜氏春秋》六十三事。思同復駁冀隆乖錯者十一條，互相是非，積成十卷，詔下國學集諸儒考之，事未竟而思同卒。"

左傳服注釋謬　北齊上黨李崇祖

《北史》本傳："姚文安難服虔《左傳解》七十七條，[①]名曰《駁妄》。崇祖申明服氏，名曰《釋謬》。"

皮錫瑞《春秋通論》曰："南北分立時代，江南《左傳》則杜元凱，河洛則服子慎。當時有'甯道孔、孟誤，諱言鄭、服非'之語，則服注盛行可知。據《世說新語》云，鄭君作《左氏傳》注未成，以與子慎，則鄭、服之學，本是一家。北方諸儒，徐遵明傳服注，傳其業者，有張買奴、馬敬德、邢峙諸人。衞冀隆申服難杜，劉炫作《春秋述義》、《攻昧》、《規過》以規杜氏，惟姚文安排斥服注。南方則崔靈恩申服難杜，虞僧誕又申杜難服，以答靈恩。秦道靜亦申杜，以答衞冀隆。杜預元孫坦與弟驥，爲青州刺史，故齊地多習杜義。蓋服、杜之爭二百餘年，至唐始專宗杜。杜作《集解》，別異先儒，自成一家之學。唐作《正義》，掃棄異說，如駁劉炫以申杜，又專用杜氏一家之學。自是之後，治《春秋》者，既非孔子之學，亦非左氏之學，又非賈、服諸儒之學，止是杜預一家。"

春秋三傳述十卷　後魏頓邱李彪

---

① "虔"，原誤作"度"，據《二十五史補編》本改正。

三傳略例三卷　劉獻之《北史》同。

三傳經說同異比較　後魏隴西辛馥

見《辛紹先傳》,云書未就。《北史》同。

三傳異同　李鉉

春秋三傳注三十卷　隋隴西辛德源

左氏傳刊例十卷　北齊河間張思伯

《北史》本傳云:"善說《左氏傳》,爲馬敬德之次。撰《刊例》十

　　卷,行於世。"

　　以上春秋三傳

孝經注　盧景裕 詳上。

孝經注　後魏河北陳奇

本傳:"奇常非馬融、鄭玄解經失旨,志在著述,五經始注,《孝

　　經》、《論語》頗傳于世,爲搢紳所稱。"

孝經解詁難例　封偉伯 詳上。

本傳:"太尉清河王懌爲《孝經解詁》,命偉伯爲《難例》九條,皆

　　發揮隱漏。偉伯又討論《禮》、《傳》、《詩》、《易》疑事數十條,

　　儒者咸稱之。"

孝經問疑一卷　樊深

孝經義疏一卷　熊安生

孝經序論　樂遜

孝經注　宇文敬

孝經義三卷　張冲

孝經義記　宇文敬

孝經義疏　李鉉

孝經義疏一部　隋平原明克讓

《北史》本傳:"著《孝經義疏》一部、《古今帝代記》一卷、《文類》

四卷、《續名僧記》一卷、集二十卷。"

以上孝經

論語注　盧景裕

論語注　陳奇

本傳："奇所注《論語》,外生常矯之傳掌,未能行於世。其義多
　異鄭玄,往往與司徒崔浩同。"《北史》同。

論語序論　樂遜

論語章句二十卷　《新》、《舊唐書志》作十二卷。　劉炫

論語義十卷　張冲

論語義疏　李鉉

詩禮別義　信都芳

五經異同評一卷　後魏敦煌張通

本傳云"爲儒者所稱",《北史》同。

五經異義　辛彦之

五經注　崔浩

本傳云:"著作令史閔湛、趙郡郄標素諂事浩,乃請立石銘刊載
　國書,並勒所注五經,浩贊成之,恭宗善焉。遂營於天郊東三
　里,方百三十步,用功三百萬乃訖。"又《高允傳》云:"著作令
　史閔湛、郄標性巧佞,爲浩信。待見浩所注《詩》、《論語》、《尚
　書》、《易》,遂上疏,言馬、鄭、王、賈雖述六經,並多疏謬,不如
　浩之精微,乞收境內諸書,藏之秘府,班浩所注命天下習業,
　並求勒浩經禮傳,令後生得觀正義。浩亦薦湛有著述才。既
　而勸浩刊所撰國史于石,用垂不朽,欲以彰浩直筆之跡。允聞
　之,謂著作郎宗欽曰:'閔湛所營,分寸之間,恐爲崔門萬世之
　禍,吾徒無類矣。'未幾而難作。"

五經辨疑十卷　後魏清河房景先

本傳云：“景先作《五經疑問》百餘篇，其言該典，今行於世，文多略舉其切於世教者。”又云：“符璽郎王神貴答之，[①]名爲《辨疑》，合成十卷，亦有可觀。節閔帝時奏上之，帝親自執卷，與神貴往復，嘉其用心。”

五經述義　　隋信都劉焯

本傳云：”焯字士元，與河間劉炫結盟爲友，同受《詩》於同鄉劉軌思，受《左傳》於廣平郭懋常，問《禮》於熊安生，皆不卒業而去。又賈、馬、王、鄭所傳章句，多所是非。《九章算術》莫不覈其根本，窮其秘奧，撰《稽極》十卷、《曆書》十卷、《五經述義》，並行於世。劉炫聰明博學，名亞於焯，時人稱‘二劉’焉。”

七經異同說三卷　　樊深

按玉函山房輯《七經義綱》一卷，《自序》云“《七經異同》”，即《隋志》之《七經論》。《北史·儒林傳》稱深撰《七經異同》三卷，《隋志》載有《五經大義》十卷、《七經義綱》二十九卷、《七經論》三卷、《質疑》五卷，《七經論》即《七經異同》。《唐志》惟載《義綱》、《質疑》二書，而作《七經義綱略論》三十卷。本傳云子義綱與書名正同。今其書佚，輯錄三節，附本傳爲卷”云云。考《七經論》卷數雖與《七經異同》相符，而他無可證，姑存之。

七經論　　後周武功蘇綽

以上五經總義

急就篇續注音義證三卷　　劉芳

悟蒙章　　後魏代人陸暐

《陸俟傳》：“暐擬《急就篇》，爲《悟蒙章》及《七誘》《七醉》章、表

---

① “郎”，原誤作“即”，據《二十五史補編》本改正。

數十篇。”

字略五卷　北齊廣平宋世良

刊定六體書　後周南陽趙文深等

本傳云：“太祖以隸書紕繆，命文深與黎季明、沈遐等依《說文》
　及《字林》刊定六體，成一萬餘言，行於世。”

字辯　李鉉

《北史》本傳：“炫以去聖久遠，文字多有乖謬，於講授之暇，遂覽
　《說文》、《蒼雅》，刪正六藝經注中謬字，名曰《字辯》。”

韻纂三十卷　隋吳郡潘徽

本傳云：“陳滅，爲州博士。秦孝王俊聞其名，召爲學士。嘗從
　俊朝京師，在塗令徽於馬上爲賦，行一驛而成，名曰《述思
　賦》，俊覽而善之。復令爲萬字文，並遣撰集字書，名爲《韻
　纂》。徽爲《序》曰：‘文字之來尚矣，初則羲皇出震，觀象緯以
　法天。次則史頡佐軒，察蹄迹而取地。於是八卦爰始，爻文
　斯作。繩用既息，墳籍生焉。至如龍筴授河，龜威出洛。綠
　綈白檢，述勛華之運；金繩玉字，表殷夏之符。卸甲示於姬
　壇，吐卷徵於孔室。莫不理包遠通，迹會幽明，仰協神功，俯
　照人事。其制作也如彼，其祥瑞也如此。故能宣流萬代，正
　名百物，爲生民之耳目，作後王之模範，頌美形容，垂芬篆素。
　暨大隋之受命也，追蹤三五，並曜星辰，外振武功，内修文德。
　飛英聲而勒嵩岱，彰大定而銘鐘鼎。春干秋羽，盛禮樂於膠
　庠；省俗觀風，採歌謠於唐衛。我秦王殿下降靈霄極，稟秀天
　機，質潤圭璋，文兼黼黻。楚詩早習，頗屬懷於言志；沛《易》
　先通，每留神於索隱。尊儒好古，三雍之對已逎。博物多能，
　百家之工彌洽。遨遊必名教，漁獵唯圖史。加以降情引汲，
　擇善芻微，築館招賢，攀枝佇異，剖連城於井里，賁束帛於丘
　園。薄技無遺，片言便賞。所以人加脂粉，物競琢磨，俱報稻
　粱，各施鳴吠。于時歲次，鶉火月躔夷則。駿駕務隙，靈光意

靜。前臨竹沼，却倚桂巖。泉石瑩仁智之心，煙霞發文彩之
致。賓僚霧集，教義風靡。乃討論羣藝，商略衆書，以爲小學
之家，尤多舛雜。雖復周禮漢律，務在貫通，而巧說邪辭，遞
生同異。且文訛篆、隸，音謬楚、夏。《三蒼》、《急就》之流，微
存章句；《說文》、《字林》之屬，唯別體形。至於尋聲推韻，良
爲疑混；酌古會今，未臻功要。未有李登《聲類》、呂靜《韻
集》，始判清濁，纔分宮羽，而全無引據，過傷淺局。詩賦所
須，卒難爲用。遂躬紆睿旨，摽摘是非，撮舉宏綱，裁斷篇部，
總會舊轍，創立新意。聲別相從，卽隨注釋，詳之詁訓，證以
經史，備包騷雅，博牽子集。汗簡云畢，題爲《韻纂》，凡三十
卷。勒成一家，方可藏彼名山，副諸石室，見羣玉之爲淺，鄙
懸金之不定。爰命末學製其都序。徽業術已寡，思理彌殫，
心若死灰，文慙生氣，徒以犬馬識養，飛走懷仁，敢執顛沛之
辭，遂操狂簡之筆。而齊魯富經學，楚鄭多良士，西河之彥，
幸不誚於索居。東里之才，請能加於潤色。’”

以上小學

卷二

史部

三史略記百三十篇八十四卷　後魏劉昞

本傳云："以三史文繁,著《略記》。"

《隋志》有張溫《三史略》二十九卷,錢大昕《養新錄》曰:"三史,謂《史記》、《漢書》及《東觀記》也。《吳志》、《晉書》屢引之。自唐以來,《東觀記》失傳,乃以范蔚宗書當三史之一。"①

帝王世紀注　後魏元延明

帝錄二十卷　後魏任城王順

帝王略注百篇　燕國平恒

本傳:"自周以降,暨于魏世,帝王傳代之由,貴臣升降之緒,皆撰錄品第,商略是非,號曰《略注》,合百餘篇。好事者覽之,咸以爲善。"《北史》同。

科錄二百七十卷　後魏元暉

《魏書·昭成子孫傳》:"元暉愛文學,招集儒士崔鴻等撰錄百家要事,以類相從,名爲《科錄》,凡二百七十卷,上起伏羲,迄于晉宋,凡十九代。暉疾篤,表上之。神龜元年卒。"

歷帝圖五卷　後魏清河張彝

本傳云："起庖犧,終于晉末,凡十六代,百二十八帝,歷三千二百七十年,雜事五百八十九,合成五卷,名曰《歷帝圖》,亦謗

---

① "昞",原誤作"晞",據《二十五史補編》本改正。

木諫鼓、虞人盤盂之類。① 宣武善之。"《北史》同。

前漢功臣序贊　後魏李師尚

《北史》作李仲尚。年二十,著《前漢功臣序贊》及《季父司空冲誄》。

前漢書義十二卷　張冲

漢書刊繁三十卷　隋于仲文

魏志三十卷　後魏②清河張始均

《張彝傳》云:"改陳壽《魏志》爲編年之體,廣益異聞,爲三十卷。又著《冠帶錄》。諸詩、賦數十篇,並亡矣。"《北史》同。

王隱晉書注　隋敦煌宋繪

見《宋顯傳》,云:"魏時張緬《晉書》未入國,繪依準裴松之注《國志》體注王隱《晉書》及《中興書》,又撰《中朝多士傳》十卷、《姓系譜》五十篇。以諸家年歷不同,多有紕繆,乃刊正異同,撰《年譜錄》,未成。河清五年,並遭水濕。"③

燕記　後魏崔逞

本傳云:"慕容暐時郡舉上計掾,補著作郎,撰《燕記》。"

燕書　後魏勃海封懿

國統　後魏北地梁祚

本傳:"撰並陳壽《三國志》,名曰《國統》。"

國書三十卷　崔浩等

本傳云:"初,太祖詔鄧淵撰《國記》十餘卷,《淵傳》云:'惟次年月起居行事而已,未有體例。'④逮于太宗,廢而不述。神廳二年,⑤詔諸文人

---

① "之"前原衍一"之"字,據《二十五史補編》本及《魏書》刪。
② "魏",原脱,據《二十五史補編》本補。
③ "濕",《二十五史補編》本同,殿本《二十四史·北齊書》作"漂失"。
④ "淵",原誤作"洲",據《二十五史補編》本改。
⑤ "廳",原誤作"慶",據《二十五史補編》本改正。

撰錄《國書》。浩及弟覽、高、讜、鄧穎、晁繼、范亨、黄輔等共
參著作，①敘成《國書》三十卷。"又云："真君十一年，誅浩。
初，郗標等立石銘刊《國記》，浩盡述國事，備而不典，石銘顯
在衢路，往來行者咸以爲言，事遂聞發。有司按驗浩，取秘書
郎吏及長歷生數百人意狀。② 浩伏受贓，其秘書郎吏已下
盡死。"

梁史百卷　後周蘭陵蕭欣

齊記二十卷　隋博陵杜臺卿

本傳云："有集十五卷、《齊記》二十卷，行於世。"

齊書五十卷　梁高陽許亨

《隋書·許善心傳》云："父亨，昔在前代，早懷述作，凡撰《齊書》
五十卷。"

齊書紀傳一百卷③隋太原王劭。④

本傳："初，撰《齊志》爲編年體二十卷，復爲《齊書紀傳》一百卷
及《平賊記》三卷。"《北史》同。

按《北史》劭本傳論，以爲劭久在史官，既撰《齊書》，兼脩《隋
典》，好詭怪之説，當委曲之譚，文詞鄙穢，體統煩雜。而劉知
幾《史通·載言篇》則云："王劭撰《齊》、《隋》二史，其所取也，
文皆詣實，理多可信。至于悠悠飾詞，皆不之取。"於《言語
篇》云："王、宋孝王。著書敘元高時事，⑤抗詞正筆，務存直道，
方言世語，由此畢彰。"當時論史，各持意見如此。見錢大昕
《養新錄》。

---

① "范亨"，原誤作"范耳"，《二十五史補編》本同，據《魏書》改正。
② "數"，原誤作"敷"，據《二十五史補編》本改正。
③ "齊"，原誤作"齋"，據《二十五史補編》本改。
④ "隋"，原誤作"隨"，據《二十五史補編》本改正。
⑤ "王宋"，《二十五史補編》本誤倒。按《史通》自注云："王謂王劭也，宋謂宋孝王
也。劭撰《齊志》，孝王撰《關東風俗傳》也。"

北齊末修書二十四卷　隋博陵李德林

以上正雜史

皇誥十八篇

《魏書·皇后列傳》："文明皇后馮氏，承明元年尊爲太皇太后。太和時，太后以高祖富於春秋，作《勸誡歌》三百餘章，又作《皇誥》十八篇。"《南齊書·魏虜傳》："太后馮氏。"

皇誥十八篇　僞左僕射李思冲，稱史臣注解

國典十八篇　後魏太原王慧龍

本傳云："撰帝王制度十八篇，號曰《國典》。"

皇誥宗制並訓詁一卷後魏任城王澄。

門下詔書四十卷　後魏河内常爽

太和後朝儀五十餘卷

魏方司格一卷

冠昏儀　後魏游肇　詳上。

北齊五禮　北齊趙郡李繪等

《李渾》、《魏收傳》並云："繪徵至洛時，勅侍中西河王秘書監常景，選儒學十人緝撰《五禮》，繪與太原王又同掌軍禮。"

北齊吉禮七十二卷

北齊王太子喪禮十卷　北齊南陽趙彥深

按以上二《禮》當即《五禮》中之一也。

隋新禮一部　隋辛彥之

本傳："有六官墳典各一部。"

隋禮要一部　同上。

隋祝文一部　同上。

以上刑法儀注

古今明妃賢后四卷　後魏元孚

見《臨淮王傳》。

馮氏燕志孝友錄《北史》作"傳"。　各十卷　後魏昌黎韓憲宗。

徐州人地錄二十卷　劉芳　詳上。

韓子人物志　劉昞

《舊唐書·藝文志》作"《人物志》三卷,劉劭撰,劉昞注"。

顯忠錄二十卷　後魏中山李孫皎

《北史·李先傳》:"先子孫皎,爲清河王懌撰《輿地圖》及《顯忠
　錄》。"《魏書·孝文五王傳》:"清河王懌以忠而獲謗,乃鳩集
　古昔忠烈之士,爲《顯忠錄》二十卷,以見意焉。"又《韓麒麟
　傳》"子子熙與劉定、傅靈標、張子慎伏闕上書曰'清河王之忠
　誠款篤,節義純貞,非但蘊藏胸襟,實乃形於文翰。搜括史
　傳,撰《顯忠錄》,區目十篇,分二十卷。既欲彰忠心於萬代,
　豈可爲逆亂於一朝'"云云。

中朝多士傳十卷　宋繪

幽州人物志　北齊右北平陽休之

《新唐書志》作三十卷,《舊書志》作十二卷。

關東風俗傳三十卷　北齊廣平宋孝王

見《宋世軌傳》,云:"孝王求入文林館,不遂,因非毀朝士,撰《別
　錄》二十卷。會平齊,改爲《關東風俗傳》,更廣見聞,勒成三
　十卷,上之。言多謬妄,篇第冗雜,無著述體。"
　　按《史通·書志篇》云:"宋孝王《關東風俗傳》亦有《墳籍志》,
　其所錄皆鄴下文儒之士、讎校之司,所列書名唯取當時撰者。
　習茲楷,則庶免譏嫌。語曰:'雖有絲麻,無棄菅蒯。'於宋生
　得之矣。"然則《齊書》之譏孝王,未可信矣。

中表實錄二十卷　北齊范陽盧懷仁

見《盧潛傳》。《北史》同。

封氏本錄六卷　封偉伯

諫苑四十一卷　後周南陽樂運

本傳："錄夏、殷以來諫諍事，集而部之，凡六百三十九條，合四
十一卷，名曰《諫苑》。隋文帝覽而嘉焉。"

以上雜傳

三晉記十卷　後魏太原王遵業

見《北史·王慧龍傳》。

輿地記　後魏李先①

西京記三卷　後周河東薛寘

本傳云："引據該洽，世稱其博聞焉。"《北史》同。

寓記三卷　後周蘭陵蕭大圜

東都圖記二十卷　隋河南宇文愷

鑾輿北巡記三卷　隋丹陽諸葛潁②

幸江都道里一卷　同上。

洛陽古今記一卷　同上。

晉王北伐記十五卷　隋襄陽晉

東征記　隋博陵崔賾

本傳："遼東之役，授鷹揚長史、置遼東郡縣名，皆賾之議也。奉
詔作《東征記》。"《北史》同。

以上地理

親表譜錄四十餘卷　後魏渤海高諒

本傳云："自五世已下，內外曲盡，鑒者服其博記。"

代譜四百八十卷

---

① "後魏"，原作"北史"，據《二十五史補編》本改。
② 據中華書局點校本《隋書》，"諸葛潁"之"潁"當作"穎"，下同。

姓系譜錄五十卷　宋繪

周皇室譜三篇　隋東海鮑宏

本傳："初，周武帝敕宏修《皇室譜》一部，分《帝緒》、《疎屬》、《賜
　姓》三篇。"

世譜　後周蘭陵蕭撝等

本傳："武成中，世宗令諸文儒於麟趾殿校定經史，仍撰《世譜》，
　撝亦與焉。"

諸劉譜三十卷　隋河間劉善經　見本傳。

　以上譜系

甲乙新錄　後魏范陽盧昶

《孫惠蔚傳》云："既入東觀，見典籍未周，上疏曰：'臣聞聖皇之
　御世也，必幽贊人經，參天貳地，憲章典故，述遵鴻猷，故《易》
　曰："觀乎天文，以察時變；觀乎人文，以化成天下。"然則六
　經、百氏圖書秘籍，乃承天之正術，治人之貞範。是以溫柔疏
　遠，《詩》、《書》之教。恭儉易良，禮樂之道。爻象以精微爲
　神，《春秋》以屬辭爲化。故大訓炳於東序，藝文光於麟閣。
　斯實太平之樞宗，勝殘之要道，有國之靈基，帝王之盛業。安
　上靖民，敦風美俗，其在茲乎？及秦棄學術，禮經泯絕。漢興
　求訪，典文載舉，先王遺訓，燦然復存。暨光武撥亂，日不暇
　給，而入洛之書，二千餘兩。魏晉之世，尤重典墳，收亡集逸，
　九流咸備。觀其鳩閱史篇，訪購經論，紙竹所載，罜盡無遺。
　臣學闕通儒，思不及遠，徒循章句，片義無立，而慈造曲罩，厠
　班秘省，忝官承乏，唯書是司，而觀閱舊典，先無定目，新故雜
　糅，首尾不全。有者累帙數十，無者曠年不寫。或篇第褫落，
　始末淪殘；或文壞字誤，謬爛相屬。篇目雖多，全定者少。臣
　請依前丞臣盧昶所撰《甲乙新錄》，欲裨殘補闕，損併有無，校

練句讀，以爲定本，次第均寫，永爲常式。其省先無本者，廣加推尋，搜求令足。然經記浩博，諸子紛綸，部帙既多，章篇紕繆，當非一二，校書歲月可了。今求令四門博上，及在京儒生四十人，在秘書省專精校考，參定字義。如蒙聽許，則典文允正，羣書大集。'詔許之。"

七林　隋高陽許善心

本傳："開皇十七年，除秘書丞。於時秘藏圖籍，尚多淆亂。善心放阮孝緒《七錄》，更製《七林》，各爲總序，冠於篇首，又於部錄之下，明作者之意，區分其類例焉。又奏追李文博、陸法典等學者十許人，正定經史錯謬。"

以上簿錄

子部

家誡　後魏清河張烈

本傳："烈先爲《家誡》千餘言，並自敘志行及所歷之官。臨終，勅子姪不聽求贈，但勒《家誡》立碣而已，其子賢奉行焉。"

家誨二十篇　後魏中山甄琛

本傳："甄所著文章鄙碎無大體，時有理詣。《礫四聲》、《姓族廢興會通》、《緇素》三論以上語有訛奪。及《家誨》二十篇、《篤學文》一卷，頗行於世。"《北史》同。

篤學文一卷　詳上。

揚子法言注二十三卷　隋隴西辛德源

石子十卷　北齊中山石曜

本傳云："亦以儒學進，居官至清儉。著《石子》十卷，甚淺俗。"

行孝論　後魏勃海刁雍

《刁沖傳》："曾祖雍作《行孝論》以誡子孫，稱古之葬者衣之以薪，不封不樹。後世聖人易之棺椁，其有生則不能致養，死則厚葬過度。及於末世，簞簹裹尸，倮而葬者，確而爲論，並非折衷。既知二者之失，豈宜同之。當令所存者棺厚不過三寸，高不過三尺，弗用繒綵，斂以時服。輴車止用白布爲幔，^①不加畫飾，名爲清素車。又去挽歌、方相，並明器雜物。"

以上儒家

道德經章句　後周涿郡盧光

本傳："范陽公辯之弟，精三《禮》，善陰陽，解鐘律，又好玄言。"

老子道德經注二卷　北齊中山杜弼

---

① "幔"，原誤作"慢"，據《二十五史補編》本改正。

本傳:"弼性好名理,探味玄宗,注老子《道德經》二卷,上表言曰:'竊維《道》、《德》二經,闡明幽,極旨冥,動寂用,周凡聖。論行也,清淨柔弱。語迹也,成功致治。實衆流之江海,乃群藝之本根。臣少覽經書,偏所篤好。雖從役軍府,而不捨遊息。鑽味既久,斐文疊如。有所見,比之前注。微謂異於舊說,情發於中而彰諸外,輕以管窺,遂成穿鑿。無取於遊刃,有慚於運斤。不足破秋毫之論,何以解連環之結?本欲止於門內,貽厥童蒙。兼以近資愚鄙,私備忘闕。不悟姑射疑神,汾陽流照,蓋高之聽卑,邇言在察。春末奉旨,猥蒙垂誘,今上所注《老子》,謹冒封呈,並序如別。'又嘗與邢劭共論名理,劭理屈而止。"《北史》本傳無注《道德經》事。

莊子惠施篇注 _{同上。}

删正博物志　後魏常景

家祭法　後魏崔浩

本傳云:"次序五宗蒸嘗之禮,豐儉之節,義理可觀。"

酒訓　後魏高允

忠誥一篇　後魏趙郡李籍之 _{見《李靈傳》。}

物祖十五卷　後魏彭城劉懋

《劉芳傳》:"從子懋撰諸品物造作之始。"

典言十卷　北齊趙郡李公緒

本傳云:"著《典言》、《質疑》、《古今略記》、《玄子》、《趙語》,俱行于世。"

按《隋志》已錄《玄子》五卷,入道家類,不著撰人姓名,即公緒書也。又雜家類錄後魏人李穆叔《典言》四卷。

質疑五卷　古今略記二十卷　趙語十三卷 _{同上。}

鑒誡二十四篇　北齊太安王紘

讀書記三十卷　隋王劭

本傳云：“摘錄經史謬誤爲《讀書記》三十卷，時人服其精博。”

神中錄圖新經　　後魏上谷冠謙之

維摩十地二經義疏六卷　　後魏東清河崔光。

本傳云：“每爲沙門朝貴請講二經，[1]聽者常數百人。”

教戒二十餘篇　　後魏刁雍

本傳云：“雍汎施愛士，恬靜寡欲，篤信佛道，著《教戒》二十餘
　　篇，以訓導子孫。”《北史》同。

祇洹精舍圖偈注六卷　　後魏源賀撰，金城趙柔注

本傳云：“隴西王源賀采佛經幽旨，作《祇洹精舍圖偈》六卷，柔
　　爲之注解，爲當時俊僧所賞味。”

突厥語涅槃經　　北齊代人劉世清

《斛律羌舉傳》：“世清能通四夷語，爲當時第一。後主命作《突
　　厥語翻涅槃經》，以遺突厥，飭中書侍郎李德林爲其《序》。”

佛性論　　後周蘇綽、北齊僧明藏

按《北史・杜弼傳》：“奉使詣闕[2]，魏帝問經中佛性法性同異，弼
　　曰：‘正是一理。’又問曰：‘説者妄，皆言法性寬，佛性狹，如
　　何？’弼曰：‘在寬成寬，在狹成狹。若論性體，非狹非寬。’詔
　　曰：‘既言成寬成狹，何得非狹非寬？’弼曰：‘若定是寬，則不
　　能爲狹。若定是狹，亦不能爲寬。以非寬非狹，故能成寬成
　　狹。所成雖異，能成恒一。’上稱善。”明藏、蘇綽二家之論今
　　不傳，當亦不出杜氏所云。杜又有《與邢邵論生死神形》，載
　　《北史》本傳。

華嚴義疏般若法華金光明義疏四十二卷　　後周梁王蕭詧

見本傳。

---

① “經”，原作空□，據《二十五史補篇》本增補。

② “使”，原誤作“便”，《二十五史補編》本同，據《北史》改正。

三教序　後周京兆韋夐

《北史》本傳：“周武帝以佛、道、儒三教不同，詔夐辨其優劣。夐以三教雖殊，同歸於善。其跡似有深淺，其致理殆無等級。乃著《三教序》奏之。帝覽而稱善。”

大小乘幽微十四卷　隋蕭歸

法華玄經二十卷　隋柳晉

本傳：“仁壽初，爲東宮洗馬。以其好内典，令撰《法華玄宗》，爲二十卷奏之，太子覽而大悦。”

三十六科鬼神感應等大義九卷　隋何妥

以上雜家

黄石公三略　後魏劉昞 <small>詳上。</small>

兵法十二陣圓圖　後魏源賀

本傳：“賀依古今兵法及先儒耆舊之説，略採至要，爲《十二陣圖》，上之，顯祖覽而嘉焉。”《北史》同。

以上兵家

四術周髀宗二篇　後魏信都芳

《北史》本傳：“芳著《樂書》、《遁甲經》、《志》已録。《四術周髀宗》，其序曰：‘漢成帝時，學者問蓋天，揚雄曰：“蓋哉，未幾也。”問渾天，曰：“洛下閎爲之，鮮于妄人度之，[①]耿中丞象之，幾乎莫之息矣。”此言蓋差而渾密也。蓋器測影而造，用之日久，不同於祖，故云未幾也。渾器量天而作，乾坤大象，隱見難變，故云幾乎。是時太史令尹咸窮研晷蓋，易古周法，雄乃見之，以爲難也。自昔周公定影王城，至漢蓋器一改焉。渾天覆

---

① “鮮于”，原誤作“鮮於”，《二十五史補編》本同，據《北史》改正。

觀，以《靈憲》爲文。蓋天仰觀，以《周髀》爲法。覆仰雖殊，大
歸是一。古之人制者所表天效玄象，芳以渾算精微，術機萬
首，故約本爲之省要，凡述二篇，合六法，名曰《四術周髀
宗》。"

《北史·崔靈恩傳》："先是，儒者論天，互執渾、蓋二義，論蓋不
合渾，論渾不合蓋。靈恩立義，以渾、蓋爲一焉。"

五星要決　後魏代人陸通

《北史·陸俟傳》云："通珍好《易》緯候之學，撰《五星要決》及
《兩儀真圖》，頗得其要指。"

兩儀真圖　見上。

諸家雜占七十五卷　後魏張深　《魏書》作淵。

《北史》本傳："永熙中，詔孫僧化校比天文書，集甘、石二家《星
經》，及漢魏以來二十三家經占，集五十五卷。後集諸家撮
要，前後所上雜占，以類相從，日、月、五星、二十八宿、中外官
及天文圖，合爲七十五卷。"

以上天文

黃帝辛卯曆術一卷　後魏李業興

《北史》本傳："業興以殷曆甲寅、黃帝辛卯徒有積元，術數亡缺，
又修之，各爲一卷傳于世。"

殷甲寅曆術一卷　見上。

九宮行棊曆　同上。

本傳："《九宮行棊曆》以五百爲章，四千四十爲部，九百八十七
爲斗，分還以己未爲元，始終相維，不復移轉，與今曆法術不
同。至於氣序、交分、景度、盈縮，不異也。"

按《北史·業興傳》有《戊子元曆》，上之朝。《隋志》有業興《壬
子元曆》一卷、《甲子元曆》一卷、《七曜曆疏》一卷、《七曜義

疏》一卷。又云："業興晚乃師事徐遵明於趙魏之間，後博涉
百家，圖緯、風角、天文、占候，①無不討練，尤長曆算。後業興
使梁，②興朱異論南郊、圓丘、明堂、喪禮諸事，③明悉典禮，湛
深經術，漢世諸儒未能多讓，固當時一大經師也。"

五寅元曆　後魏崔浩

《律曆志》："真君中，司徒崔浩爲《五寅元曆》，未及施行，浩誅，
遂寢。"　本傳："浩《上五寅元曆表》曰：'太宗即位，元年，敕
臣解《急就章》、《孝經》、《論語》、《詩》、《尚書》、《春秋》、《禮
記》、《周易》，三年成訖。復詔臣學天文，星曆、易式、九宮，無
不盡看，至今三十九年，晝夜無廢。臣稟性弱劣，力不及健婦
人，更無餘能。是以專心思書，忘寢與食，至乃夢共鬼爭義，
遂得周公、孔子之要術，始知古人有虛有實，妄語者多，④真正
者少。自秦始皇燒書之後，經典絕滅。漢高祖以來，世人妄
造曆術者有十餘家，皆不得天道之正，大誤四千，小誤甚多，
不可言盡。臣愍其如此，今遭陛下太平之世，除僞從真，宜改
誤曆以從天道，是以臣前奏造曆。今始成訖，謹以奏呈，唯恩
省察，⑤以臣曆術，宣示中書、博士，然後施用。非但時人、天
地、鬼神知臣得正，可以益國家萬世之名，過於三皇五
帝矣。'"

《高允傳》："神䴥後，詔允與司徒崔浩述成《國記》，以本官侍郎。
領著作郎。時浩集諸術士，考校漢元以來日月薄蝕、五星行
度，并譏前史之失，別爲《魏曆》以示允，允曰：'天文曆數，不

---

① "候"，原誤作"侯"，據《二十五史補編》本改正。
② "後"，原誤作"然"，據《二十五史補編》本改正。
③ "興"，原誤作"興"，據《二十五史補編》本改正。
④ "妄"，原誤作"忘"，據《二十五史補編》本改正。
⑤ "省"，原誤作"者"，《二十五史補編》本同，據《魏書》、《北史》改正。

可空論。夫善言遠者，必先驗於近。且漢元年冬十月，五星聚於東井，此乃曆術之淺。今譏漢史而不覺此謬，恐後人譏今，猶今之譏古。'浩曰：'所謬云何？'允曰：'案《星傳》金、水二星常附日而行，冬十月，日在尾，箕昏没於申南，而東井方出於寅北，二星何因背日而行，是史官欲神其事，不復推之於理。'浩曰：'欲爲變者，何所不可？君獨不疑三星之聚，而怪二星之來。'允曰：'此不可以空言争，宜更審之。'時坐者咸怪，唯東宮少傅游雅曰：'高君長於曆數，當不虚也。'後歲餘，浩謂允曰：'先所論者，本不注心。及更考究，果如君語。以前三月聚於東井，非十月也。'"

甲寅曆　後魏公孫崇

《律曆志》："世宗景明中，詔太樂令公孫崇、趙樊生共同考驗。崔浩《五寅元曆》、趙　《玄始曆》。正始四年冬，崇表曰：'世祖應期輯寧諸夏，仍命故司徒東郡公崔浩錯綜其數，浩博涉淵通，更修曆術，著《五行論》。是時故司空咸陽公高允，該覽羣籍，贊明五緯，并述《洪範》，然浩等考察未及周密。高宗踐阼，乃用敦煌趙　《甲寅》之曆，然其星度稍爲差遠。臣輒鳩集異同，研其損益，更造新曆，以甲寅爲元。考其盈縮，晷象周密，又從約省，起自景明，因名《景明曆》。然天道盈虚，豈曰必協？要須參候是非，乃可施用。太史令辛寶貴職司玄象，頗閑秘數。秘書監鄭道昭才學優瞻，識覽該密。長兼國子博士高僧裕，乃故司空允之孫，世綜文業。尚書祠部郎中宗景博涉經史，前兼尚書郎中崔彬微曉法術。請此數人在秘省參候，而伺察晷度，①要在冬夏二至前後各五日，然後乃可取驗。臣區區之誠，冀效萬分之一。'"

---

① "晷"，原誤作"晵"，據《二十五史補編》本改正。

曆書　隋劉焯

本傳："焯優游鄉里，專以教授著述爲務，孜孜不倦。賈、馬、王、鄭所傳章句，多所是非。《九章算術》、《周髀》、《七曜曆書》十餘部，推步日月之經，量度山海之術，莫不覈其根本，窮其秘奧，著《稽極》十卷、《曆書》十卷、《五經述義》，竝行於世。"①

稽極十卷　同上。②

算術三卷　後魏高允

重差勾股注　後魏信都芳

《北史》本傳："芳後亦注《重差勾股》，復撰《史宗》"。《魏書·僧化傳》云合數十卷。

算述一卷　隋劉炫

以上曆數

天文災異八篇　後魏勃海高允

本傳："允表曰：'往年被勅，令臣集天文災異，使事類相從，約而可觀。臣聞箕子陳謨而《洪範》作，宣尼述史而《春秋》著，皆所以章明列辟，景測皇天者也。故先其善惡而驗以災異，隨其失得而效以禍福，天人誠遠而報速如響，甚可懼也。自古帝王莫不尊崇其道，而稽其法數以自修飭。厥後史官竝載其事，以爲鑒誡。漢成時，光祿大夫劉向見漢祚將危，權歸外戚，屢陳妖眚而不見納。遂因《洪範》、《春秋》災異報應者而爲其傳，以感悟人主，而終不聽察，卒以危亡，豈不哀哉！伏惟陛下神武則天，叡鑒自遠，欽若稽古，率由舊章，前言往行，靡不究鑒，前皇所不逮也。臣學不洽聞，識見寡薄，懼無以裨

---

①　"義"，原誤作"義"，據《二十五史補編》本改正。
②　"同上"，二字原無；據《二十五史補編》本增補。

廣聖德,仰酬明旨。今謹依《洪範傳》、《天文志》,撮其事要,
略其文辭,凡八篇。'世祖覽而善之,曰:'高允之明災異,亦豈
減崔浩乎!'"

宅經八卷　隋蘭陵蕭吉　見《北史·藝術傳》。

葬經六卷 同上。

相經一十卷　隋京兆來和 同上。

　以上五行類。

藥方三十五卷　後魏陽平王顯

《術藝傳》云:"世宗詔顯撰《藥方》三十五卷,班布天下,以療
諸疾。"

藥方百餘卷　後魏陽平李修等

《術藝傳》云:"太和時,集諸學士及工書者百餘人,在東宮撰諸
藥方百餘卷,皆行於世。"

淮南王食經一百二十卷①　又　**食經音十三卷**　隋諸葛穎

見《唐書志》。

馬名錄二卷 同上。

　以上醫家

後魏明帝集一卷　《隋志》無,《舊唐書志》有。

任城王集　後魏任城王順

本傳:"撰《帝錄》、詩、賦、表、頌數十篇,多亡失。"今本傳有《魏
頌》,文多不載。有《蠅賦》一篇。

李黃門集　後魏趙郡李騫

見《李順傳》云:"所著詩、賦、碑誄,別有集錄。"今本傳有《釋情

---

① "淮",原誤作"誰",據《二十五史補編》本改正。

賦》、《贈盧元明》、《魏收詩》。

刁特進集　　後魏刁雍

本傳云："所爲詩、賦、頌、論并雜义百餘篇。"今本傳有《請鑿薄
　　骨律鎮富平河渠表》、《造船運穀沃野鎮表》、《積穀表》、《修禮
　　樂表》。"

邢光祿集　　後魏河間邢虬

本傳云："少爲三《禮》鄭氏學，明經，有文思。清河崔亮、頓邱李
　　平並與親善。所作碑、頌、雜筆三十餘篇。"

陸恭之集　　後魏代郡陸恭之

《陸俟傳》："恭之爲詩、賦、文千餘篇"。《北史》同。

盧太常集　　後魏范陽盧道將

見《盧玄傳》，云："涉獵經史，頗有文才，爲文筆數十篇。"《北
　　史》同。

趙寧朔集　　後魏天水趙逸

《北史》本傳云："著詩、賦、銘、頌五十餘篇。"

高刺史集三卷　　後魏漁陽高閭

本傳云："閭好爲文章，軍國書檄、詔令、碑、頌、銘、贊百有餘篇，
　　集三十卷。《北史》作四十卷。其文亦高允之流，後稱'二高'，爲當
　　時所服。"又本傳有《至德頌文》一首、表三首，《列女傳》有《魏
　　溥妻房氏頌》。

游僕射集　　後魏游肇

本傳云："有詩、賦、啓七十五篇，皆傳於世。"又云："肇謙廉不
　　競，撰《儒碁》以表其志。有《白圭論》。"

崔吏部集　　後魏博陵崔孝芬

《崔挺傳》云："子孝芬，著文章數十篇。"

程兗州集　　後魏廣平程駿

本傳云："所集文筆自有集錄。駿師事劉昞，有表三首、《慶國

頌》十六章、《得一頌》十篇。"《北史》同。

楊博士集　後魏天水楊謙之

本傳："謙之與袁翻、常景、酈道元、温子昇之徒咸申欵舊，撰《沮渠涼書》十卷。"見《隋志》。又所著文章百餘篇，別有集錄。謙之妻中山張敖，勸諸子從師受業，常誡之曰："自我爲汝家婦，未見汝父一日不讀書。汝等宜各修勸，勿替先業。"

李中尉集　後魏李彪

本傳云："所著詩、頌、賦、誄、章奏、雜筆百餘篇，別有集。"

李僕射集　頓丘李平

本傳云："所製詩、賦、箴、諫、頌、詠別有集錄。"《北史》同。

崔太保集五十餘卷

後魏東清河崔光。本傳云："所爲詩、賦、銘、贊、誄、頌、表、啟數百篇，五十餘卷，別有集。"《北史》同。今本傳有表七首。

高光禄集　後魏勃海高聰

本傳云："所作文筆二十卷，別有集。"

裴參軍集　後魏河東裴景融

見《裴延儁傳》，云："景融雖才不稱學，而緝綴無倦，文詞汎濫，理會處寡。所作文章別有集錄，又造《鄴都》、《晉都賦》云。"

袁尚書集　後魏陳郡袁翻

本傳云："文筆百餘篇，[1]行於世。有《修明堂辟雍箴》、《戍邊議》、《思歸賦》、《安置蠕蠕二王表》、[2]《轉都官謝表》。"

祖秘書集　後魏范陽祖瑩[3]

本傳云："瑩以文章見重，常語人云：'文章須自出機杼，成一家風骨，何能共人同生活也。'文集行於世。"今本傳有《悲彭城》一首。

---

① "百"，原脱，據《二十五史補編》本補。
② "表"，原脱，據《二十五史補編》本補。
③ "祖瑩"前原衍一"祖"字，據《二十五史補編》本删。

馮光祿集　　後魏魏郡馮元興

本傳云:"隨父僧集在平原,就中山張吾貴、常山房虬學,通《禮》傳,頗有文才,文集百餘篇。"

常秘書集　　後魏河内常景

本傳云:"撰《高顯碑銘》,崔光奏曰:'常景名位在諸人之下,文出諸人之上。'遂以景文刊石,著述數百篇行於世。"《北史》本傳云:"删正晉張華《博物志》,及撰《儒林》、《列女傳》各數十篇。"今本傳有《公主家令持服議》,有司馬相如、王褒、嚴君平、楊子雲四賢贊,《高允遺德頌》、《洛汭銘》、《鑒象贊》。

封郎中集　　後魏勃海封肅

本傳云:"所製文章多亡失,存者十餘卷。"

邢常侍集　　後魏河間邢昕

本傳云:"所著文章自有集錄。"《北史》同。

邢太守集　　後魏河間邢臧

《北史》本傳:"撰古來文章,並敘作者氏族,號曰《文譜》。未就,病卒。其文章凡百餘篇。"

蔣都水集　　後魏樂安蔣少游

柳晉州集　　後周解縣柳弘

本傳云:"弘卒,楊素誄之曰:'山陽王弼,風流長逝。颖川荀粲,零落無時。修竹夾池,永絕梁園之賦。長楊映沼,無復洛川之文。'其爲士友痛惜如此。有文集行于世。"《北史》同。

盧開府集　　後周范陽盧柔

本傳:"作詩、頌、碑、銘、檄、表、啓行于世數十篇。"《北史》同。

唐内史集　　後周北海唐瑾

《北史》本傳:"撰賦、頌、碑、誄二十餘萬言,《新儀》十篇。"

薛刺史集　　後周河東薛慎

本傳云:"文集爲世所傳。"又云:"太祖於諸生中,簡德行淳懿者

侍讀書，慎與李璨及隴西李伯良、辛韶、武功蘇衡、譙郡夏侯
裕、安定梁曠、梁禮、河南長孫璋、河東裴舉、薛同、滎陽鄭朝
等十二人並應其選。"《北史》同。

吕思禮集　後周東平吕思禮

本傳云："沙苑之捷，命爲露布，食頃便成，太祖歎其工而速。所
爲碑、誄、表、頌並傳于世。"又云："年十四，受學于徐遵明，長
於論難。"《北史》同。

薛刺史集　後周河東薛寘

本傳云："文筆二十餘卷，行于世。"《北史》同。

蘇侍中集　後周武功蘇亮

本傳云："亮初舉秀才，至洛陽，遇河内常景，景深器之，退而語
人曰：'秦中之學可以抗山東者，將此人乎？'與從弟綽俱知
名，世稱'二蘇'。"

柳秘書集　後周河東柳虬

本傳云："文筆數十篇，行于世。有《論史事疏》。"又云："時人論
文體有古今之異，虬以爲時有今古，非文有今古，乃爲《文質
論》。"《北史》同。

顔刺史集十卷　後周琅邪顔之儀

本傳云："有文集十卷，行于世。"又云："嘗獻《神州頌》於梁
元帝。"

蕭將軍集十卷　後周蕭圓肅

本傳云有文集十卷，今有《少傅箴》一首。《北史》同。

蕭太守集二十卷　後周蘭陵蕭大圜　見本傳。

劉司錄集二十卷　後周沛國劉璠

本傳云："著《梁典》三十卷，《志》有。有集二十卷，行于世。"《北
史》同。

梁王蕭詧集十五卷　見本傳。

蕭中丞文集三十卷　後周蘭陵蕭瓛

蕭特進集三十卷　後周蕭大寶　見《北史》。

傅太常集二十卷　後周北地傅淮

傳云："有文才,善詞賦,仕于蕭詧。"

蔡司空集　後周濟陽蔡大寶　仕于蕭詧。

甄吏部集二十卷　後周中山甄玄成　仕于蕭詧。《北史》同。

岑尚書集十卷　後周南陽岑善方　仕于蕭巋。《北史》同。

蕭僕射集三十卷　後周蕭欣　仕于蕭巋。

范常侍集十卷　後周順陽范迪　仕于蕭巋。

王尚書集二十卷　北齊華山王昕

本傳云："王猛六世孫,家于華山之酈城。有文集二十卷。"《北史》同。

樊散騎集　北齊河東樊遜

本傳："有《清德頌》十首、《升中紀號對》、《求才客飲對》、《釋道兩教對》、《刑罰寬猛對》、《禍福報應對》、《刊定秘府書籍議》。"

楊驃騎愔集　北齊弘農楊愔

本傳云："所著詩、賦、表、奏、書甚多,誅後散失,門生鳩集所得者萬餘言。"《北史》同。

陸吏部卬集十四卷　北齊陸卬[①]

本傳云："文章十四卷,行于世。齊之郊廟諸歌多卬所製。"

盧記室集　北齊盧懷仁

《盧潛傳》："從祖兄懷仁,卜居陳留界,所著有詩、賦、銘、頌二萬餘言。又撰《中表實錄》二十卷。"《北史》同。

陽刺史集三十卷　《唐志》作二十卷。**北齊陽休之**

———————

① "陸卬",原誤作"陸邛",據《二十五史補編》本改。下"卬"字同。

本傳云："文集行于世。"按《祖鴻勳傳》有《致休之書》一篇。

李記室集十卷　北齊范陽李廣

見《文苑傳》，畢義雲集其文筆十卷《北史》作七卷。託魏收爲之叙。

盧司徒記室集十卷　北齊范陽盧詢祖

見《盧文偉傳》。

《北史》本傳："詢祖爲《破蠕蠕賀表》，有句云：'昔十萬橫行樊將
軍，請而受屈。五千深入李都尉，降而不歸。'時重其工。又
有《築長城賦》。"《魏書》本傳有文集十卷。

盧侍郎集　北齊范陽盧思道

本傳云："有《文宣帝挽歌》八篇、《孤鴻賦》一篇，有集二十卷，行
于世。"《北史》同。

顔黃門集三十卷　北齊琅邪顔之推

本傳云："之推集，子思魯自爲序錄。"今本傳有《觀我賦》一篇。

杜著作郎集十五卷　隋博陵杜臺卿

見本傳。按臺卿爲杜弼次子，本京兆杜陵人。[①]

劉儀同集　隋沛國劉臻

本傳："臻精于兩《漢書》，時人稱'漢聖'。"

王參軍集十卷　隋王頍

本傳："撰《五經大義》三十卷，有集十卷，并兵亂無存。"

辛諮議集二十卷　隋辛德源

本傳："蜀王秀聞其名，奏以爲掾，轉諮議參軍，卒官。有集二
十卷。"

孫司直集十卷　隋信都　《北史》作武邑武遂人。孫萬壽

本傳："有《贈京邑知友詩》，就熊安生受五經，略通大義。"

王主薄集三十三卷　隋梁郡王貞

---

① "兆"，原誤作"北"，據《二十五史補編》本改正。

本傳："齊王暕有書召之,又索文集。貞有《謝啓》一首。"《北史》
　　本傳："貞後上《江都賦》,王賜錢十萬貫,良馬二匹。"

庾舍人集十卷　隋潁川庾自直

本傳云:"能屬文,於五言詩尤善。"

杜秀才文百篇　隋鄴郡杜正藏

見本傳:"本京兆人,八世祖曼爲石趙從事郎中,因家於鄴。與
　　兄正玄以文名著。正藏著碑、誄、銘、頌、詩、賦百餘篇,又著
　　《文章體裁》,大爲後進所寶,時人號爲《文軌》,乃至海外高
　　麗、百濟亦共傳習,稱爲《杜家新書》。"

魏司農集　北齊鉅鹿魏季景

《北史》本傳:"著文筆二百餘篇。"

李司馬治道集十卷　隋博陵李文博

本傳:"文博本爲經學,後讀史書,於諸子及論尤所賅洽,性長議
　　論,亦善屬文,著《治道集》十卷,大行于世。"《隋書·柳彧
　　傳》:"彧嘗得博陵李文博所撰《治道集》十卷,蜀王秀遣人求
　　之,彧送之於秀,秀復賜彧奴婢十口。"

崔著作集　隋博陵崔賾

李黃冠文集十卷　隋中山李昭徽

《北史·李先傳》:"昭徽中山盧奴人,[1]善談論,有宏辨,屬文任
　　氣不拘常則,大業中,將妻子隱于嵩山,號'黃冠子',有文集
　　十卷,爲學者所誦。"[2]

鮑刺史集　隋鮑宏

本傳:"有集十卷,行于世。"

宇文尚書集　隋河南宇文弼

---

①　"李先",原誤作"李光",據《二十五史補編》本改正。
②　"誦"下原衍"北史同"三字,據《二十五史補編》本刪。

本傳：“著辭賦二十餘萬言。”

劉博士集　隋劉炫

《北史》本傳：“有《擬屈原卜居爲箴塗》、《駁牛弘大夫降傍親期
　議》、《撫夷論》、《九品妻無再醮論》、《自贊》各文。”

明常侍集二十卷　隋平原明克讓 詳上。

靖恭堂銘一卷　後魏劉昞

《北史》：“自序西涼李暠，立靖恭堂以議朝政，閱武事焉。圖贊
　自古聖帝明王、忠臣孝子、烈士貞女，親爲序頌，以明鑒誡之
　義。當時文武、羣公寮佐，亦皆圖贊所志。庚子五年，改元建
　初。自敦煌徙都酒泉，勒銘酒泉，使儒林祭酒劉彥明爲文，刻
　石頌德。”彥明，即延明。昞之字也。又按《周書·庾信傳論》
　云：“朔漠胡義周之頌國都，足稱宏麗。河右劉延明之銘酒
　泉，可謂清典。”其云《國都頌》即《統萬城銘》。《酒泉銘》，即
　《靖恭堂銘》也。

西游詩　安定胡叟 《魏書》本傳。

統萬城銘　安定胡方回撰

文見《晉書·赫連勃勃載記》。[1]

蛇祠碑 同上。

司空李冲誄　李師尚撰 見《李寶傳》。

贈敦煌公李寶詩七首　武威段承根

沮渠東宮侍臣箴　金城宗欽 見本傳。

與高允詩十二首 同上。

弔比干文注　劉芳撰

本傳：“高祖《弔殷比干文》，芳爲注解，表上，詔付之集書。”

楊雄蜀都賦注　北齊河內司馬膺之

---

① “載記”，原誤倒，據《二十五史補編》本乙正。

見《司馬子如傳》。

庾信集注　隋魏澹

高祖頌　甄楷撰

見《甄琛傳》。

朋友論　後魏趙郡眭夸

本傳云:"少與崔浩爲莫逆之交,浩奏徵爲司徒郎中,不受。及
浩誅,爲之素服,受鄉人弔唁,經一時乃止。歎曰:'崔公既
死,誰能更容眭夸?'遂作《朋友篇》,辭義爲時人所稱。"

知命論　同上。

本傳云:"或人謂夸曰:'吾聞有大才者必居貴仕,子何獨在桑榆
乎?'遂著《知命論》以釋之。"

文筆駁論數十卷　徐紇①

本傳:"孝莊初,奔蕭衍,②《文筆駁論》多有遺落,時或存于
世焉。"

風賦　後魏中山甄密

本傳:"密疾世俗貪競,乾没榮寵,曾作《風賦》以見意。"

代都賦　梁祚

觀象賦　張淵

後魏《淵傳》云:"不知何許人,明占候,曉内外星分。"賦載
本傳。③

平西策一卷　北齊盧思武　見本傳。

文林館御覽　北齊封隆之等

續文章流別　北齊顏之推　見本傳。

詞林集　隋魏澹

---

① "徐紇"上,《二十五史補編》本有"後魏"二字,當據補。
② "奔"下,原衍"李於"二字,據《二十五史補編》本删。
③ "後魏",《二十五史補編》本同,《觀象賦》載於《魏書》張淵本傳中。

七聘　後魏范陽酈道元

本傳云："歷覽奇書，注《水經》四十卷、《本志》十三篇，又爲《七
　聘》及諸文，皆行于世。"

七諫　代郡陸暐

七醉　同上。

文軌二十卷　杜正藏

《北史》本傳："爲《文軌》二十卷，論爲文體則甚有條貫，後生寶
　而行之，多資以解褐，大行于世，謂之《杜家新書》。"

　　以上別集總集

隋書經籍志校補

［清］汪之昌　撰

許建立　整理

底本：民國二十年(1931)汪氏青學齋刻本

第一卷

《宋書·關康之傳》："顧悅之難王弼《易》義四十餘條，康之申王難顧，又為《毛詩義》。"均未著錄。第六頁。（整理者按，汪氏所注頁碼，當係某版本《隋書經籍志》之頁碼，今不知為何版本，姑一仍其舊。）

《梁書·何胤傳》："注《百法論》、《十二門論》各一卷，注《周易》十卷，《毛詩總集》六卷，《毛詩隱義》十卷，《禮記隱義》二十卷，《禮答問》五十卷。"同上。

《齊書·禮志》："永明六年，太常丞何諲之議。"此注"宋中散大夫"，殆諲之先仕於宋歟？俟考。同上。

《梁書·范述曾傳》："注《易文言》，著雜詩賦數十篇。"未著錄。同上。

《梁書·賀瑒傳》："《禮》、《易》、《老》、《莊》講疏，朝廷博議數百篇，《賓禮儀注》一百四十五篇。"同上。

《齊書·顧歡傳》："注王弼《易》二《繫》。"未著錄。同上。

《齊書·沈驎士傳》："著《周易兩繫》、《莊子內篇訓》，注《易經》、《禮記》、《春秋》、《尚書》、《論語》、《孝經》、《喪服》、《老子要略》數十卷。"均未著錄。同上。

《梁書·伏曼容傳》："《周易》、《毛詩》、《喪服》集解，《老》、《莊》、《論語》義。"《周易》外均未著錄。同上。

《梁書·朱异傳》："撰《禮》、《易》講疏及《儀注》、文集百餘篇。"此惟著錄《易注》。同上。

《齊書·祖沖之傳》："著《易》、《老》、《莊》義，釋《論語》、《孝經》，注《九章》，造《綴述》數十篇。"均未著錄。同上。

《陳書·周弘正傳》："《周易講疏》十六卷，《論語疏》十一卷，《莊

子疏》八卷,《老子疏》五卷,《孝經疏》兩卷,集二十卷。弟弘
直,集二十卷。"同上。

《陳書·張譏傳》:"《周易義》三十卷,《尚書義》十五卷,《毛詩
義》二十卷,《孝經義》八卷,《論語義》二十卷,《老子義》十卷,
《莊子內篇義》十二卷,《外篇義》二十卷,《雜篇義》十卷,《玄
部通義》十二卷,《游玄桂林》二十四卷。"第七頁。

《梁書·孔子袪》:"《尚書義》二十卷,《集注尚書》三十卷,續朱
异《集注周易》一百卷,續何承天《集禮論》一百五十卷。"均未
著錄。第八頁。

《梁書·崔靈恩傳》:"《集注毛詩》二十二卷,《集注周禮》四十
卷,《制三禮義宗》四十七卷,《左氏經傳義》二十二卷,《左氏
條例》十卷,《公羊穀梁句義》十卷。"第九頁。

《宋書·周續之傳》:"通《毛詩》六義及《禮》、《論》、《公羊傳》,皆
傳於世。"此《志》均未著錄。同上。

《梁書·許懋傳》:"撰《風雅比興義》十五卷,《述行記》四卷,集
十五卷。"均未著錄。第十頁。

《陳書·沈文阿傳》:"《儀禮》八十餘卷,《經典大義》十八卷。"第
十一頁。

《梁書·裴子野傳》:"《集注喪服》三卷。"當即《喪服傳》,而卷數不同。
第十二頁。

《齊書·徐伯珍傳》:"樓幼瑜著《禮捃遺》三十卷。"未著錄。
同上。

《梁書·皇侃傳》:"《禮記講疏》五十卷,《論語義》十卷。"同上。

《宋書·徐廣傳》:"《答禮問》百餘條,用於今世。"同上。

《梁書·何佟之傳》:"文章禮義百許篇。"同上。

《齊書·臧榮緒傳》:"關康之論《禮記》十餘條。"同上。

《梁書·范岫傳》:"撰《禮論》、《雜儀》、《字訓》。"均未著錄。同上。

《陳書・沈不害傳》："治《五禮儀》一百卷，文集十四卷。"均未著錄。_{同上。}

《梁書・賀琛傳》："撰《三禮講疏》、《五經滯義》及諸儀法，凡百餘篇，又《新諡法》。"均未著錄。又撰《梁官》，見《沈峻》、《孔子袪傳》。_{同上。}

《梁書・張緬傳》："與朱异、賀琛遞述《制旨禮記中庸義》。"此《私記制旨中庸義》五卷，未識同異。同上。

《宋書》第五十五卷列傳論："潁川庾蔚之略解《禮記》，并注賀循《喪服》，行於世。"《志》於"《喪服要紀》十卷"注："賀循撰。梁有《喪服要記》，宋員外常侍庾蔚之注。"與傳論合，而"《禮記略解》十卷"注則云："庾氏撰。"同上。

《陳書・戚袞傳》："《三禮義記》、無卷數。《禮記義》四十卷。"《張崖傳》："廣沈文阿《儀注》，撰《五禮》。"均未著錄。第十三頁。

《陳書・王元規傳》："《春秋發題辭》及《義記》十一卷，《續經典大義》十四卷，《孝經義記》兩卷，《左傳音》三卷，《禮記音》三卷。"第十六頁。

《宋書・孔淳之傳》："弟默之注《穀梁春秋》。"未著錄。同上。

《齊書・晉安王子懋傳》："撰《春秋例苑》三十卷。"未著錄。同上。

《宋書・謝莊傳》："分左氏經傳，隨國立篇，製木方丈，圖山川土地。"未著錄。同上。

《梁書・劉之遴傳》："著《春秋大意十科》、《左氏十科》、《三傳同異十科》。"均未著錄。前後文集五十卷。與此微異。第十七頁。

《梁書・明山賓傳》："所著《孝經喪禮服義》十五卷。"①未著錄。同上。

《梁書・武紀》："造《制旨孝經義》、《周易講疏》，及六十四卦、二《繫》、《文言》、《序卦》等義，《樂社義》，《毛詩答問》，《春秋答

---

① "十五"，原誤作"五十"，據中華書局點校本《梁書》改。

問》,《尚書大義》,《中庸講疏》,《孔子正言》,《老子講疏》,凡
二百餘卷。并撰古凶軍賓嘉五禮,凡一千餘卷。製《涅槃》、
《大品》、《淨名》、《三慧》諸經義記數百卷。又造《通史》,躬製
贊序,凡六百卷。諸文集又百二十卷。又撰《金策》三十卷。"
與《志》所錄多異同。同上。

《梁書·何遜傳》:"文八卷。孔翁歸、江避文集。① 江避注《論
語》《孝經》。"第十八頁。

《宋書·明帝紀》:"續衛瓘所注《論語》二卷。"同上。

《齊書·虞愿傳》:"著《五經論問》,撰《會稽紀》。"均未著錄。第
十九頁。

"諡法",《梁書》本傳作"諡例",傳有"《高祖紀》十四卷、《邇言》
十卷",二書均未著錄。《宋文章志》,傳"三十卷"。此作"二卷"。
同上。

《宋書·大且渠蒙遜傳》:"《古今字》二卷。"《志》未著錄。第廿
二頁。

《陳書·顧野王傳》:"《玉篇》三十卷,《輿地志》三十卷,《符瑞
圖》十卷,《顧氏譜傳》十卷,《分野樞要》一卷,《續洞冥記》一
卷,《玄象表》一卷,《通史要略》一百卷,《國史紀傳》二百卷,
文集二十卷。"同上。

《梁書·周興嗣傳》:"《千字文》,《皇帝實錄》、《皇德紀》、《起居
注》、《職儀》等百餘篇,文集十卷。助周捨注高祖歷代賦。"
同上。

《梁書·蕭子範傳》:"製《千字文》,蔡邕注釋、蕭愷刪改《玉篇》,
又文集。"同上。

《梁書·劉杳傳》:"范岫撰《字書音訓》。"未著錄。第廿三頁。

---

① "避",原誤作"遜",據中華書局點校本《梁書》改。'

第二卷

《梁書・蕭子雲傳》："《晉書》一百一十卷。"此作"一百二卷"。第一頁。

《梁書・韋棱傳》："著《漢書續訓》三卷。"同上。

《梁書・劉昭傳》："《集注後漢書》一百八十卷,《幼童傳》十卷,
　文集十卷。伯父彤注干寶《晉紀》四十卷。"未著錄。同上。

《陳書・姚察傳》："《漢書訓纂》三十卷,《說林》十卷,《四聘》、
　《玉璽》、《建康三鐘》等記各一卷,文集二十卷。"同上。

《梁書・王規傳》："注《續漢書》二百卷,文集二十卷。子褒著
　《幼訓》。"均未著錄。

《梁書・忠壯世子方等傳》："注范曄《後漢書》,撰《三十國春秋》
　及《淨住子》。"《淨注子》,注"蕭子良撰"。同上。

《梁書・吳均傳》："注范曄《後漢書》九十卷,《齊春秋》三十卷,
　《廟記》十卷,《十二州記》十六卷,《錢唐先賢傳》五卷,《續文
　釋》五卷,文集二十卷。" 高爽、江洪、虞騫文集,惟江洪集著
　錄。第二頁。

《陳書・許亨傳》："《齊書》并《志》五十卷,《梁史》五十八卷,文
　筆六卷。"同上。

《陳書・陸瓊傳》："集二十卷。子從典續司馬遷《史記》,迄於
　隋。"同上。

《梁書・江淹傳》："撰《齊史》十卷。"同上。

《齊書・檀超傳》："豫章熊襄著《齊典》。"未著錄。同上。

《齊書・劉祥傳》："撰《宋書》,指斥禪代。"《志》未著錄。同上。

《宋書・律志序》："元嘉中,東海何承天受詔纂《宋書》,其《志》
　十五篇,以續司馬彪《漢志》。"同上。

《宋書·徐廣傳》：“十二年，《晉紀》成，凡四十六卷，表上之。”_第
三頁。

《齊書·王智深傳》：“撰《宋紀》三十卷。”未著錄。同上。

《梁書·裴子野傳》：“《宋略》二十卷，抄合《後漢書》四十餘卷，
《齊梁春秋》未就。”《志》除《宋略》外，餘未著錄。同上。

《宋書·劉康祖傳》：“伯父簡之，簡之弟謙之，好學，撰《晉紀》二
十卷。”同上。

《宋書·裴松之傳》：“所著文論及《晉紀》行於世。”未著錄。
同上。

《陳書·何之元傳》：“《梁典》三十卷。”第四頁。

湘東世子方等，《梁書》有傳，所撰《三十國春秋》具見本傳，此
“方”字作“萬”者，殆所據本“方”字缺首點，以為俗寫“萬”字
作“万”，遂徑改為“萬”字耳。同上。

《宋書·王韶之傳》：“父偉之，當世詔命表奏，輒自書寫。泰元、
隆安時事，小大悉撰錄之，韶之因此私撰《晉安帝陽秋》，既
成，續後事，訖義熙九年。”同上。

《梁書·張緬傳》：“為《後漢紀》四十卷，或即《後漢略》。《晉書抄》
三十卷，又抄《江左集》，文集五卷。”後二書未著錄。同上。

《齊書·邱靈鞠傳》：“著《大駕南討記論》。著《江左文章錄序》，
文集。”均未著錄。同上。

《梁書·庾詵傳》：① “《帝曆》二十卷，《易林》二十卷，《續伍端休
江陵記》一卷，《晉朝雜事》五卷，《總抄》五十卷。子曼倩《喪
服儀》，《文字體例》，《莊老義疏》，注《算經》，《七曜曆術》，并
文章，九十五卷。”第五頁。

《宋書·大且渠蒙遜傳》：“《漢皇德傳》二十五卷。”與《漢皇德

---

① “詵”，原誤作“說”，據中華書局點校本《梁書》改。

紀》名別,卷數亦不同。《傳》又有《三國總略》二十卷,《俗問》
十一卷,《文檢》六卷,《四科傳》四卷,《亡典》七卷,《魏駮》九
卷,《皇帝王曆三合紀》一卷,《孔子讚》一卷,《晉趙起居注》。
各書均未著錄,特彙坿之。其與《志》異同者,隨條分錄書名、
卷數。與《志》相符者,概不條記。同上。

《梁書・袁峻傳》:"抄《史記》、《漢書》各二十卷。"未著錄。同上。

《齊書・蘇侃傳》:"與邱巨源撰《蕭太尉記》,載上征伐之功,侃
撰《聖皇瑞命記》一卷。"二書均未著錄。同上。

《宋書・禮志》元會儀引《咸寧注》。第六頁。

《宋書・沈曇慶傳》:"裴景仁,本偽人,多悉戎荒事,曇慶使撰
《秦紀》十卷,敘苻氏僭偽本末。"同上。

《梁書・徐勉傳》:"《別起居注》六百卷。"未著錄。同上。

《陳書・劉師知傳》:"撰《起居注》,自永定二年秋至天嘉元年
冬,為十卷。"《傳》引《梁昭明儀注》。同上。

《齊書・王逡之傳》:"撰《永明起居注》。"未著錄。第七頁。

《梁書・徐勉傳》:"《左丞彈事》五卷,《齊太廟祝文》二卷。"均未
著錄。《選品》五卷,此有徐勉"《梁選簿》三卷",未識異同。《會林》五十
卷。此雜家類有"《會林》五卷",無作者姓名。第八頁。

《梁書・裴子野傳》:"《百官九品》二卷,《附坿益謚法》一卷。"未
著錄。同上。

《宋書・禮志五》"傅暢《故事》",當即引《晉公卿禮秩故事》也。
又引《晉先蠶儀注》。又《晉官表注》,當即"荀綽《百官表注》
十六卷"。同上。

《宋書・何承天傳》:"與傅亮共撰《朝儀》。又《前傳》,《雜論》,
《纂文》,論,並傳於世。"均未著錄。第九頁。

《宋書・禮志五》:"徐廣《車服注》,略明事目。"當即指"《車服雜
注》一卷"。同上。

《梁書·江蒨傳》："撰《江左遺典》三十卷，文集十五卷。"均未著錄。同上。

《宋書·禮志一》："何禎《冠儀約制》，王堪私撰《冠儀》。"同上。

《梁書·嚴植之傳》："《凶禮儀注》四百七十五卷。"同上。

《梁書·蕭子雲傳》："《東宮新記》二十卷。"同上。

《梁書·邱仲孚傳》："《皇典》二十卷，《南宮故事》百卷，《尚書具事雜儀》。"同上。

《梁書·明山賓傳》："所著《吉禮儀注》二百二十四卷，《禮儀》二十卷。"與此微異。同上。

《梁書·王僧孺傳》："撰《東宮新記》，《起居注》，《兩臺彈事》五卷。"均未著錄。同上。

《宋書·王淮之傳》："撰《儀注》，朝廷至今遵用。"《志》未著錄。同上。

《宋書·徐廣傳》："高祖使撰《軍服儀注》。"同上。

《梁書·司馬褧傳》："文集十卷，《嘉禮儀注》一百一十二卷。"同上。

《梁書·鮑泉傳》："撰《新儀》四十卷。"第十頁。

《宋書·禮志二》讀時令條引《魏臺雜訪》。同上。

《齊書·孔稚珪傳》："《律文》二十卷錄敘一卷，凡二十一卷。"未著錄。同上。

《宋書·禮志五》引《晉令》。同上。

《梁書·孔休源傳》："奏議彈文十五卷。"未著錄。第十一頁。

《梁書·武紀》："天監二年，尚書刪定郎蔡法度上《梁律》二十卷，《令》三十卷，《科》四十卷。"同上。

《宋書·義慶傳》："撰《徐州先賢傳》十卷。"同上。

《齊書·王秀之傳》："孔逭著《三吳決錄》。"未著錄。同上。

陳郡袁淑集古來無名高士，以為《真隱傳》。《宋書·隱逸傳》敘。第十二頁。

《齊書·宗測傳》："續皇甫謐《高士傳》三卷，著《衡山廬山記》。"
均未著錄。同上。

《梁書·阮孝緒傳》："《高隱傳》、《七錄》等書二百五十卷。"同上。

《梁書·簡文紀》："所著《昭明太子傳》五卷，《諸王傳》三十卷，
《禮大義》二十卷，《老子義》二十卷，《莊子義》二十卷，《長春
義記》一百卷，《法寶連璧》三百卷。"同上。

《梁書·任昉傳》："《雜傳》二百四十七卷"。此注"本一百四十
七卷"，不合。同上。

《梁書·柳惲傳》："著《仁政傳》及諸詩賦。"均未著錄。同上。

《梁書·元紀》："所著《孝德傳》三十卷，《忠臣傳》三十卷，《丹陽
尹傳》十卷，《注漢書》一百一十五卷，《周易講疏》十卷，《內典
博要》一百卷，《連山》三十卷，《洞林》三卷，《玉韜》十卷，《補
闕子》十卷，《老子講疏》四卷，《全德志》，《懷舊志》，《荊南
志》，《江州記》，《貢職圖》，《古人同姓名錄》一卷，《筮經》十二
卷，《式贊》三卷，文集五十卷。"同上。

《梁書·陸杲傳》："著《沙門傳》三十卷。"未著錄。弟煦撰《晉
書》，未就，又著《陸史》十五卷，雜傳類書名卷數合，無撰人姓名。陸氏
《驪泉志》一卷，亦未著錄。第十二頁。

《梁書·裴子野傳》："《續裴氏家傳》三卷。"未著錄。《眾僧傳》
二十卷，雜傳、雜家並見。《方國使圖》一卷。未著錄。同上。

《宋書·孝武王皇后傳》："使近臣虞通之撰《妒婦記》。"同上。

《梁書·顏協傳》："《晉仙傳》五卷，《日月災異圖》兩卷。"均未著
錄。第十三頁。

《梁書·江子一傳》："續《黃圖》及班固九品，并詞賦文筆數十
篇。"未著錄。第十五頁。

《梁書·蕭子顯傳》："《普通北伐記》五卷，《貴儉傳》三十卷。"第
十六頁。

《陳書·江德藻傳》：“《北征道里記》三卷，文筆十五卷。”第十七頁。

《梁書·王僧孺傳》：“集《十八洲譜》七百一十卷。”未著錄。《百家譜集鈔》十五卷，《東南譜集鈔》十卷，《中表簿》，二書未著錄。文集三十卷。第十八頁。

《梁書·顧協傳》：“《異姓苑》五卷。”未著錄。同上。

《梁書·殷鈞傳》：“料檢西省法書古迹，別為品目。”未著錄。第十九頁。

《宋書·殷淳傳》：“在秘書閣撰《四部書目》，凡四十卷。”此未著錄。同上。

《宋書·明帝紀》：“撰《江左以來文章志》。”同上。

《宋書·後廢帝紀》：“元徽元年八月，秘書丞王儉表上所撰《七志》三十卷。”同上。

第三卷

《宋書·禮志五》"六璽"條引虞喜《志林》。第一頁。

總集類有《婦人訓誡集》十一卷，注"并錄宋司空徐湛之撰"。與此卷數同，未識是否一書。又《女誡》一卷，注"曹大家撰"。《貞順志》一卷，皆同。① 同上。

《宋書·何偃傳》："子戢注《莊子·消摇篇》，傳於世。"未著錄。第二頁。

《梁書·張纘傳》："著《鴻寶》一百卷。此"《鴻寶》十卷"，②無撰人姓名。文集二十卷。"第五頁。

《梁書·劉霽傳》："《釋俗語》八卷，文集十卷。"集未著錄。同上。

《齊書·賈淵傳》："注《郭子》。《十八洲士族譜》，合百帙七百餘卷。撰《氏族要狀》，《人名書》。"均未著錄。同上。

《梁書·劉杳傳》："《華林徧略》，《要雅》五卷，《楚辭草木疏》一卷，《高士傳》二卷，《東宮新舊記》三十卷，《古今四部書目》五卷。"第六頁。

《庾仲容傳》："抄諸子書三十卷，眾家地理書二十卷，《列女傳》三卷，文集二十卷。"同上。

《齊書·竟陵王子良傳》："依《皇覽》例為《四部要略》千卷。"未著錄。同上。

《感應傳》八卷，亦見上雜傳類，彼注"王延秀撰"，此注"晉尚書郎王延秀撰"。王延秀，見《梁書·傅昭傳》，去晉已遠，《志》

---

① 《隋書經籍志》子部儒家著錄有"《婦人訓誡集》十一卷，《曹大家女誡》一卷，《貞順志》一卷"。這三種在集部總集類重出。

② 子部雜家有"《鴻寶》十卷"。

次《感應傳》於蕭子良《義記》後、裴子野《眾僧傳》前，非晉人可知。第七頁。

《梁書·顧協傳》："《瑣語》十卷。"同上。

《梁書·伏挺傳》："《邇說》十卷，文集二十卷。"同上。

《梁書·陰子春傳》："孫顓入周，撰《瓊林》二十五卷。"同上。

《碁品序》一卷，注"陸雲撰"。案《陳書·陸瓊傳》："父雲公受梁武詔校定《碁品》。"此序當即雲公所撰。其作"陸雲"者，或所據本偶脫"公"字，或校者習聞雲間陸士龍，遂將"公"字乙去。第九頁。

《宋書·曆志上》："太子率更令何承天私撰新法，元嘉二年上。"第十一頁。

《梁書·陶弘景傳》："著《帝代年曆》。"第十七頁。

《齊書·柳世隆傳》："著《龜經秘要》二卷。"未著錄。同上。

《齊書·祥瑞志》："黃門郎蘇侃撰《聖皇瑞應記》。永明中，庾溫撰《瑞應圖》。"均未著錄。同上。

《宋書·羊欣傳》："撰《藥方》十卷。"此作"三十卷"，大抵後來分析。第十九頁。

第四卷

“東觀令華覆”，“覆”當作“覈”。第三頁。

《宋書·大且渠蒙遜傳》：“《謝艾集》八卷。”第六頁。

《宋書·荀伯子傳》：“文集傳於世。”《志》未著錄。第八頁。

“孫奉伯”，見《後廢帝江皇后傳》。第九頁。

《宋書·蔡興宗傳》：“有文集傳於世。”《志》未著錄。同上。

“韓蘭英”，見《齊書·武穆裴后傳》。同上。

《宋書·沈懷文傳》：“撰《南越志》，及懷文文集，並傳於世。”
　　同上。

《梁書·徐勉傳》：“前後二集四十五卷。《婦人集》十卷。”未著
　　錄。第十頁。

《梁書·范縝傳》：“文集十卷。”同上。

《梁書·諸葛璩傳》：“文章二十卷。”《沈顗傳》：“文章數十篇。”
　　未著錄。同上。

“宋史”，據《梁書》當作“宗夬”。同上。

《梁書·蕭洽傳》：“集二十卷。”同上。

《梁書·昭明太子傳》：“所著文集二十卷，又撰古今典誥文言，
　　為《正序》十卷，五言詩之善者為《文章英華》二十卷，《文選》
　　三十卷。”同上。

《梁書·江淹傳》：“所著述百餘篇，自撰為前後集。”同上。

《梁書·范岫傳》：“有文集。”未著錄。同上。

《梁書·江革傳》：“集二十卷。此“六卷”。子行敏，集五卷。”未著
　　錄。同上。

《梁書·范雲傳》：“有集三十卷。”同上。

《梁書·張率傳》：“敕使抄乙部書，又使撰婦人事二十餘條，勒成百卷。《文衡》十五卷，_{二書均未著錄}。文集三十卷。”_{同上。}

《梁書·蕭子恪傳》“文集”，未著錄。《子範傳》：“前後文集三十卷。”_{此作“十三卷”}。《子顯傳》：“文集二十五卷。”未著錄。_{第十一頁。}

《梁書·陸雲公傳》：“從兄才子，並有文集。”_{《才子集》，未著錄。同上。}

《梁書·安成康王秀傳》：“子機，所著詩賦數千言，世祖集而序之。”_{同上。}

《梁書·劉峻傳》：“字孝標，止載撰《類苑》及《辨命論》、《自序》兩文。”_{同上。}

《梁書·裴子野傳》：“文集二十卷。”_{同上。}

《梁書·王籍傳》“文集”。《何思澄傳》：“文集十五卷。子朗文集。”未著錄。_{同上。}

《梁書·劉孝儀傳》：“文集二十卷。”_{同上。}

《梁書·陸倕傳》：“文集二十卷。”_{同上。}

《梁書·到溉傳》：“集二十卷。”未著錄。_{同上。}

《梁書·庾於陵傳》：“文集十卷。”_{未著錄}。《庾肩吾傳》“文集”。_{同上。}

《梁書·到沆傳》：“詩、賦百餘篇。”未著錄。_{同上}。《邱遲傳》：“文、詩、賦。”_{同上。}

《梁書·謝藺傳》：“詩、賦、碑、頌數十篇。”未著錄。_{同上。}

《梁書·顧憲之傳》：“詩、賦、銘、贊，并《衡陽郡記》數十篇。”未著錄。

《梁書·任孝恭傳》“文集”。_{同上。}

《梁書·謝幾傳》“文集”，《謝徵傳》“文集二十卷”，均未著錄。

《臧嚴傳》“文集十卷”，均未著錄。_{同上。}

《梁書·王筠傳》：“自洗馬、中書、中庶子、吏部、佐、臨海、太府各十卷，《尚書》三十卷，凡一百卷。”同上。

《陳書·阮卓傳》：“《陰鏗集》三卷。”第十二頁。

《陳書·馬樞傳》“《道覺論》二十卷”，《謝貑傳》“文集”，《張種傳》“文集十四卷”，《孔奐傳》“集十五卷，又彈文四卷”，均未著錄。同上。

《陳書·毛喜傳》“集十卷”，《傅縡傳》“集十卷”，《謝貞傳》“有集”，《司馬暠傳》“集十卷”，《顔晃傳》“集二十卷”，《庾持傳》“集十卷”，《岑敬之傳》“集十卷”，均未著錄。同上。

《陳書·褚玠傳》：“章奏、雜文二百餘篇。”《陸琰傳》：“遺文兩卷。”《陸瑜傳》：“集十卷。”《陸玠傳》：“集十卷。”同上。

《陳書·張正見傳》：“集十四卷。”同上。

《陳書·杜之偉傳》：“集十七卷。”同上。

《陳書·袁樞傳》：“集十卷。”傳引《齊職儀》。同上。

《陳書·蔡景歷傳》：“文集二十卷。”同上。

《陳書·江總傳》：“文集三十卷。”同上。

《陳書·徐陵傳》：“文三十卷。”同上。

《陳書·沈炯傳》：“文二十卷。”同上。

《陳書·陸玠傳》：“贈少府卿，為光祿卿陸瑜從父兄。”與此“陸玢”官階序次俱合，當由草寫王旁“介”與王旁“分”相似致誤。第十三頁。

《梁書·劉勰傳》：“《文心雕龍》五十篇，文集。”同上。

《梁書·鍾嶸傳》：“《詩評》，文集。弟岏《良吏傳》十卷。嶼預撰《徧略》，文集。”第十四頁。

《宋書·沈演之傳》：“江邃撰《文釋》，傳於世。”《志》未著錄。同上。

玉縉謹案：是篇為某君借鈔，將原藁遺失，兹第就某鈔本錄之，未知有無竄亂刪節。

隋代藝文志輯證

李正奮　撰

周晶晶　整理

底本：作者手稿本

序

　　魏晉而後，中原崩析，五胡雲擾，經籍道盡。搢紳之士，辟地南徙，遺書陳編，轉流江左。梁武敦悅詩、書，文史徧乎閭里，家誦戶習，斐然可觀。然學者治經，各囿所見，所爲章句，異於河洛。《周易》則王輔嗣，《尚書》則孔安國，《左傳》則杜元凱，此江南習尚之大較也。元魏發迹代陰，入據河洛，太和之後，盛修文教，碩學鴻儒，往往傑出，終以江、淮之限，好尚稍有不同。《左傳》則服子慎，《尚書》、《周易》則鄭康成，《詩》則同主於毛公，《禮》則咸遵乎鄭氏，此河北之大略也。史稱南人簡約，得其精華，北人深蕪，窮其枝葉，信乎其有所見也。隋氏初一河朔，繼定江左，胡越成家，合爐而冶，經籍薈萃一室，儒學聚首一堂，畛域既泯，風尚漸同，雖爲祚不永，實開李唐之先河。孔穎達之《正義》本之劉炫，炫，隋之巨儒也。李鼎祚之《集解》採乎何妥，妥，隋之碩士也。他若李延壽之《南》、《北史》，史稱承其父大師之志，姚思廉之《梁》、《陳書》，傳云完其父姚察之功，何一非胚胎於隋而成就於唐乎？然則隋也者，上承紛亂之餘，下肇太平之基，其藝文所播，誠有足述者，爰不揣譾陋，本《隋書·經籍志》、《唐書·藝文志》，參以《南》、《北史》、《周》、《陳書》、《北齊》、《隋書》之列傳，朱竹垞之《經義考》，馬端臨之《文獻通考》，鄭漁仲之《通志·藝文略》及《隋文紀》、《全唐文》諸書，訂其義例，上自開皇元年，下迄大業十四年，究其三十八年間之著述，逐一輯出。仿章宗源氏《隋書經籍（整理者按，"書經籍"三字，手稿本有刪除標誌)志考證》之例,參互稽較,(整理者按,"參互稽較"四字,手稿本有刪除標誌)旁及《崇文總目》、晁氏《讀書志》、《彙刻書目》、《續古文苑》、《太平寰宇記》、《大藏經》,參互稽較,得三百七十二家,計六百五十五部,釐爲一萬一千八百八十四卷。雖有求詳之志,實乏該博之材,挂一漏萬,在所難免,殊博雅之君子,有以指教焉。時民國十八年八月三日新絳李正奮序。

凡例

一、本書以隋人著述爲限：

甲、凡周、齊、陳人降隋，嘗受隋一職一爵，而卒於開皇以後者，不問《隋書》有傳無傳，概以隋人論，如姚僧垣、張譏、江總、顏之推等是。

乙、凡其人確曾仕隋，隋亡然後歸唐，曾受唐之職爵，不問《唐書》有傳無傳，概以唐人論，如陸元朗、虞世南等是。

丙、《隋書》有傳，而《周》、《齊》、《陳》、《唐》各書亦有傳，僅採其在隋時之著述，餘不錄，如裴矩《西域圖記》之類是。

丁、如其著述年月不可考，然後參酌傳志，以定取舍，絕不稍涉牽強。

戊、如周、齊、陳人向無職爵者，隋統一後，雖未嘗受隋職爵，仍當以隋人論。

一、凡採之《隋志》者，均不注所出。（整理者按，此條手稿本有刪除標誌）

一、凡已佚之書，必詳加考究，或序言，或正文，或後人評語，或本人原意，一一輯錄，告朔餼羊，夫子所愛，庶學者足以資證焉。其無從考證者闕疑。

一、凡其書未佚者，僅細注“今存”二字，以示與闕疑者有別。

一、凡志傳僅存書目，原籍久佚，無由推知其性質爲何，僅存其目於附錄，不敢妄加推測，自誤誤人。

一、凡文集非一時可成，但既認其人爲隋人，縱有其文構於周、齊、梁、陳之世，一律以隋代爲斷。

一、凡卷數以多爲斷，少則以缺論。

一、凡卷亡然後著篇，篇亦亡者闕疑。

卷一

經部第一

經之類十：一曰易，二曰書，三曰詩，四曰禮，五曰樂，六曰春秋，
七曰孝經，八曰論語，九曰經總，十曰小學。

易類

周易講疏十三卷　何妥撰

《隋書·儒林傳》："妥字棲鳳，西城人也。少機警，在周爲太
學博士。高祖受禪，除國子博士，加通直散騎常侍，進爵爲
公。開皇六年出爲龍州刺史。時有負笈遊學者，妥皆爲講説
教授之，爲《刺史箴》勒于州門外。在職三年，以疾請還，詔許
之。復知學事。尋爲國子祭酒，卒官，謚曰肅。撰《周易講
疏》十三卷，《孝經義疏》三卷，《莊子義疏》四卷，及與沈重等
撰《三十六科鬼神感應等大義》九卷，《封禪書》一卷，《樂要》
一卷，《文集》十卷，並（整理者按，自《孝經義疏》至《文集》十卷，並"共四
十五字，手稿本有刪除標誌）行於世。"《北史》《周易講疏》（整理者按，"《周
易講疏》"四字，手稿本有刪除標誌）作三卷，《孝經義疏》作二卷，餘同。
（整理者按，自"《孝經義疏》"至"餘同"共九字，手稿本有刪除標誌）《文獻通考》：
"唐李鼎祚《周易集解》十卷，取《序卦》各冠逐卦之首。所集
有子夏、孟喜、京房、馬融、荀爽、鄭康成、劉表、何晏、宋衷、虞
翻、陸績、王寶、王肅、王輔嗣、姚信、王廙、張璠、向秀、王凱、

侯果、蜀才、翟元、韓伯、劉瓛、何妥、崔憬、沈麟士、盧氏、崔
覲、孔穎達三十餘家。"①

王氏讚易十卷　王通撰

《全唐文》杜淹《文中子世家》："王氏諱通，字仲淹。其先漢徵
君霸，絜身不仕，高尚鎮天下。十八代祖殷，仕漢至雲中太
守，以賢良稱，肇家祁，以《春秋》、《周易》訓授鄉里，爲子孫
資。十四代祖述，克播前烈，著《春秋義統》，公府辟，不就。
九代祖寓，仕晉，遭愍懷之難，遂東遷焉。寓生罕，罕生秀，皆
以文學顯。秀生元則，字彥法，仕宋，歷太僕國子博士。生江
州府君焕，焕生虬。虬始北仕魏，太和中至并州刺史，創家臨
河汾，惟曰晋陽穆公。穆公生同州刺史彥，惟曰同州府君。
彥生濟州刺史傑，惟曰安康獻公。安康獻公生銅川府君，諱
隆字伯高，文中子之父也。（整理者按，自"其先漢徵君霸"至"文中子之父
也"共一百八十八字，手稿本有刪除標誌）幽識遠悟，非禮不動。傳先人
之業，所在教授門徒，常千餘人。隋開皇初以國子博士待詔
雲龍門。時國家新有揖讓之事，方以恭儉定天下，天子常從
容謂府君曰：'朕何如主也？'府君曰：'陛下聰明神武，得之於
天，發號施令，不盡稽古。雖負堯、舜之姿，終以不學爲累。'
帝默然曰：'先生，朕之陸賈也。何以教朕。'府君承詔，著《興
衰要論》七篇。每奏帝輒稱善，然未甚達也。府君始求出，補
樂昌令，尋轉猗氏，後遷銅川。所在著稱，吏人敬愛，秩滿退
歸，遂不仕。開皇四年文中子始生，銅川府君筮之，遇坤之
師，獻兆於安康獻公。公愀然作色曰：'素王之卦也，何爲而
來。地二化爲天一，上德而居下位，能以衆正，可以王矣。雖

---

① "王凱"、"韓伯"，據臺北商務印書館 1986 年影印文淵閣《四庫全書》本《周易集
解》明朱睦㮮序，當作"王凱沖"、"韓康伯"。

有君德，非其時也。是孫也，必能通天下之志，而道不行，天
所命也。'遂命之曰通。開皇九年，江東始平，銅川府君歎曰：
'吾視王道，未有敍也，天下何爲而一乎？'文中子侍於側，始
十歲矣，有憂色。銅川府君曰：'小子，汝知之乎？'文中子曰：
'通嘗聞之夫子曰：古之爲邦，有長久之策，故夏殷以下數百
年，四海常一統也。後之爲邦，行苟且之政，故魏晋以下數百
年，九州無定主也。夫上失其道，民散久矣，一彼一此，何常
之有。夫子之歎，蓋憂皇綱之不振，生人勞於聚斂，而天下將
亂乎？'銅川府君異之曰：'其然乎。'遂告以《元經》之事，文中
子再拜受之。十八年春正月，銅川府君晏居，歌《伐木》而召
文中子。子矍然再拜：'敢問夫子之志何謂也？''爾來。自天
子至庶人，未有不資友而成者也。在三之義，師居一焉，道喪
以來，斯廢久矣，然亦何常之有。小子勉旃，翔而後集。'文中
子曰：'請從此行。'於是始有四方之志矣。蓋（整理者按，自"時國家
新有揖讓之事"至"四方之志矣。蓋"共四百九十七字，手稿本有刪除標誌）受
《書》、《春秋》於東海李育，學《詩》於會稽夏琠，問《禮》於河東
關子明，正《樂》於北平霍汲，考《三易》之義於族父仲華。不
解衣者六歲，其精意如此。仁壽三年，文中子蓋冠矣，慨然有
濟蒼生之心。遂西遊長安，見隋文帝。帝坐太極殿，召而見
之。因奏太平之策十有二焉，推帝皇之道，雜王霸之略，稽之
於今，驗之於古，恢恢乎若運天下於掌上矣。帝大悅曰：'得
生幾晚矣。天以生賜朕也。'下其議於公卿，公卿不悅。時文
帝方有蕭牆之釁，文中子知謀之不用也，作《東征之歌》而歸。
歌曰：'我思國家兮遠遊京畿，忽逢帝王兮降禮布衣。遂懷古
人之心兮將興太平之基，時異事變兮志乖願違。吁嗟！道之
不行兮垂翅東歸，皇之不斷兮勞身西飛。'文帝聞而傷之，再
徵之，不至。四年文帝崩。大業元年一徵又不至，辭以疾。

謂所親曰：'我周人也，家本於祁。永嘉之亂，蓋東遷焉。高祖穆公始仕於魏。魏、周之際，有大功於生人，天子錫之地，始家於河汾。故有墳隴，於茲四代矣。茲土也，其人憂深思遠，乃有陶唐氏之遺風焉。先君之所懷也，且有先人之敝廬在焉。家本儉約，茅簷土階蕞如也，以避風雨。道之不行則知之矣，捨此欲安之乎，不如退而志其道。'定居萬春鄉之甘澤里。乃（整理者按，自"見隋文帝"至"甘澤里，乃"共三百二十八字，手稿本有刪除標誌）續《詩》、《書》，正《禮》、《樂》，修《元經》，讚《易》道，蓋有事於述者九年，而《六經》大就。門人自遠而至，河南董恒、太山姚義、京兆杜淹、趙郡李靖、南陽程元、扶風竇威、河東薛收、中山賈瓊、清河房玄齡、鉅鹿魏徵、太原溫大雅、潁川陳叔達等，咸稱師，北面受王佐之道焉。其往來受業者，不可勝數，蓋將千餘人。故隋道衰，而文中子之教，興於河汾之間，雍雍如也。（整理者按，自"其往來受業者"至"雍雍如也"共三十五字，手稿本有刪除標誌）大業十年，尚書召署蜀郡司户，不就。十一年以著作佐郎、國子博士徵，並不至。十三年江都難作，而文中子有疾，召薛收而謂之曰：'吾夢顏子稱孔子之命而登吾階，坐於牖下，北面援琴而歌曰：《禮》、《樂》既正，《詩》、《書》既成，讚明《易》道，聿修《元經》，歸休乎何必永厥齡。此殆夫子使回召我也，吾必不起矣。'蓋寢疾七日而終。門人薛收、姚義等數百人，共會議曰：'吾師其至人乎。自仲尼以來，未之有也。《禮》云：男生有字，以昭德也，死有謚，以易名也。夫子生當天下亂，昭王不興，莫能宗之。故退而删《詩》、《書》，正《禮》、《樂》，修《元經》，讚《易》道，聖人之大旨明矣，天下之能事畢矣。仲尼既没，文不在茲乎？'《易》曰：'黄裳元吉，文在中也。'請謚曰'文中子'。絲麻設位，哀以送之。禮畢，悉以文中子之書還於王氏，蓋《禮論》二十五篇，列爲十卷，《樂論》二十五篇,列爲十卷,《續書》一百五十篇,列为二十五卷,《續詩》三百六十篇,列爲十卷,《元經》五十篇,列爲十五卷,《贊易》七十篇,列爲十卷。並未及行於時,遭代喪亂,盜賊奔突,先夫人用藏其書於竹笥,扶老攜幼,東西南北,未嘗離身焉。大唐武德四年,天下大定,先夫人得返於故居,復以書授於其弟凝。文中子二子,長曰福郊,少曰福畤。"(整理者按,自"大唐武德四年"至"少曰福畤"共三十九字,手稿本有删除標誌)又王福畤《王氏家書雜録》:"仲父出爲胡蘇令,歎曰:'文中子之教,不可不宣也,日月逝矣,歲不我與。'乃解印而歸,大考《六經》之目而繕録焉。《禮論》、《樂論》,各亡其五篇,《續詩》、《續書》,各亡小序,惟《元經》、《讚易》具存焉,得六百六十五篇,勒成七十五卷,分爲六部,號曰《王氏六經》。"

朱竹垞《經義考》云佚。

周易義三十卷　張譏撰

《南史·儒林傳》:"譏字直言,清河武城人也。幼聰俊,有思理。年十四通《孝經》、《論語》,篤好玄言。受學於汝南周弘正。每有新意,爲先輩推服。梁大同中,召補國子正言生。梁武帝嘗於文德殿釋《乾》、《坤》、《文言》,譏與陳郡袁憲等預焉,敕令論議,諸儒莫敢先出,譏乃整容而進,諮審循環,辭令温雅。帝甚異之,賜裙襦絹等,云'表卿稽古之力'。陳天嘉中爲國子助教。時周弘正在國學,發《周易》題,弘正第四弟弘直亦在講席。譏與弘正論議,弘正屈,弘直危坐厲聲,助其申理。譏乃正色謂弘直曰:'今日義集,辯正名理,雖知兄弟急難,四公不得有助。'後主嗣位,爲國子博士、東宫學士。陳亡入隋,終於長安,年七十六。譏性恬静,不求榮利,常慕閑逸,所居宅營山池,植花木,講《周易》、《老》、《莊》而教授焉。吳郡陸元朗、朱孟博、一乘寺沙門法才、法雲寺沙門慧拔、《陳書》作"休"。至真觀道士姚綏，皆傳其業。撰《周易義》三十卷，《尚書義》十五卷，《毛詩義》二十卷，《孝經義》八卷，《論語義》二十卷，《老子義》十一卷，《莊子内篇義》十二卷，《外篇義》二十卷，《雜篇義》十卷，《玄部通義》十二卷，《遊玄桂林》二十四卷。"（整理者按，自"《尚書義》"至"二十四卷"共六十三字，手稿本有刪除標誌）《舊唐志》作《周易講疏》三十卷，張譏注。

周易講疏十六卷　後考爲褚修之父，梁人。　褚仲都撰

見《舊唐志》。《新志》同。（整理者按，此條手稿本有刪除標誌）

周易並注音七卷　祕書學士。　陸德明撰

周易文句義疏二十四卷　同上

均見《舊唐志》。《新志》同。

周易大義二卷　同上

《舊唐志》作《周易文外大義》，《新志》同。

《唐書·儒林傳》："陸元朗字德明，以字行，蘇州吳人。善名理言，受學於周弘正。陳太建中，後主爲太子，集名儒入講承光殿，德明始冠，與下坐。國子祭酒徐孝克敷經，倚貴縱辯，衆多下之，獨德明申答，屢奪其説，舉坐咨賞。解褐始興國左常侍。陳亡，歸鄉閭。隋煬帝擢祕書學士。大業間，廣召經明士，四方踵至。於是德明與魯達、孔褒共會門下省，相酬難，莫能詘。遷國子助教。越王侗署爲司業，入殿中授經。"又《徐曠傳》："大業初，禮部侍郎許善心薦文遠及包愷、褚徽、陸德明、魯達爲學官，擢國子博士，愷等爲太學博士。世稱《左氏》有文遠，《禮》有褚徽，《詩》有魯達，《易》有陸德明，皆一時之冠云。"案魯達當即魯世達。

連山易十卷　劉炫撰

見《通志·藝文略》。

《隋書·儒林傳》："劉炫字光伯，河間景城人也。少以聰敏見

稱,與信都劉焯閉户讀書,十年不出。炫眸子精明,視日不眩,強記默識,莫與爲儔。左畫方,右畫圓,口誦,目數,耳聽,五事同舉,無有遺失。周武帝平齊,瀛州刺史宇文亢引爲户曹從事。後刺史李繪署禮曹從事,以吏幹知名。歲餘,奉敕與著作郎王劭同修國史。俄直門下省,以待顧問,又與諸術者修天文律曆,兼於内史省考定群言,内史令博陵李德林甚禮之。炫雖徧直三省,竟不得官,爲縣司責其賦役。炫自陳於内史,内史送詣吏部,吏部尚書韋世惠問其所能,[①]炫自爲狀曰:'《周禮》、《禮記》、《毛詩》、《尚書》、《公羊》、《左傳》、《孝經》、《論語》,孔、鄭、王、何、服、杜等注凡十三家,雖義有精粗,並堪講授;《周易》、《儀禮》、《穀梁》,用功差少;史子文集,嘉言美事,咸誦於心;天文律曆,窮覈微妙;至於公私文翰,未嘗假手。'吏部竟不詳試,然在朝知名之士十餘人,保明炫所陳不謬,於是除殿内將軍。時牛弘奏請購求天下遺逸之書,炫遂僞造書百餘卷,題爲《連山易》、《魯史記》等,録上送官,取賞而去。後有人訟之,經赦免官,坐除名,歸于家,以教授爲務。"

歸正易十卷　劉祐撰

《隋書·藝術傳》:"劉祐,滎陽人也。開皇初爲大都督,封索盧縣公。其所占候,合如符契,高祖甚親之。初與張賓、劉輝、馬顯定曆,後奉詔撰兵書十卷,名曰《金韜》,上善之。復著《陰策》二十卷,《觀臺飛候》六卷,《玄象要記》五卷,《律曆術文》一卷,《婚姻志》三卷,《産乳志》二卷,《式經》四卷,《四時立成法》一卷,《安曆志》十二卷,(整理者按,自"《陰策》"至"《安曆志》"

---

① "惠",據中華書局 1973 年排印本《隋書》(以下簡稱"中華本《隋書》")當作"康"。

十二卷"共五十字,手稿本有删除標誌)《歸正易》十卷,行於世。"

周易義記　卷亡。蕭歸撰

《隋書·外戚傳》:"蕭歸,字仁遠,俊辯有才學,兼好内典。著《孝經》、《周易義記》及《大小乘幽微》十四卷,行於世。"

孔子馬頭易卜書一卷　臨孝恭撰

《隋書·藝術傳》:"臨孝恭,京兆人也。明天文算術,高祖甚親遇之。每言災祥之事,未嘗不中,上因令考定陰陽。官至上儀同。著《欹器圖》三卷,《地動銅儀經》一卷,《九宫五墓》一卷,《遁甲月令》十卷,《元辰經》十卷,《元辰厄》一百九卷,《百怪書》十八卷,《禄命書》二十卷,《九宫龜經》一百一十卷,《太一式經》三十卷,(整理者按,自"《欹器圖》"至"《太一式經》三十卷"共六十四字,手稿本有删除標誌)《孔子馬頭易卜書》一卷行於世。"

右易類,共八家十部一百零七卷。

書類

尚書述義二十卷　國子助教。　**劉炫撰**

《隋書·儒林傳》:"炫性躁競,頗俳諧,多自矜伐,好輕侮當世,爲執政所醜,由是官塗不遂。著《論語述義》十卷,《孝經述義》五卷,(整理者按,以上十二字手稿本有删除標誌)《尚書述義》二十卷,《毛詩述義》四十卷,《春秋述義》四十卷,《春秋攻昧》十卷,《五經正名》十二卷,《注詩序》一卷,《算述》一卷,並(整理者按,自"《毛詩述義》"至"《算述》一卷,並"共三十七字,手稿本有删除標誌)行於世。"

《文獻通考》:"梁代安國及鄭氏二家並立國學,安國之本亡於梁亂,陳及周、齊唯傳鄭氏。至隋祕書監王劭於京師訪得《孔傳》,遂至河間劉炫。炫因序其得喪,述其義疏,講於人間,漸聞朝廷,後遂著令,與鄭氏並立。儒者諠諠,皆云炫自作之,非孔舊本。"陳氏云:"古文有孔安國《傳》,不行於世,劉炫爲作《稽疑》一篇,序所謂劉炫明安國之本者也。"

尚書義疏三十卷　劉焯撰

見《通志·藝文略》。《舊唐志》作二十卷。

尚書義疏三十卷　蔡大寶撰

見《隋志》。

尚書義十五卷　張譏撰

見《南史·譏本傳》。

尚書義三卷　劉先生撰

見《通志·藝文略》。

古文尚書疏二十卷　顧彪撰

《隋書·儒林傳》:"餘杭顧彪字仲文,明《尚書》、《春秋》。煬帝時,爲祕書學士,撰《古文尚書疏》二十卷。"《北史》作《古文尚書義疏》十二卷,行於世。

古文尚書音義五卷　顧彪撰

見《舊唐志》。

今文尚書音一卷　顧彪撰

大傳音二卷　同上

尚書文外義三十卷　同上

見《舊唐志》。《隋志》作一卷,《新唐志》作五卷。

百篇義一卷　劉炫撰

尚略義三卷　同上

尚書孔目一卷　同上

均見《通志·藝文略》。

續書二十五卷　王通撰

見杜淹《文中子世家》,小序亡,見王福畤《王氏家書雜録》。

《全唐文》王勃《續書序》:"敘曰:書以記言,其來尚矣。越在三代,左史職之,百官以理,萬人以察,揚於王庭,用實大焉。苟非可以變理情性,平章邦國,敷彝倫而敍要道,察時變而經王猷,樹皇極之綱維,資生靈之視聽,皆可略也。昔者仲尼之述書也,將以究事業之通,而正性命之理,故曰'吾欲託之空言,不如附之行事'。道德仁義,於是乎明,刑政禮樂,於是乎出,非先生之德明不敢傳,^①非先王之法言不敢道,紀千數百歲,斷自唐虞,迄於商周,風流所存,百篇而已,以此見聖人言約理舉,神明不勞,而體時務之撰矣。故能法象天地,同符易簡,借前著於筌蹄,驅後生於軌物,密而顯,宏而奧,久而彌新,用而不竭,非古之聰明聖智,元覽博達,孰能爲此哉。孔安國曰:'帝王之制,坦然明白,可舉而行。'嗟乎,其言甚大,可使南面稱聖人之後矣。自時以降,史述陵遲,人自爲家,標指失中,陳事亂而無當,制理參而不一,由是大典散而人文乖,是非繁而取舍謬,與夫古先哲人制述之意,不其疏乎。我先君文中子,實秉睿懿,生於隋末,覩後作之違方,憂異端之害正,乃喟然曰:'宣尼既没,文不在兹乎?'遂約大義,刪舊章,續《詩》爲三百六十篇,考偽亂而修《元經》,正《禮》、《樂》以旌後王之失,述《易》讚以申先師之旨,經始漢魏,迄於有晋,擇其典物宜於教者,續《書》爲百二十篇,而廣大悉備,嗟乎,聖賢之述,豈多爲哉? 噫,亦足垂訓作則,冒天下之道,如斯而已矣。當時門人百千數,董、薛之徒,並受其義,遭代喪亂,未行於時,歷年永久,稍見殘缺。貞觀中,太原府君考諸《六經》之目,則忘其小序,其有録而無篇者,又十六焉。嗚呼! 兹不可復見矣。家君欽若丕烈,圖終休緒,^②迺例《六

---

① "生",中華書局 1983 年影印本《全唐文》(以下簡稱"《全唐文》")作"王","明"作"行"。

② "休緒",原爲墨圍,據《全唐文》補。

經》，次《禮》、《樂》，敘《中說》，明《易》讚，永惟保守前訓，大克
敷遺後人。勃兄弟五六冠者，童子六七，祗祗怡怡，講問伏漸
之日久矣。躬奉成訓，家傳異聞，猶恐不得門而入，才之不逮
至遠也。是用勵精激憤，宵吟晝詠，庶幾乎學而知之者，其修
身慎行，恐辱先也。豈聲祿是殉，前人之不繼是懼。間者承
命爲百二十篇作序，而兼當補修其闕，爰考衆籍，共參奧旨，
泉源浩然，罔識攸濟，嗚呼！小子何敢以當之也，其盡心力
乎？始自總章二年，洎乎咸亨五年，刊寫文就，定成百二十
篇，勒成二十五卷。昔者文中子曰：'漢魏之禮樂未足稱，其
書不可廢也。'尚有近古之對議存焉，制詔册則幾乎典誥矣。
後之達悟者，將有得於斯文乎。於時龍集閹茂，勉踵前修，在
大唐御天下之五十七祀也。"

尚書注 <small>卷亡。</small>**王孝籍撰**

《隋書·儒林傳》："太原王孝籍，[①]少好學，博覽群言，徧治五
經，頗有文翰。与河間劉炫同志友善。開皇中召入祕書，助
王劭修國史。劭不之禮，在省多年，而不免輸稅，孝籍鬱鬱不
得志，奏記於吏部尚書牛弘，弘亦知其有學業，而竟不得調。
後歸鄉里，以教授爲業，終于家。注《尚書》及《詩》，遭亂
零落。"

尚書注 <small>卷亡。</small>**宇文㢸撰**

《隋書·宇文㢸傳》："㢸字公輔，河南洛陽人。慷慨有大節，博
學多通。仕周爲禮部上士。煬帝即位，拜刑部尚書。時帝漸
好聲色，尤勤遠略，㢸謂高熲曰：'昔周天元好聲色而國亡，以
今方之，不亦甚乎？'又言'長城之役，幸非急務'。有人奏之，
竟坐誅死，時年六十二，天下冤之。所著辭賦二十餘萬言，爲

---

① "太"，據中華本《隋書》當作"平"。

《尚書》、《孝經注》行於時。"

尚書正義　卷亡。**蔡大寶撰**

尚書正義　卷亡。**顧彪撰**

尚書正義　卷亡。**劉焯撰**

尚書正義　卷亡。**劉炫撰**

《尚書正義》孔穎達《序》："近至隋初，始流河朔，其爲《正義》者，蔡大寶、巢猗、費甤、顧彪、劉焯、劉炫等。其諸公旨趣，多或因循帖，釋注、文義皆淺略，惟劉焯、劉炫最爲詳雅。然焯乃織綜經文，穿鑿孔穴，詭其親見，[1]異彼前儒，非險而更爲險，無義而更生義。竊以古人言語，[2]惟在達情，雖復時或取象，不必辭皆有意。若其言必託數，經悉對文，斯乃鼓怒浪於平流，震驚飆於靜樹，使教者煩而多惑，學者勞而少功，過猶不及，良爲此也。炫嫌焯之煩雜，就而删焉。雖復微稍省要，又好改張前義，義更太略，辭又過華，雖爲文筆之善，乃非開獎之路，義既無義，文又非文，欲使後生若爲領袖，此乃炫之所失，未爲得也。"

右書類，共九家二十部，一百八十六卷。

詩類

毛詩述義四十卷　劉炫撰

見《隋書》炫本傳。

毛詩義疏二十八卷　沈重撰

《北史·沈重傳》："重字子厚，吳興武康人也。性聰悟，弱歲而孤，居喪合禮。及長，專心儒學，從師不遠千里。遂博覽群

---

① "親"，據中華書局1980年影印本《十三經注疏》(以下簡稱"《十三經注疏》")當作"新"。

② "語"，據《十三經注疏》當作"誥"。

書,尤明《詩》及《左氏春秋》。保定末,至于京師,詔令討論《五經》,並較定鍾律。天和中,復於紫極殿講三教義,朝士、儒生、桑門、道士至者二千餘人。重辭義優洽,樞機明辯,凡所解釋,咸爲諸儒所推。大象二年,來朝京師。開皇三年卒,年八十四。隋文帝遣舍人蕭子寶祭以少牢,贈使持節、上開府儀同三司,許州刺史。重學業該博,爲當世儒宗。至於陰陽圖緯、道經、釋典,無不通涉。著《周禮義》三十一卷,《儀禮義》三十五卷,《禮記義》三十卷,(整理者按,自"《周禮義》"至"《禮記義》三十卷"共二十字,手稿本有刪除標誌)《毛詩義》二十八卷,《喪服經義》五卷,《周禮音》一卷,《儀禮音》一卷,《禮記音》二卷,《毛詩音》二卷。"(整理者按,自"《喪服經義》"至"《毛詩音》二卷"共二十六字,手稿本有刪除標誌)《隋志》有《毛詩義疏》二十八卷,不著撰人,當即此。

毛詩義二十卷　張譏撰

見《南史》譏本傳。

毛詩章句義疏四十二卷　魯世達撰

《北史·儒林傳》:"魯世達,餘杭人。煬帝時爲國子助教。撰《毛詩章句義疏》四十二卷行於世。"《隋志》作四十卷。

毛詩義疏 卷亡。**劉焯撰**

毛詩義疏 卷亡。**劉炫撰**

《毛詩正義》孔穎達《序》:"漢氏之初,詩分爲四。申公騰芳於鄢郢,毛詩光價於河間,[①]貫長卿傳之於前,鄭康成箋之於後。晉、宋、二蕭之世,其道大行,齊、魏兩河之間,茲風不墜。其近代爲義疏者,有全緩、何胤、舒瑗、劉軌思、劉醜、劉焯、劉炫等。然焯、炫並聰穎特達,文而又儒,擢秀幹於一時,騁絕轡於千里,固諸儒之所揖讓,日下之無雙,於其所作疏内,特爲

---

① "詩",據《十三經注疏》當作"氏"。

殊絕。今奉敕删定,故據以爲本。然焯、炫等負恃才氣,輕鄙
先達,同其所異,異其所同,或應略而反詳,或且詳而反略。"①
《隋志》有《毛詩義疏》六部,除沈重外,均不著撰人。

毛詩音二卷　沈重撰

見《北史》重本傳。陸德明曰:"吳興沈重撰《詩音義》。"當
即此。

毛詩音義二卷　魯世達撰

見《舊唐志》。《新志》同。

毛詩注並音八卷　同上

毛詩集小序一卷　劉炫注

《隋書》炫本傳作《注詩序》一卷。

毛詩譜二卷　太叔求　劉炫注

續詩十卷　王通撰

見杜淹《文中子世家》。小序亡,見王福畤《王氏家書雜録》。
《全唐文》楊炯《王勃集序》:"文中子之居龍門也,睹隋室之將
散,知吾道之未行。循歎鳳之遠圖,宗獲麟之遺制,裁成大典
以贊孔門。討論漢魏,迄於晉代,删其詔命,爲百篇以續
《書》。甄正樂府,取其雅奧,爲三百篇以續《詩》。又自晉太
始元年,至隋開皇九年平陳之歲,褒貶行事,述《元經》以法
《春秋》。門人薛收竊慕,同爲《元經》之傳,未就而歿。"

詩注　卷亡。王孝籍撰

見《隋書》孝籍本傳。

右詩類,共八家十三部一百五十五卷。

禮類

周官禮義疏四十卷　沈重撰

---

① "且",據《十三經注疏》當作"宜","反"當作"更"。

《通志·藝文略》同。《北史》重本傳有《周禮義》三十一卷,當即此。新、舊《唐志》均作《周禮義疏》四十卷,是。

儀禮義三十五卷　同上

見《北史》重本傳。朱氏《經義考》云佚。

禮記義疏四十卷　同上

新、舊《唐志》同。《北史》重本傳有《禮記義》三十卷,當即此。

禮記文外大義二卷　祕書學士。褚暉撰

《北史·儒林傳》:"褚暉字高明,吳郡人。以《三禮》學稱於江南。煬帝時徵天下儒術之士,悉集内史省,相次講論,暉博辯,無能屈者,由是擢爲太學博士。撰《疏》一百卷。"[1]

周禮音一卷　沈重撰

儀禮音一卷　同上

禮記音二卷　同上

均見《北史》重本傳。

禮記音二卷　王元規撰

《陳書·儒林傳》:"元規字正範,太原晋陽人也。天嘉中,除始興王府功曹參軍,領國子助教,轉鎮東鄱陽王府記室參軍,領助教如故。後主在東宫,引爲學士,親受《禮記》、《左傳》、《喪服》等義,賞賜優厚,遷國子祭酒。自梁代諸儒相傳,爲左氏學者,皆以賈逵、服虔之義,難駁杜預,凡一百八十條,元規引證通析,無復疑滯。每國家議吉凶大禮,常參預焉。丁母憂去職,服闋,除鄱陽王府中録事參軍,俄轉散騎侍郎,遷南平王府限内參軍。王爲江州,元規隨府之鎮,四方學徒,不遠千里來請道者,常數十百人。禎明三年入隋,爲秦王府東閤

----

① 中華書局 1974 年排印本《北史》(以下簡稱"中華本《北史》")據《隋書·儒林傳》《通志·褚暉傳》在"疏"字前補"禮"字。

祭酒，年七十四，卒於廣陵。著《春秋發題辭及義記》十一卷，①《續經典大義》十四卷，《孝經義記》兩卷，《左傳音》三卷，（整理者按，自"《春秋發題辭及義記》"至"《左傳音》三卷"共三十字，手稿本有刪除標誌）《禮記音》兩卷。"

禮論十卷　亡五篇。王通撰

見王福畤《王氏家書雜録》。朱氏《經義考》云佚。

儀禮章疏　卷亡。李孟悊撰

賈公彦《儀禮注疏序》："《周禮》、《儀禮》，發源是一，理有終始，分爲二部，並是周公攝政太平之書。《周禮》爲末，《儀禮》爲本，本則難明，末便易曉，是以《周禮》注者，則有多門，《儀禮》所注，後鄭而已。其爲章疏，則有二家，信都黄慶者，齊之盛德。李孟悊者，隋曰碩儒。慶則舉大略小，經注稍周，②猶登山望遠而近不知。悊則舉小略大，經注稍周，似入室近觀而遠不察。二家之疏，互有脩短，时之所尚，李則为先。案《士冠》三家，③有緇布冠、皮弁、爵弁，既冠，又著玄冠見於君。有此四種之冠，故記人下陳緇布冠、委貌、周弁，以釋經之四種。經之與記，都無天子冠法，而李云'委貌與弁'，皆天子始冠之冠，李之謬也。"

古禮疏　卷亡。同上

見《直齋書録解題》。

喪服經義五卷　沈重撰

見《北史》重本傳。

喪禮五服七卷　大將軍。袁憲撰

《陳書·憲傳》："憲字德章，幼聰敏好學，有雅量。太建元年

---

① "記"，中華本《隋書·經籍志》作"略"。
② "稍周"，據《十三經注疏》當作"疏漏"。
③ "家"，據《十三經注疏》當作"加"。

除給事黄門侍郎。至德元年,皇太子加元服,二年,行釋典之禮,①憲於是表請解職,後主不許。禎明元年隋軍來伐,京城陷,入于隋,隋授使持節、昌州諸軍事、開府儀同三司、昌州刺史。開皇十四年詔授晋王府長史。十八年卒,贈大將軍,安城郡公,謚曰簡。"

喪服要問六卷　劉德明撰

喪服義三卷　張沖撰

《隋書·儒林傳》:"吴郡張沖字叔玄。仕陳爲左中郎將,非其好也,乃覃思經典,撰《春秋義略》,異於杜氏七十餘事,撰《喪服義》三卷,《孝經義》三卷,《論語義》十卷,《前漢書義》十二卷。官至漢王侍讀。"(整理者按,自"乃覃思"至"漢王侍讀"共四十七字,手稿本有刪除標誌)

禮要　卷亡。辛彦之撰

《隋書·儒林傳》:"彦之,隴西狄道人也。九歲而孤,不交非類,博涉經史,與天文牛弘同志好學。② 後入關,遂家京兆。時吴興沈重名爲碩學,高祖嘗令彦之與重論議,重不能抗,於是避席而謝曰:'辛君所謂金城湯池,無可攻之勢。'高祖大悦。後拜隨州刺史。于時州牧多貢珍玩,惟彦之所貢並供祭之物。高祖善之,顧謂朝臣曰:'人安得無學,彦之所貢,稽古之力也。'遷洛州刺史,③前後俱有惠政。開皇十一年卒官,撰《墳典》一部,《六官》一部,《祝文》一部,(整理者按,以上十二字手稿本有刪除標誌)《禮要》一部,《新禮》一部,《五經異義》一部,並(整理者按,以上十一字手稿本有刪除標誌)行於世。"

明堂圖議二卷　宇文愷撰

---

① "典",據中華書局 1972 年排印本《陳書》當作"奠"。
② "文",據中華本《隋書》當作"水"。
③ "洛",據中華本《隋書》當作"潞"。

明堂釋疑一卷　同上

《隋書·宇文愷傳》：“愷字安樂，杞國公忻之弟也。少有器局，家世武將，諸兄並以弓馬自達，愷獨好學，博覽書記，解屬文，多伎藝，號爲名父公子。初爲千牛，累遷御正中大夫、儀同三司。及遷都，上以愷有巧思，詔領營新都副監，高熲雖總大綱，凡所規畫，皆出於愷。煬帝即位，遷都洛陽，以愷爲營東都副監，尋遷將作大匠。愷揣帝心在宏侈，於是東京制度窮極壯麗，帝大悦之，進位開府，拜工部尚書。自永嘉之亂，明堂廢絕，隋有天下，將復古制，議者紛然，皆不能決。愷博考群籍，奏《明堂議表》，曰：‘臣聞在天成象，房心爲布政之宫；在地成形，景午居正陽之位。觀雲告月，順生殺之序；五寶九室，①統人神之際。金口木舌，發令兆民，玉瓚黄琮，式嚴宗祀。何嘗不矜莊宸寧，盡妙思於規摹，凝睟冕旒，致子來於矩矱。伏惟皇帝陛下，提衡握契，御辯乘乾，咸五登三，②復上皇之化，流凶去暴，丕下武之緒。用百姓之異心，驅一代以同域，康哉康哉，民無能名矣。故使天符地寶，吐醴飛甘，造物資生，澄源反朴，九圍清謐，四表削平，襲我衣冠，齊其文軌。茫茫上玄，陳珪璧之敬，肅肅清廟，感霜露之誠。正金奏《九韶》、《六莖》之樂，定石渠五官、三雍之禮。乃卜瀍西，爰謀洛食，辨方面勢，仰稟神謀，敷土濬川，爲民立極。兼聿遵先言，表置明堂，爰詔下臣，占星揆日，於是採嵩山之祕簡，披汶水之靈圖，訪通議於殘亡，購《冬官》於散逸。總集衆論，勒成一家。昔張衡渾象，以三分爲一度，裴秀輿地，以二寸爲千里。臣之此圖，用一分爲一尺，推而衍之，冀輪奐有序。而經構之

---

①　“五寶九室”，中華本《隋書》作“五室九宫”。

②　“咸”，據中華本《隋書》當作“減”。

旨，議者殊途，或以綺井爲重屋，或以圓楣爲隆棟，各以臆説，事不經見。今録其疑難，爲之通釋，皆出證據，以相發明。議曰：臣愷謹案《淮南子》曰：昔者神農之治天下也，甘雨以時，五穀蕃殖，春生夏長，秋收冬藏，月省時考，歲終獻貢，以時嘗穀，祀於明堂。明堂之制，有蓋而無四方，風雨不能襲，燥濕不能傷，遷延而入之。臣愷以爲上古朴略，刱立典刑，《尚書·帝命驗》曰：帝者承天立五府，以尊天重象。赤曰文祖，黄曰神斗，白曰顯紀，黑曰玄矩，蒼曰靈府。注曰：唐、虞之天府，夏之世室，殷之重屋，周之明堂，皆同矣。《尸子》曰：有虞氏曰總章。《周官·考工記》曰：夏后氏世室，堂脩二七，博四脩一。①注曰：脩，南北之深也。夏度以步，今堂脩十四步，②其博益以四分脩之一，則明堂博十七步半也。臣愷按三王之世，夏最爲古，從質尚文，理應漸就寬大，何因夏室乃大殷堂。相形爲論，理恐不爾。《記》曰：堂脩七，博四脩。③若夏度以步，則應脩七步。注云：今堂脩十四步。乃是增益《記》文，殷周二堂獨無加字，便是其義，類例不同。山東《禮》本輒加二七之字，何得殷無加尋之文，周闕增筵之義。研覈其趣，或是不然。讐校古書，當無二字，此乃桑間俗儒信情加減。《黄圖議》云：夏后氏益其堂之大，一百四十四尺，周人明堂以爲兩杼間。馬宫之言，止論堂之一面，據此爲準，則三代堂基並方，得爲上圓之制。諸書所説並云下方，鄭注《周官》，獨爲此義，非直與古違異，亦乃乖背禮文，尋文求理，深恐未愜。《尸子》曰：殷人陽館。《考工記》曰：殷人重屋，堂脩七尋，堂崇三尺，四阿重屋。注云：其脩七尋，五丈六尺，放夏。周則其博

---

① 中華本《隋書》校曰：《周禮·考工记》"博"作"廣"，隋人諱改。
② 中華本《隋書》校曰：《周禮·考工記》注"今"作"令"。
③ "博四脩"，中華本《隋書》據《周禮·考工記》補作"博四脩一"。

九尋，七丈二尺。又曰：周人明堂，度九尺之筵，東西九筵，南北七筵，堂崇一筵，五室凡二筵。①《禮記・明堂位》曰：天子之廟，複廟重檐。鄭注云：複廟，重屋也。注《玉藻》云：天子廟及露寢，皆如明堂制。《禮》圖云：於內室之上，起通天之觀，觀八十一尺，得宮之數，其聲濁，君之象也。《大戴禮》曰：明堂者，古有之。凡九室，一室有四戶八牖。以茅盖，上圓下方，外水曰璧雝。赤綴戶，白綴牖。堂高三尺，東西九仞，南北七筵，其宮方三百步。凡人民疾，六畜疫，五穀災，生於天道不順。天道不順，生於明堂不飾。故有天災，則飾明堂。《周書・明堂》曰：堂方百一十二尺，高四尺，階博六尺三寸。室居內，方百尺，室內方六十尺。戶高八尺，博四尺。《作洛》曰：明堂太廟露寢，咸有四阿，重亢重廊。孔氏注云：重亢累，②重廊累屋也。《禮圖》曰：秦明堂九室十二階，各有所居。《呂氏春秋》曰：有十二堂。與《月令》同，並不論尺丈。臣愷按十二階雖不與理合，③一月一階，非無理思。《黃圖》曰：堂方百四十四尺，法坤之策也，方象地。屋圓楣徑二百一十六尺，法乾之策也，圓象天。室九宮，④法九州。太室方六丈，法陰之變數，十二堂法十二月，三十六戶法極陰之變數，七十二牖法五行所行日數。八達象八風，法八卦。通天臺徑九尺，法乾以九覆六，高八十一尺，法黃鍾九九之數，二十八柱象二十八宿。堂高三尺，土階三等，法三統。堂四方五色，法四時五行，殿門去殿七十二步，法五行所行。門堂長四丈，取大室三之二，垣高無蔽目之照，牖六尺，其外倍之。殿垣方，在水

---

①　中華本《隋書》據《册府元龜》在"凡"字下補"室"字。

②　據中華本《隋書》，"累"字下當補"棟"字。

③　"理"，中華本《隋書》作"《禮》"。

④　中華本《隋書》據《册府無龜》在"室"字前補"太"字。

內,法地陰也,水四周於外,象四海,圓法陽也。水闊二十四丈,象二十四氣,水内徑三丈,應《覲禮經》。武帝元封二年,立明堂汶上,無室。其外略依此制。《泰山通議》今亡,不可得而辨也。元始四年八月,起明堂、辟雍長安城南門,制度如議。一殿,垣四面,門八觀,水外周,堤壤高四尺,和會築作三旬。五年正月六日辛未,始郊太祖高皇帝以配天,二十二日丁亥,宗祀孝文皇帝於明堂以配上帝,及先賢、百辟、卿士有益者,於是秩而祭之。親扶三老五更,袒而割牲,跪而進之。因班時令,宣恩澤。諸侯王、宗室、四夷君長、匈奴、西國侍子,悉奉貢助祭。《禮圖》曰:建武三十年作明堂,明堂上圓下方,上圓法天,下方法地,十二堂法日辰,九室法九州。室八牖,八九七十二,法一時之王。室有二户,二九十八户,法土王十八日。内堂正壇高三尺,土階三等。胡伯始注《漢官》云:古清廟蓋以茅,今蓋以瓦,瓦下籍茅,以存古制。《東京賦》曰:乃營三宮,布政頒常。複廟重屋,八達九房。造舟清池,惟水泱泱。薛綜注云:複重廇覆,謂屋平覆重棟也。《續漢書·祭祀志》云:明帝永平二年,祀五帝於明堂,五帝坐各處其方,黃帝在末,①皆如南郊之位;光武位在青帝之南,少退西面,各一犢,奏樂如南郊。臣愷按《詩》云《我將》祀文王於明堂:我將我享,惟牛惟羊。據此則備太牢之祭。今云一犢,恐與古殊。自晋以前,未有鴟尾,其圓牆璧水,一依本圖。《晋起居注》裴頠議曰:尊祖配天,其義明著,廟宇之制,理據未分。直可爲一殿,以崇嚴祀,其餘雜碎,一皆除之。"臣愷按天垂象,聖人則之,辟雍之星,既有圖狀,晋堂方構,不合天

---

① "末",中華本《隋書》作"未"。

文，既闕重樓，又無璧水，空堂乖五室之義，直殿違九階之文，非古欺天，一何過甚。後魏於北臺城南，造圓牆在璧水外，門在水內迴立，不與牆相連。其堂上九室，三三相重，不依古制，室間通巷，違舛處多，其室皆墼累，極成褊陋。後魏《樂志》曰：孝昌二年立明堂，議者或言九室，或言五室，詔斷從五室。後元乂執政，①復改爲九室，遭亂不成。《宋起居注》曰：孝武帝大明五年立明堂，其牆宇規範，擬則太廟，惟十二間以應朞數。依漢《汶上圖儀》，設五帝位。太祖文皇帝對饗，鼎俎簠簋，一依廟禮。梁武即位之後，移宋時太極殿以爲明堂，無室，十二間。《禮疑議》云：祭用純漆俎瓦樽，文於郊，質於廟，止一獻，用清酒。平陳之後，臣得目觀，遂量步數，記其尺丈。猶見基內有焚燒殘柱，毀斫之餘，入地一丈，儼然如舊。柱下以樟木爲跗，長丈餘，闊四尺許，兩兩相並，瓦安數重，②宮城處所，乃在郭內。雖湫隘卑陋，未合規摹，祖宗之靈，得崇嚴祀。周、齊二代，闕而不修，大饗之典，於焉靡託。自古《明堂圖》惟有二本：一是宗周，劉熙、阮諶、劉昌宗等作，三圖略同。一是後漢建武三十年作，《禮圖》有本，不詳撰人。臣遠尋經傳，傍求子史，研究衆説，總撰今圖。其樣以本爲之，③下有方堂，堂有五室，上爲圓觀，觀有四門。'帝可其奏。會遼東之役，事不果行。以度遼之功，進位金紫光禄大夫，其年卒官，時年五十八。帝甚惜之，謚曰康。撰《明堂圖議》二卷，《釋疑》一卷，見行於世。"

右禮類，共十家，十八部一百五十七卷。

---

① "乂"，中華本《隋書》作"叉"
② "瓦"，中華本《隋書》據《北史》本傳、《册府元龜》改作"凡"。
③ "本"，中華本《隋書》作"木"。

樂類

樂譜集二十卷　衞尉少卿。**蕭吉撰**

《隋書·藝術傳》:"吉字文休,博學多通,尤精陰陽算術。江陵陷,遂歸于周,爲儀同。宣帝時,吉以朝政日亂,上書切諫,帝不納。及隋受禪,進上儀同,以本官太常考定古今陰陽書。及獻皇后崩,上令吉卜擇葬所,吉歷筮山原,至一處云:'卜年二千,卜世二百。'具圖而奏之。煬帝嗣位,拜太府少卿,加位開府。後歲餘卒官。著《金海》三十卷,《相經要錄》一卷,《宅經》八卷,《葬經》六卷,(整理者按,自"《金海》"至"《葬經》六卷"共十九字,手稿本有刪除標誌)《樂譜》十二卷及《帝王養生方》二卷,《相手版要訣》一卷,《太一立成》一卷,並(整理者按,自"及《帝王養生方》"至"一卷,並"共二十二字,手稿本有刪除標誌)行於世。新、舊《唐志》均作《樂譜集解》二十卷。

樂論一卷　同上

樂要一卷　**何妥撰**

見《隋書》妥本傳。《隋書·牛弘傳》:"詔弘與姚察、許善心、何妥、虞世基等正定新樂。"

樂譜六十四卷　**萬寶常撰**

《隋書·藝術傳》:"寶常,不知何許人也。父大通,從梁將王琳歸于齊,後復謀還江南,事泄,伏誅。由是寶常被配爲樂户,因而妙達鍾律,遍工八音,造玉磬以獻于齊。開皇初,沛國公鄭譯等定樂,初爲黃鍾調。寶常雖爲伶人,譯等每召與議,然言多不用。後譯樂成奏之,上召寶常問其可不,寶常曰:'此亡國之音,豈陛下所宜聞。'上不悦。寶常因極言樂聲哀怨淫放,非雅正之音,請以水尺爲律,以調樂音。上從之。寶常奏詔,遂造諸樂器,其聲率下鄭譯調二律。並撰《樂譜》

六十四卷,具論八音旋相爲宮之法,改絃移柱之變,爲八十四調,一百四十四律,變化終於一千八百聲。時人以《周禮》有旋宮之義,自漢、魏已來,知音者皆不能通,見寶常特創其事,皆哂之。至是,試令爲之,應手成曲,無所凝滯,見者莫不嗟異。於是損益樂器,不可勝紀,其聲雅淡,不爲時人所好,太常善聲者多排毀之。寶常嘗聽太常所奏,泫然而泣,人問其故,寶常曰:'樂聲淫厲而哀,天下不久相殺將盡。'時四海全盛,聞其言者皆謂爲不然。大業之末,其言卒驗。寶常貧無子,其妻因其卧疾,遂竊其資物而逃。寶常饑餒,無人瞻遺,竟餓而死。將死也,取其所著書而焚之,曰:'何用此爲?'見者於火中探得數卷,見行於世。"

樂府志十卷　蘇夔撰

見《新唐志》。《舊唐志》作《樂志》十卷。《隋書·蘇威傳》:"子夔,字伯尼,小聰敏,有口辯。八歲誦詩書,兼解騎射。及長博覽群言,尤其鍾律自命。後與國子博士何妥、沛國公鄭譯議樂,因而得罪,議寢不行。著《樂志》十五篇以見其志。"

樂府聲調六卷　鄭譯撰

見《新唐志》。

《隋書·鄭譯傳》:"譯字正義,滎陽開封人也。頗有學識,兼知鍾律。開皇中詔參撰律令。未幾詔參議樂事。譯以周代七聲廢缺,自大隋受命,禮樂宜新,更修七始之義,名曰《樂府聲調》,凡八篇,奏之。"又《音樂志》:"開皇二年黃門侍郎顏之推上言:'禮崩樂壞,其來自久。今太常雅樂,並用胡聲,請馮梁國舊事,考尋古典。'高祖不從,曰:'梁樂亡國之音,奈何遣我用邪?'是時尚因周樂,命工人齊樹提檢校樂府,改換聲律,益不能通。俄而沛國公鄭譯奏上,請更修正。於是詔太常卿牛弘、國子祭酒辛彦之、國子博士何妥等議正樂。然論謬既久，音律多乖，積年議不定。詔求知音之士，集尚書，參定音樂。譯云：'考尋樂府鍾石律呂，皆有宮、商、角、徵、羽、變宮、變徵之名。七聲之内，三聲乖應，每恒求訪，終莫能通。先是周武帝時，有龜兹人曰蘇祗婆，從突厥皇后入國，善胡琵琶。聽其所奏，一均之中間有七聲，因而問之，答云：父在西域，稱爲知音。代相傳習，調有七種。以其七調，勘校七聲，冥若合符。一曰娑陀力，華言平聲，即宮聲也。二曰雞識，華言長聲，即南吕聲也。① 三曰沙識，華言質直聲，即角聲也。四曰沙侯加濫，華言應聲，即變徵聲也。五曰沙臘，華言應和聲，即徵聲也。六曰般贍，華言五聲，即羽聲也。七曰俟利箑，華言斛牛聲，即變宮聲也。'譯因習而彈之，始得七聲之正。然其就此七調，又有五旦之名，旦作七調。以華言譯之，旦者則謂'均'也，其聲亦應黄鍾、太簇、林鍾、南吕、姑洗五均，已外，七律更無調聲。譯遂因其所捻琵琶絃柱，相飲爲均，推演其聲，更立七均。合成十二，以應十二律。律有七音，音立一調，故成七調十二律，合八十四調，旋轉相交，盡皆和合。仍以其聲考校太樂所奏，林鍾之宮，應用林鍾爲宮，乃用黄鍾爲宮；應用南吕爲商，乃用太簇爲商；應用應鍾爲角，乃用姑洗爲角。故林鍾一宮七聲，二聲並戾。② 其十一宮七十七音，例皆乖越，莫有通者。又以編懸有八，因作八音之樂。七音之外，更立一聲，謂之應聲。譯因作書二十餘篇，以明其指。至是譯以其書宣示朝廷，並立議正之。"

又《房暉遠傳》："韋世康薦暉遠爲太學博士，尋與沛公鄭譯修正樂正。"③

---

① "南吕"，中華本《隋書》據《宋史·律曆志》改作"商"。
② "二"，據中華本《隋書》當作"三"。
③ "樂正"，據中華本《隋書》當作"樂章"。

樂府聲調三卷　同上

樂府歌辭八卷　同上

見《新唐志》。

樂律義四卷　沈重撰

鍾律五卷　同上

見《舊唐志》。

樂典十卷　斛斯徵撰

《周書·斛斯徵傳》:"斯徵字士亮,河南洛陽人。幼聰穎,五歲誦《孝經》、《周易》,識者異之。及長,博涉群書、尤精《三禮》,兼解音律。及高祖山陵還,欲作樂,復令議其可否。徵曰:'《孝經》云:聞樂不樂。聞尚不樂,其況作乎?'鄭譯曰:'既云聞樂,明即非無,止可不樂,何容不奏。'帝遂依譯議。譯因此銜之。帝後肆行非度,昏虐日甚。徵以荷高祖重恩,備位師傅,若生不能諫,死何以見高祖。乃上疏極諫,指陳帝失,帝不納。譯因譖之,遂下徵獄。遇赦得免。隋文踐極,例復官,除太子太傅,詔修撰樂書。開皇初薨。撰《樂典》十卷。"

樂論十卷 二十五篇,亡五篇。**王通撰**

見前。

樂府新歌十卷 秦王記室。**崔子發撰**

樂府新歌二卷 秦王司馬。**殷首僧撰**

均見《通志·樂略》。《隋志》入總集。

大隋總典簿一卷　佚名

律呂五法圖一卷　蕭吉撰

見《通志·樂略》。

樂書 卷亡。**盧賁撰**

《通典·樂部》:"開皇初有盧賁、蕭吉並撰著《樂書》,皆為當時所用，至於天機，去寶常遠矣。”

《隋書·盧賁傳》：“賁字子徵，涿郡范陽人也。略涉書記，頗解鍾律。嘗檢校太常卿。以古樂宮懸七八，損益不同，歷代通儒議無定準。於是上表曰：‘殷人以上，通用五音，周武克殷，得鶉火、天駟之應，其音用七。漢興，加應鍾，故十六枚而在一簴。鄭玄注《周禮》，二八十六簴。① 此則七八之義，其來遠矣。然世有沿革，用捨不同，至周武帝，復改懸七，以林鍾爲宫。夫樂者，治之本也，故移風易俗，莫善於樂，是以吳札觀而辯興亡。然則樂也者，所以動天地、感鬼神，情發於聲，治亂斯應。周武以林鍾爲宫，蓋將亡之徵也。且林鍾之管，即黃鍾下生之義。黃鍾，君也，而生於臣，明爲皇家九五之應。又陰者臣也，而居君位，更顯國家登極之祥。斯實冥數相符，非關人事。伏惟陛下握圖御宇，道邁前王，功成作樂，焕乎曩策。臣聞五帝不相沿樂，三王不相襲禮，此蓋隨時改制，而不失雅正者也。’上竟從之，即改七懸八，以黃鍾爲宫。詔賁與儀同楊慶和删定周、齊音律。”

又《萬寶常傳》：“開皇之世，有鄭譯、何妥、盧賁、蘇夔、蕭吉，並討論墳籍，撰著《樂書》。”

右樂類，共十一家十七部一百五十六卷。

---

① 據中華本《隋書》，“六”字下當補“爲”字。

卷二

春秋類

春秋左氏傳述義四十卷　劉炫撰

《隋書》炫本傳作《春秋述義》四十卷。新、舊《唐志》均作三十七卷。《崇文總目》作三十九卷。

孔穎達《春秋正義序》:"晋宋傳授以至於今,其爲義疏者,則有沈文、何休、蘇寬、劉炫。然沈氏於義例粗可,於經傳極疏。蘇氏則全不體本文,惟旁攻賈、服,使後進之士鑽仰無成。劉炫於數君之内,實爲翹楚,然聰惠辨博,固亦罕儔,而探賾鈎深,未能致遠。其經注易者,必具飾以文辭,其理致難者,乃不入其根節;又意在矜伐,性好非毀,規杜氏之失,凡一百五十餘條,習杜義而攻杜氏,猶蠹生於木而還食其木,甚非其理也。雖規杜過,義又淺近,所謂捕鳴蟬於前,不知黃雀於其後。按僖公三十三年,經云:'晋人敗狄於箕。'杜注云:'郤缺稱人,時未爲卿。'劉炫規云:'晋侯稱人與殽戰同。'按殽戰在葬晋文公之前,何得云背殯用師以微者告。① 箕戰在葬晋文公之後,非有背殯用師,何得云與殽戰同。此則一年之經,數行而已,曾不省覽上下,妄規得失。又襄公二十一年,傳云:'邾庶其以漆閭邱來奔,公以姑姊妻之。'杜注云:'蓋寡者二人。'劉炫規云:'是襄公之姑,成公之姊,只一人而已。'按成

---

① "何",據《十三經注疏》當作"可"。

公二年,成公之子公衡爲質,及宋逃歸。按《家語‧本命》云:
'男子十六而化生。'公衡已能逃歸,則十六七矣。兒年如此,
則於時成公三十三四矣。計至襄公二十一年,成公七十餘
矣,何得有姊而妻庶其。此等皆其事歷然,猶尚妄説,況其餘
錯亂,良可悲矣。然比諸義疏,猶有可觀,今奉敕刪定,據以
爲本,其有疏漏,以沈氏補焉。"

春秋義略三十卷　　張沖撰

《隋書‧張沖傳》僅云:"撰《春秋義略》異於杜氏七十餘事。"

春秋發題辭及義記十一卷①　　王元規撰

見《新唐志》。

續春秋左氏傳義略十卷　　同上

見《南史‧儒林傳》。

春秋三傳集注三十卷　　辛德源撰

《隋書‧辛德源傳》:"德源字孝基,隴西狄道人也。沉静好
學,年十四解屬文,及長博覽書記,少有重名。劉逖上表薦德
源曰:'弱齡好古,晚節逾厲,枕藉六經,漁獵百氏。文章綺
豔,體調清華,恭慎表於閨門,謙撝著於朋執。實後進之辭
人,當今之雅器,必能效節一官,騁足千里。'由是除員外散騎
侍郎。祕書監牛弘以德源才學顯著,奏與著作郎王劭同修國
史,德源每於務隙,撰《集注春秋三傳》三十卷,《注揚子法言》
二十三卷。蜀王秀聞其名而引之,居數歲奏以爲掾,後轉諮
議參軍,卒官。有集二十卷,又撰《政訓》、《内訓》各二十卷。"

春秋左傳杜預序集解一卷　　劉炫撰

春秋攻昧十二卷　　同上

見《舊唐志》。《隋書》志、傳均作十卷。

---

①　"記",中華本《隋書‧經籍志》作"略"。

春秋述義略一卷　同上

見《宋志》。

春秋規過三卷　同上

見《舊唐志》。

春秋義囊二卷　同上

見《宋志》。

左傳音三卷　王元規撰

見《南史·儒林傳》。

左傳音三卷　徐文遠撰

見焦竑《經籍志》。

《隋書·許善心傳》："大業元年善心轉禮部侍郎，奏薦儒者徐文遠爲國子博士。包愷、陸德明、褚徽、魯世達之輩，並加品秩，授爲學官。"

《唐書·儒學傳》："徐曠字文遠，以字行。博通《五經》，明《左氏春秋》。時者儒沈重講太學，受業常千人，文遠從之質問，不數日辭去。或問其故，答曰：'先生所説，紙上語耳，若奧境，彼有所未見者，尚何觀？'重知其語，召與反復研辯，嗟嘆其能。性方正，舉動純重，竇威、楊玄感、李密、王世充皆從受業。隋開皇中累遷太學博士，詔與漢王諒授經。會諒反，除名爲民。大業初，禮部侍郎許善心薦文遠及包愷、褚徽、陸德明、魯達爲學官，擢國子博士，愷等爲太學博士。世稱《左氏》有文遠，《禮》有褚徽，《詩》有魯達，《易》有陸德明，皆一時冠云。文遠説經，徧舉先儒異論，分明是非，乃出新義以曲折，聽者忘勞。"[1]

元經十五卷　王通撰

---

[1]　"曲折"，中華本《隋書》作"折衷"。

見杜淹《文中子世家》。

《全唐文》皮日休《文中子碑》："夐出千世，而可繼孟氏者，復何人哉？文中子王氏，諱通字仲淹，生於陳、隋之間，以亂世不仕，退於汾晉。序述《六經》，敷爲《中説》，以行教於門人。夫仲尼删《詩》、《書》，定《禮》、《樂》，讚《周易》，修《春秋》，先生則有《禮論》二十五篇，《續詩》三百六十篇，《元經》三十一篇，《贊易》七十篇。[①] 孟子之門人，有高第弟子公孫丑、萬章焉，先生則有薛收、李靖、魏徵、李勣、杜如晦、房玄齡。"

魯史記 _{卷亡。} **劉炫撰**

見《隋書》炫本傳。

右春秋類，共六家十四部一百六十一卷。卷亡者一部存疑。

孝經類

孝經義疏三卷　何妥撰

見《隋書》妥本傳。朱氏《經義考》從《北史·何妥傳》作二卷，云佚。

古文孝經述義五卷　劉炫撰

見《通志·藝文略》。新、舊《唐志》從《隋書》列傳作《孝經述義》。《隋志》作《千文孝經述義》，誤。《全唐文》劉子玄《孝經老子注易傳議》曰："開皇十四年，校書學士王孝逸於京市陳人處買得一本，送與著作郎王邵。邵以示河間劉炫，仍令校定。而此書更無兼本，難可憑依。炫輒以所見，率意刊改，因著《古文孝經稽疑》一篇。"《文獻通考》："唐明皇《孝經注》一卷，取王肅、劉劭、虞翻、韋昭、劉炫、陸澄六家之説。"

孝經講疏六卷　徐孝克撰

---

① "讚易"，《全唐文》作"易讚"。

見《通志·藝文略》。

《陳書·徐陵傳》："陵三弟孝克,少爲《周易》生,有口辯,能談玄理。既長,徧通《五經》,博覽史籍,亦善屬文,而文不逮義。梁太清初,起家爲太學博士。後剃髮爲沙門,改名法整。歸俗後東游,居于錢塘之佳義里,與諸僧討論釋典,遂通《三論》。每日二時講,旦講佛經,晚講《禮傳》,道俗受業者數百人。天嘉中除郯令,非其好也,尋復去職。太建四年徵爲祕書丞,不就。至德中,皇太子入學釋奠,百司陪列,孝克發《孝經》題,後主詔皇太子北面致敬。禎明元年入爲都官尚書,二年爲散騎常侍,侍東宮,陳亡隨例入關。開皇十年長安疾疫,隋文帝聞其名行,召令於尚書都堂講《金剛般若經》,尋授國子博士。後侍東宮講《禮傳》。十九年以疾卒。"

孝經訓注一卷　魏真已撰

見《玉函山房輯佚書》。

孝經義記二卷　王元規撰

見《南史·儒林傳》。

孝經義八卷　張譏撰

見《南史》譏本傳。

孝經義三卷　張沖撰

見《隋書》沖本傳。《蘇州府志》謂郡人張沖善《孝經》。

孝經義疏　卷亡。**明克讓撰**

《隋書·明克讓傳》："克讓字弘道,平原鬲人也。父山賓,梁侍中。克讓少好儒雅,善談論,博涉書史,所覽將萬卷。《三禮》禮論,尤所研精,龜筴曆象,咸得其妙。梁滅歸于長安,周明帝引爲麟趾殿學士。高祖受禪,拜太子内舍人,轉率更令,進爵爲侯。太子以師道處之,恩禮甚厚,每有四方珍味,輒以賜之。于時東宮盛徵天下才學之士,至於博物洽聞,皆出其下。詔與太常牛弘等修禮議樂，當朝典故多所裁正。開皇十四年以疾去官，加通直散騎常侍。卒，年七十。著《孝經義疏》一部，《古今帝代記》一卷，《文類》四卷，《續名僧記》一卷，集二十卷。"

孝經義記　卷亡。**釋靈裕撰**

見朱氏《經義考》，云佚。

孝經注　卷亡。**宇文弼撰**

見《隋書·宇文弼傳》。朱氏《經義考》云佚。

孝經義記　卷亡。**蕭巋撰**

見《隋書》巋本傳。

右孝經類，共十一家十一部二十八卷，卷亡者四部存疑。

論語類

論語義疏十卷　**張沖撰**

見《隋書》沖本傳。《志》作二卷。

論語述義十卷　**劉炫撰**

《隋書》炫本傳作《論語述議》。《舊唐志》作五卷。

論語章句二十卷　**同上**

見《舊唐志》。

論語義二十卷　**張譏撰**

見《南史》譏本傳。

論語講疏文句義五卷　殘闕。**徐孝克撰**

《通志·藝文略》同。

論語注十卷　晉人也。**李充撰**

見《舊唐志》。

論語釋一卷　**同上**。

見《隋志》注。

《隋書·劉方傳》："開皇時有馮昱、王撒、李充、楊武通、陳永貴、房兆俱爲邊將，名顯當時。充，隴西成紀人也。少慷慨有英略。開皇中，頻以行軍總管擊突厥有功，官至上柱國武陽郡公。"

案東晋時李充，嘗著《論語集注》。皇侃《論語義疏》、陸德明《經典釋文》均採輯之。但非隋之李充，與此頗混，故附及之。

（整理者按，以上兩條手稿本有刪除標誌）

右論語類，共四家五部六十五卷。

經總類—曰經解

五經正名十五卷①　劉炫撰

見《舊唐志》。隋。（整理者按，以下當有闕文）

五經大義五卷　何妥撰

見《隋志》。《通志·藝文略》同。

五經大義八卷　劉炫撰

見《通志·藝文略》。

續經典大義十四卷　王元規撰

見《南史·儒林傳》。

五經大義三十卷　王頍撰

《隋書·文學傳》："頍字景文，始讀《孝經》、《論語》，晝夜不倦。遂讀《左傳》、《禮》、《易》、《詩》、《書》，乃歎曰：'書不可不讀者。'勤學累載，遂徧通《五經》，究其旨趣，大爲儒者所稱。解綴文，善談論，年二十二，周武帝引爲露門學士，每有議決，多頍所爲。而頍性識甄明，精力不倦，好讀諸子，徧記異書，

---

① "十五"，中華本《隋書·儒林傳》、中華書局 1975 年排印本《新唐書·藝文志》均作"十二"。

當代稱爲博物。又曉兵法,益有縱橫之志,每歎不逢時,常以
將相自許。開皇五年授著作佐郎,尋令於國子講授,會高祖
親臨釋奠,國子祭酒元善講《孝經》,頻與相論難,詞義鋒起,
善往往見屈。高祖大奇之,起授國子博士,[①]撰《五經大義》三
十卷,有集十卷,(整理者按,"有集十卷"四字,手稿本有刪除標誌)因兵亂
無復存者。"

五經異義　卷亡。辛彥之撰

見《隋書》彥之本傳

五經述議　卷亡。劉焯撰

《隋書·儒林傳》:"劉焯字士元,信都昌亭人也。少與河間劉
炫結盟爲友,同受《詩》於同鄉劉軌思,受《左傳》於廣平郭懋
常,[②]問《禮》於阜城熊安生,皆不卒業而去。武强交津橋劉智
海家素多墳籍,焯與炫就之讀書,向經十載,雖衣食不繼,晏
如也,遂以儒學知名,爲州博士,刺史趙煚引爲從事,舉秀才,
射策甲科。與著作郎王劭同應國史,[③]兼參議律曆,仍直門下
省,以待顧問。與左僕射楊素、吏部尚書牛弘、國子祭酒蘇
威、國子祭酒元善、博士蕭該、何妥、太學博士房暉遠、崔崇
德、晋王文學崔賾等,於國子共論古今滯義前賢所不通者。
每升座,論難鋒起,皆不能屈,楊素等莫不服其精博。六年運
洛陽石經至京師,文字磨滅莫能知者,奉敕與劉炫等考定。
後因國子釋奠,與炫二人論義,深挫諸儒,咸懷妬恨,遂爲飛
章所謗,除名爲民。於是優遊鄉里,專以教授著述爲務,孜孜
不倦。賈、王、馬、鄭所傳章句,多所是非。《九章算術》、《周
髀》、《七曜曆書》十餘部,推步日月之經,量度山海之術,莫不

---

①　"起",中華本《隋書》據《北史》本傳及《太平御覽》改作"超"。

②　"常",中華本《隋書》作"當"。

③　"應",據中華本《隋書》當作"修"。

覈其根本,窮其祕奧。著《稽極》十卷,《曆書》十卷,《五經述議》,並行於世。劉炫聰明博學,名亞於焯,故時人稱'二劉'焉,天下名儒後進,質疑受業,不遠千里而至者,不可勝數。論者以爲數百年已來,博學通儒,無能出其右者。"

右經總類,共六家七部七十二卷,卷亡者二部存疑。

小學類

博雅十卷　曹憲撰

見《舊唐志》。《新志》同。

《唐書·儒學傳》:"曹憲,揚州江都人。仕隋爲祕書學士,聚徒教授凡數百人,公卿多從之遊。於小學尤邃,自漢杜林、衛宏以後,古文亡絕,至憲復興。煬帝令與諸儒譔《桂苑珠叢》,規正文字。又注《廣雅》,學者推其該,藏于祕書。"《通志·藝文略》:"曹憲避煬帝諱,改曰博。"

《通考》引晁氏《讀書志》曰:" 隋曹憲撰。魏張揖嘗採《蒼雅》遺文爲書,名曰《廣雅》。憲因揖之説,附以音解,避煬帝諱,更之爲博云。後有張揖《表》。憲後事唐太宗,嘗讀書,有奇難字,輒遣使向憲,憲具爲音注,援驗詳覆,帝嘆賞之。"

爾雅音義二卷　同上

見《舊唐志》。今存。王念孫《廣雅疏證》作十卷。

廣雅音四卷　同上

《隋志》列論語類,非。

爾雅音八卷　祕書學士。**江灌撰**

《通志·藝文略》、焦氏《經籍志》均作江瓘,誤。

爾雅圖贊二卷　江灌注

見《舊唐志》。

《陳書·江總傳》:"第七子灌,駙馬都尉祕書郎,隋給事郎,直祕書省學士。"

爾雅注一卷　顏之推撰

見《古今圖書集成》引《唐志》。

《北齊書·顏之推傳》:"之推字介,琅邪臨沂人也。聰穎機悟,博識有才辯,工尺牘,應對閑明,大爲祖珽所重。兼善於文字監校。齊亡入周,大象末爲御史上士。隋開皇中太子召爲學士,甚見禮重。尋以疾終。有文三十卷,《家訓》二十篇,並行於世。"

廣韻五卷　陸法言撰

見晁氏《讀書志》,今存。

《隋書·陸爽傳》:"子法言敏學有家風,釋褐承奉郎。及太子勇廢,上追怒爽云:'我孫製名,寧不自解,陸爽乃爾多事,扇惑於勇,亦由此人。其身雖故,子孫並宜屏黜,終身不齒。'法言竟坐除名。"

陳氏《書錄解題》曰:"開皇初有劉臻等八人同詣法言,共爲撰集,長孫訥言爲之箋注。唐朝轉有加增,至開元中陳州司法孫愐著成《唐韻》,本朝陳彭年等重修。"

《全唐文》長孫訥言《箋注廣韻序》云:"此製酌古沿今,無以加也。然《左傳》之已久,多失本源,差之一畫,詎惟千里。見炙從肉,莫究厥由,輒意形聲,固當從夕。及其悟矣,彼乃乖斯,若靡憑焉,他皆倣此。傾佩經之隙,沐雨之餘,楷其紕繆,疇兹得失。銀鉤創閱,晉豕成群,盪櫛行披,魯魚盈貫。遂徵金篆,遐泝石渠,略題會意之辭,仍記所由之典。亦有一文兩體,不復備陳,數字同歸,惟其擇善。勿謂有增有減,便慮不同,一點一畫,咸資別據,其有類雜,並爲訓解,傳之不謬,庶埒箋云。"

韻纂三十卷　潘徽撰

《隋》、《唐志》均不著録。

《隋書·文學傳》：“潘徽字伯彦，吴郡人也。性聰敏，少受《禮》於鄭灼，受《毛詩》於施公，受《書》於張沖，講《老》、《莊》於張譏，並通大義，尤精三史，善屬文，能持論。陳滅，爲州博士，秦孝王俊聞其名，召爲學士。嘗從俊朝京師，在塗，令徽於馬上爲賦，行一驛而成，名曰《述思賦》。俊覽而善之。復令爲萬字文，並遣撰集字書，名曰《韻纂》。徽爲序曰：‘文字之來尚矣。初則義皇出震，觀象緯以法天，次則史頡佐軒，察蹄迹而取地。於是八卦爰始，爻文斯作，繩用既息，墳籍生焉。至如龍筴授河，龜威出洛，緑綈白檢，述勛、華之運，金繩玉字，表殷、夏之符，卸甲示於姬壇，吐卷徵於孔室，莫不理包遠迩，迹會幽明，仰協神功，俯照人事。其制作也如彼，其祥瑞也如此，故能宣流萬代，正名百物，爲生民之耳目，作後王之模範，頌美形容，垂芬篆素。暨大隋之受命也，追蹤三、五，並曜參辰，外振武功，内修文德。飛英聲而勒嵩、岱，彰大定而銘鍾鼎，春干秋羽，盛禮樂於膠庠，省俗觀風，採歌謡於唐、衛。我秦王殿下，降靈霄極，禀秀天機，質潤珪璋，文兼黼黻。楚詩早習，頗屬懷於言志，沛《易》先通，每留神於索隱。尊儒好古，三雍之對已遒，博物多能，百家之工彌洽。遨遊必名教，漁獵唯圖史。加以降情引汲，擇善芻微，築館招賢，攀枝佇異。剖連城於井里，賁束帛於丘園，薄技無遺，片言便賞。所以人加脂粉，物競琢磨，俱報稻粱，各施鳴吠。于時歲次鶉火，月躔夷則，驂駕務隙，靈光意静。前臨竹沼，却倚桂巖，泉石瑩仁智之心，煙霧發文彩之致，①賓僚霧集，教義風靡，乃討論群藝，商略衆書，以爲小學之家，尤多舛雜，雖復周禮漢律，

---

① “霧”，據中華本《隋書》當作“霞”。

務在貫通,而巧説邪辭,遞生同異。且文訛篆隸,音謬楚夏,《三蒼》、《急就》之流,微存章句,《説文》、《字林》之屬,唯別體形。互於尋聲推韻,良爲疑混,酌古會今,未臻功要。未有李登《聲類》,[①]吕静《韻集》,始判清濁,纔分宫羽,而全無引據,過傷淺局,詩賦所須,卒難爲用。遂躬紆睿旨,摽摘是非,撮舉宏綱,裁斷篇部。總會舊轍,創立新意,聲別相從,即隨注釋。詳之訓詁,證以經史,備包《騒》《雅》,博牽子集,汗簡云畢,題爲《韻纂》,凡三十卷,勒成一家。方可藏彼名山,副諸石室,見群玉之爲淺,鄙懸金之不定。爰命末學,製其都序。徽業術已寡,思理彌殫,心若死灰,文慚生氣。徒以犬馬識養,飛走懷仁,敢執顛沛之辭,遂操狂簡之筆,而齊魯富經學,楚鄭多良士,西河之彦,幸不誚於索居,東里之才,請能加於潤色。'煬帝即位,詔徵與著作佐郎陸從典、太常博士褚亮、歐陽詢等助越公楊素撰《魏書》,會素薨而止。授京兆郡博士。"

桂苑珠叢一百卷　諸葛穎撰[②]

見《新唐志》。

《隋書·諸葛穎傳》:"穎字漢,丹陽建康人也。八歲能屬文,習《周易》、圖緯、《倉》、《雅》、《莊子》,頗得其要。清辯有俊才,晋王廣素聞其名,引爲參軍事,轉記室。及王爲太子,除藥藏監。"

又《柳䛒傳》:"晋王好文雅,招引才學之士。諸葛穎、虞世南、王胄、朱瑒等百餘人以充學士,而䛒爲之冠。"

《唐書·曹憲傳》:"煬帝令與諸儒譔《桂苑珠叢》。"

俗語難字一卷　祕書少監。王劭撰

① "未",據中華本《隋書》當作"末"。
② 據中華本《隋書》,"諸葛穎"之"穎"當作"穎",下同。

《新唐志》作李少通，誤。《通志・藝文略》從《隋志》。

雜字要三卷　密州行參軍。**李少通撰**

見《隋志》。《通志・藝文略》同。

今字辯疑三卷　**同上**

四聲指歸一卷　**劉善經撰**

《隋書・文學傳》："河間劉善經，博物洽聞，尤善詞筆。歷仕著作佐郎、太子舍人。著《酬德傳》三十卷，《諸劉譜》三十卷，《四聲指歸》一卷，行於世。"

古今字圖雜錄一卷　祕書學士。**曹憲撰**

見《通志・藝文略》。《隋志》卷亡。

文字指歸四卷　**同上**

見《舊唐志》。《通志・藝文略》同。

筆墨法一卷　**顏之推撰**

見《新唐志》。《通志・藝文略》同。

訓俗文字略一卷　**同上**

證俗音字四卷　**同上**

見《宋志》。

《崇文總目》："之推正俗文字之謬，援諸書爲據，凡三十五目。"

字始三卷　**同上**

見《宋志》。

急就章注一卷　**同上**

見《舊唐志》。

證俗音略一卷　**顏愍楚撰**

見《舊唐志》。《新志》及《通志・藝文略》均同。

《隋書・張冑玄傳》："高祖令張冑玄與劉暉辯析曆術，改定新曆。顏敏楚時爲内史通事。"《北史・文苑傳》："顏之推在齊有二子,長曰思齊,次曰敏楚,盖不忘本也。"

顏真卿《祕書省著作郎夔州都督長史上護軍顏公神道碑》曰："父諱思魯,博學善屬文,尤工訓詁。仕隋司經局校書、東宫學士、長寧王侍讀。與沛國劉臻辯論經義,臻屢屈焉。《温大雅傳》云:'初君在隋,與大雅俱仕東宫。弟愍楚與彦博同直内史省。愍楚弟遊秦與彦將俱典秘閣。二家兄弟各爲一時人物之選。'"

《資治通鑑》曰："通事舍人顏愍楚謫官在南陽,粲初引爲賓客,其後無食,闔家皆爲噉。愍楚,之推之子也。"

辨嫌音二卷　陽休之撰

見《新唐志》。

《北史・陽尼傳》："休之字子烈,儁爽有風概,好學愛文藻,時人爲之語曰:'能賦能詩陽休之。'周武帝平齊,與吏部尚書袁聿脩、衛尉卿李祖欽、度支尚書元脩伯、大理卿司馬幼之、司農卿崔達挐、祕書監源宗、[①]散騎常侍兼中書侍郎李若、散騎常侍兼給事黄門侍郎李孝貞、給事黄門侍郎盧思道、給事黄門侍郎顏之推、通直散騎常侍兼中書侍郎李德林、通直散騎常侍兼中書舍人陸乂、中書侍郎薛道衡、中書舍人元行恭、辛德源、王劭、陸開明十八人同徵,令隨駕。後赴長安,尋除開府儀同,依例封臨譯縣男。歷納言中大夫、太子少保,進位上開府,除和州刺史。隋開皇二年罷任,終於洛陽。著《文集》十四卷,[②]《幽州人物志》,並行於世。"

---

① "源宗",中華本《北史》據《北齊書・源彪傳》作"源文宗"。

② "十四",據本書集部當作"四十"。

韻略一卷　同上

右小學類，共十一家二十三部一百八十九卷，卷亡者一部，
　　存疑。

凡經部共八十五家，一百四十一部，一千二百八十七卷。

案隋釋智騫曾撰《蒼雅》、《字苑》，待考詳增補。

卷三

史部第二

史之類十有三：一曰正史，二曰編年，三曰霸史，四曰雜史，五曰
起居注，六曰故事，七曰職官，八曰儀注，九曰刑法，十曰雜傳，
十一曰譜牒，十二曰目録，十三曰地理。

正史類

漢書音義十二卷　國子博士。**蕭該撰**

見《隋志》。《舊唐志》同，《新志》作《漢書音》十二卷。《宋志》
作三卷。

《隋書·蕭該傳》："該撰《漢書音義》，爲當時所貴。章懷太子
《後漢書·隗囂傳》、《劉伯升傳》注均引之。"

漢書決疑十二卷　**顔遊秦撰**

見《新唐志》。

案遊秦與思魯、愍楚均之推子，當爲隋人無疑。應補入。

漢書音十二卷　廢太子勇命。**包愷撰**

見《隋志》。《新唐志》同。

《隋書·儒林傳》："東海包愷字和樂，其兄榆明《五經》，[①]愷悉
傳其業。又從王仲通受《史記》、《漢書》，尤稱精究。大業中

---

① "榆"，據中華本《隋書》當作"愉"。

爲國子助教。于時《漢書》學者，以蕭、包二人爲宗匠。"

漢書訓纂三十卷　　姚察撰

見《隋志》。《舊唐志》同。

《陳書·姚察傳》："察字伯審，吳興武康人也。六歲誦書萬餘言，弱不好弄，博弈雜戲，初不經心。勤苦勵精，以夜繼日，年十二便能屬文。陳滅入隋，開皇九年詔授祕書丞，別敕成梁、陳二代史。又敕於朱華閣長參。文帝知察蔬菲，別日乃獨召入內殿，賜菓菜，乃指察謂朝臣曰：'聞姚察學行，當今無比，我平陳唯得此一人。'十三年襲封北絳郡公。仁壽二年，詔曰：'前祕書丞北絳郡開國公姚察，彊學待問，博極群典，脩身立德，白首不渝，雖在哀疚，宜奪情禮，可員外散騎常侍，封如故。'又敕侍晉王昭讀。煬帝初在東宮，數被召見，訪以文籍。即位之始，詔授太子內舍人，餘並如故。車駕巡幸，恒侍從焉。及改易衣冠，刪正朝式，切問近對，察一人而已。年七十四，大業二年終於東都。所著《漢書訓纂》三十卷行於世。"

《唐書·姚班傳》："曾祖察嘗撰《漢書訓纂》，而後之注《漢書》者多竊取其義爲己説。"

按《隋志》注陳吏部尚書非是，今改正。

漢書集解一卷　　同上
定漢書疑二卷　　同上

見《隋志》。《通志·藝文略》同。

前漢書義十二卷　　張沖撰

見《隋書》沖本傳。

漢書續訓三卷　　韋稜撰

見《舊唐志》。

《南史·韋叡傳》："稜字威直，性恬素，以書史爲業，博物彊記，當世士咸就質疑。位終光禄卿。著《漢書續訓》三卷。"（整

理者按，此條手稿本有刪除標誌）

漢書刊繁三十卷　于仲文撰

漢書略覽二十卷　同上

《隋志》不著錄。仲文傳云："仲文字次武，少聰敏，髫亂就學，
耽閱不倦。其後就博士李祥受《周易》、《三禮》，略通大義。
及長，倜儻有大志，氣度英拔，當時號爲名公子。起家爲趙王
屬，高祖受禪，拜行軍元帥，統十二總管以擊胡。撰《漢書刊
繁》三十卷，《略覽》二十卷。"①

范漢音三卷　蕭該撰

見《隋志》。《舊唐志》同。《新唐志》作《後漢音》，《通志·藝
文略》從之。

後魏書一百七卷　魏澹撰

見《舊唐志》。《新志》同。《隋志》作一百卷，著作郎魏彦深
撰。《北齊書·魏蘭根傳》："彦卿弟澹，學識有詞藻。隋開皇
中太子舍人、著作郎。撰《後魏書》九十二卷，甚得史體，時稱
其善。"

《隋書·魏澹傳》："澹字彦深，鉅鹿下曲陽人也。專精好學，
博涉經史，善屬文，詞采贍逸。在齊與尚書左僕射魏收、吏部
尚書陽休之、國子博士熊安生同修《五禮》。又與諸學士撰
《御覽》，書成，除殿上郎中、中書舍人。復與李德林俱修國
史。高祖受禪，出爲行臺禮部侍郎。數年遷著作郎，仍爲太
子學士。高祖以魏收所撰書褒貶失實，平繪爲《中興書》事不
倫序，詔澹別成《魏史》。澹自道武下及恭帝，爲十二紀七十
八傳，別爲史論及例一卷，並目錄合九十二卷。澹之義例與
魏收多所不同：'其一曰，臣聞天子者，繼天立極，終始絶名。

---

① "二"，中華本《隋書》作"三"。

故《穀梁傳》曰：太上不名。《曲禮》曰：天子不言出，諸侯不生名，諸侯尚不生名，況天子乎？若爲太子，少須書名。[①]良由子者對父生稱，父前子名，禮之意也。是以桓公六年九月丁卯子同生，《傳》曰：舉以太子之禮。杜預注曰：桓公子莊公也。十二公唯子同是嫡夫人之長子，備用太子之禮，故史書之於策。即位之日，尊成君而不名，《春秋》之義，聖人之微旨也。至如馬遷，周之太子，並皆言名，漢之儲兩，俱没其諱，以尊漢卑周，臣子之意也。竊謂雖立此理，恐非其義。何者？《春秋》、《禮記》太子必書名，天王不言出，此仲尼之褒貶，皇王之稱謂，非當代與異代遂爲優劣也。班固、范曄、陳壽、王隱、沈約參差不同，尊卑失序。至於魏收諱儲君之名，書天子之字，過又甚焉。今所撰史，諱皇帝名，書太子字，欲以尊君卑臣，依《春秋》之義也。其二曰，五帝之聖，三代之英，積德累功，乃文乃武，賢聖相承，莫過周室，名器不及后稷，追謚止於三王，此即前代之茂實，後人之龜鏡也。魏氏平文以前，部落之君長耳。太祖遠追二十八帝，並極崇高，違堯舜憲章，越周公典禮。但道武出自結繩，未師典誥，當須南、董直筆，裁而正之。反更飾非，言是觀過，所謂決渤澥之水，復去隄防，襄陵之災，未可免也。但力微天女所誕，靈異絶世，尊爲始祖，得禮之宜。平文、昭成，雄據塞表，英風漸盛，圖南之業，基自此始。長孫斤之亂也，兵交御座，太子授命，昭成獲免。道武此時，后緡方娠，宗廟復存，社稷有主，大功大孝，寔在獻明。此之三世，稱謚可也。自兹以外，未之敢聞。其三曰，臣以爲南巢桀亡，牧野紂滅，斬以黄鉞，懸首白旗，幽王死於驪山，厲王出奔於彘，未嘗隱諱，直筆書之，欲以勸善懲惡，貽誠

---

① “少”，據中華本《隋書》當作“必”。

將來者也。而太武、獻文,並皆非命,前史立紀,不異天年,言
論之間,頗露首尾,殺主害君,莫知名姓,逆臣賊子,何所懼
哉。君子之過,如日月之食,圓首方足,孰不瞻仰,況復兵交
御座,矢及王屋,而可隱沒者乎?其四曰,周道陵遲,不勝其
蔽,楚子親問九鼎,吳人來徵百牢,無君之心,實彰行路,夫子
刊經,皆書曰卒。自晋德不競,宇宙分崩,或帝或王,各自署
置。當其生日,聘使來往,略如敵國,及其終也,書之曰死,便
同庶人。存沒頓殊,能無懷愧。今所撰史,諸國凡處華夏之
地者,皆書曰卒,同之吳、楚。其五曰,壺遂發問,馬遷答之,
義已盡矣。後之述者,仍未領悟。董仲舒、司馬遷之意,本云
《尚書》者降平之典,《春秋》者撥亂之法,興衰理異,製作亦
殊。治定則直敘欽明,世亂則辭兼顯晦,分路命家,不相依
放。故云周道廢《春秋》作焉,堯舜盛《尚書》載之是也。漢興
以來,改正朔,易服色,臣力誦聖德,仍不能盡,余所謂述故
事,而君比之《春秋》,謬哉。然則紀傳之體出自《尚書》,不學
《春秋》,明矣。而范曄云:《春秋》者文既總略,好失事形,今
之擬作,所以爲短。紀傳者史、班之所變也,網羅一代,事義
周悉,適之後學,此焉爲優,故繼而述之。觀曄此言,豈直非
聖人之無法,又失馬遷之意旨。孫盛自謂鑽仰具體而放之,
魏收云魯史既修,達者貽則,子長自拘紀傳,不存師表,蓋泉
源所由,地非企及。雖復遜辭畏聖,亦未思紀傳所由來也。'
澹又以爲司馬遷創立紀傳以來,述者非一,人無善惡,皆爲立
論。計在身行迹,具在正書,事既無奇,不足懲勸。再述乍同
銘頌,重敘唯覺繁文。案丘明亞聖之才,發揚聖旨,言'君子
云'者無非甚泰,其間尋常,直書而已。今所撰史,竊有慕焉,
可爲勸戒者,論其得失;其無損益者,所不論也。澹所著《魏
書》甚簡要,大矯收、繪之失,上覽而善之。"

又《薛道衡傳》:"從子德音有雋才,起家爲遊騎尉,佐魏澹修《魏史》,《史》成,遷著作佐郎。"

《史通·本紀篇》:"魏著作李安平之徒,其撰《魏》《齊》二史,於諸帝篇,或雜載臣下,或兼言他事,巨細畢書,洪纖備録,全爲傳體,有異紀文。"

《正史篇》:"隋開皇敕著作郎魏澹與顏之推、辛德源更撰《魏書》,矯正收失,澹以西魏爲真,東魏爲偽,故文恭列紀,孝静稱傳,合紀傳論例,總九十二篇。煬帝以澹書猶未能善,又敕左僕射楊素別撰,學士潘徽、褚亮、歐陽詢等佐之,會素薨而止。"

晁氏《讀書志》曰:"隋文帝命顏之推等別修。"

魏武本紀年曆五卷　入編年爲宜。**同上**

魏紀十二卷　同上

均見《宋志》。

梁書帝紀七卷　姚察撰

見《隋志》。《通志·藝文略》同。

梁書三十四卷　謝昊　姚察撰

見《舊唐志》。

《陳書·姚察傳》:"察所撰《梁》、《陳》史,雖未畢功,隋文帝開皇之時,遣内史舍人虞世基索本,具進上,今在内殿。《梁》、《陳》二史本多是察之所撰,其中序論及紀、傳有所闕者,臨亡之時,仍以體例誡約子思廉,博訪撰續。大業初内史侍郎虞世基奏思廉蹔成梁、陳二代史,自爾以來,稍就補續。"

梁書七十卷　許善心撰

《隋志》:"《梁史》五十三卷,陳領大著作郎許亨撰。"

《陳書·許亨傳》:"亨撰《梁史》,成者五十八卷。子善心,早知名。"

《隋書·許善心傳》：“善心父撰著《梁史》，未就而歿。善心述成父志，修續家書，其《序傳》末述製作之意曰：‘謹案太素將萌，洪荒初判。乾儀資始，辰象所以正時，坤載厚生，品物於焉播氣。參三才而育德，肖二統而降靈。有人民焉，樹之君長，有貴賤矣，爲其宗極。保上天之睠命，膺下土之樂推，莫不執大方，振長策，感召風雲，驅馳英俊。干戈揖讓，取之也殊功，鼎玉龜符，成之也一致。革命刱制，竹素之道稍彰，紀事記言，筆墨之官漸著，炎農以往，存其名而漏其迹，黃軒以來，晦其文而顯其用。登丘納麓，具訓誥及典謨，貫昴入房，傳夏正與殷祀。洎辨方正位，論時訓功，南北左右，兼四名之別，“檮杌”、“乘車”，擅一家之稱。國惡難諱，君舉必書，故亂臣賊子，天下大懼，元龜明鏡，昭然可察。及三郊遞襲，五勝相沿，俱稱百穀之王，並以四海自任，重光累德，何世無哉。逮有梁之君臨天下，江左建國，莫斯爲盛。受命在於一君，繼統傳乎四主，克昌四十八載，餘祚五十六年。武皇帝出自諸生，爰昇寶歷，拯百王之弊，救萬姓之危，反澆季之末流，登上皇之獨道。朝多君子，野無遺賢，禮樂必備，憲章咸舉。弘深慈於不殺，濟大忍於無刑，蕩蕩巍巍，可爲稱首。屬陰戎之入潁，羯胡侵洛，沸騰滲黷，三季所未聞，掃地滔天，一元之巨厄。廊廟有序，剗成狐兔之場，珪帛有儀，碎夫犬羊之手。福善積而身禍，仁義在而國亡。豈天道歟，豈人事歟，當別論之，在《序論》之卷。先君昔在前代，早懷述作，凡撰《齊書》爲五十卷，《梁書》紀傳，隨事勒成。及闕而未就者，目錄注爲一百八卷。梁室交喪，墳籍銷盡，冢壁皆殘，不準無所盜，帷囊同毀，陳農何以求。秦儒既坑，先王之道將墜，漢臣徒請，口授之文亦絕。所撰之書，一時亡散。有陳初建，詔爲史官，補闕拾遺，心識口誦。依舊目錄，更加修撰，且成百卷，已有六帙，五十八卷,上祕閣訖。善心早嬰荼蓼,弗荷薪構,太建之末,頻抗表聞,至德之初,蒙授史任。方願油素採訪,門庭記録,俯勵弱才,仰成先志,而單宗少强近,虛室類原、顏,退屏無所交遊,棲遲不求進益。假班嗣之書,徒聞其語,給王隱之筆,未見其人。加以庸瑣涼能,孤陋末學,忝職郎署,兼撰《陳史》,致此書延時,未即成績。① 禎明二年,以臺郎入聘,值本邑淪覆,佗鄉播遷,行人失時,將命不復。望都亭而長慟,遷別館而懸壺,家史舊書,先後焚蕩,②今止有六十八卷在,又並缺落失次。自入京以來,隨見補葺,略成七十卷:《四帝紀》八卷,《后妃》一卷,《三太子録》一卷,爲一帙十卷。《宗室王侯列傳》一帙十卷。《具臣列傳》二帙二十卷。《外戚傳》一卷,③《誠臣傳》一卷,《文苑傳》二卷,《儒林傳》二卷,《逸民傳》一卷,《數術傳》一卷,《藩臣傳》一卷,合一帙十卷。《止足傳》一卷,《列女傳》一卷,《權倖傳》一卷,《羯賊傳》一卷,④《逆臣傳》二卷,《叛臣傳》二卷,《敘傳論述》一卷,合一帙十卷。凡稱史臣者,皆先君所言,下稱名案者,並善心補闕。別爲《敘論》一篇,託于《敘傳》之末。'"

齊書一百卷　王劭撰

《隋志》不著録,《唐志》正史、古史兩類俱有《齊志》十七卷,疑重出。

《隋書·王劭傳》:"劭字君懋,太原晋陽人。少沈嘿,好讀書。高祖受禪,授著作佐郎。以母憂去職,在家著《齊書》。時制禁私撰史,爲内史侍郎李元操所奏。上怒,遣史收其書,覽而

① "績",據中華本《隋書》當作"績"。
② "先",據中華本《隋書》當作"在"。
③ 據中華本《隋書·許善心傳》,"外戚傳一卷"下當補"《孝德傳》一卷"。
④ "一",據中華本《隋書》當作"二"。

悦之。於是起爲員外散騎侍郎，修起居注。後遷祕書少監，
數載卒官，撰《齊書》紀傳一百卷。”

《史通·載文篇》曰：“惟王劭撰《齊》、《隋》二史，其所取也，文
皆詣實，理多可信。至於悠悠飾詞，皆不之取，此實得去邪從
正之理，捐華摭實之義也。”又《外篇·雜説中》：“王劭《國
史》，至於論戰争，述紛擾，賈其餘勇，彌見所見。① 至如敘文
宣逼孝静以受魏禪，二王殺楊、燕以廢乾明，雖左氏載季氏逐
昭公，秦伯納重耳，欒盈起於曲沃，楚靈敗於乾谿，殆可連類
也。又敘高祖破宇文於邙山，周武自晋陽而平鄴，雖左氏書
城濮之役、鄢陵之戰，齊敗於鞍，吳師入郢，亦不是過也。”

北齊書二十四卷 修未成書。**李德林撰**

見《通志·藝文略》。《舊唐志》作《北齊未修書》二十四卷。

《隋書·李德林傳》：“德林字公輔，博陵安平人。年十五誦
《五經》及古今文集，日數千言。俄而該博墳籍，陰陽緯候無
不通涉，善屬文，辭覈而理暢。武平初加通直散騎侍郎，又敕
與中書侍郎宋士素、副侍中趙彦深别典機密。時魏收與陽休
之論《齊書》起元事，敕集百司會議。收與德林書曰：‘前者議
文，總諸事意，小加混漫，難可領解。今便隨事條列，幸爲留
懷，細加推逐，凡言或者，皆是敵人之議。既聞人説，因而探
論耳。’德林復書曰：‘即位之元，《春秋》常議，謹按魯君息姑，
不稱即位，亦有元年，非獨即位得稱元年也。議云受終之元，
《尚書》之古典。謹按《大傳》，周公攝政，一年救亂，二年伐
殷，三年踐奄，四年建侯衛，五年營成周，六年制禮作樂，七年
致政成王。論者或以舜、禹受終，是爲天子，然則周公以臣禮
而死，此亦稱元，非獨受終爲帝也。蒙示議文，扶病省覽，荒

---

① “所見”，據中華本《隋書》當作“所長”。

情迷識，暨得發蒙。當世君子，必無橫議，唯應閣筆贊成而
已。輒謂前二條有益於議，仰見議中不録，謹以寫呈。’又曰：
‘或以爲書元年者，當時實録，非追書也。大齊之興，實由武
帝，謙匿受命，豈直史也。比觀論者，聞追舉受命之元，多有
河漢，但言追數受命之歲，情或安之。似所怖者元字耳，事類
朝三，是許其一年，不許其元年也。’尋除中書侍郎，仍詔修國
史，開皇元年敕令與太尉任國公于翼、高熲等同修律令。後
敕撰《齊史》，未成。”《史通·探賾篇》曰：“隋内史李德林著
論，稱陳壽蜀人，其撰《國志》，黨蜀而抑魏，刊之國史以爲格
言。”又《雜説下》曰：“李《齊》於《後主紀》，則書幸於侍中穆提
婆第，於《孝昭紀》，則不言親戎以伐奚。於邊境小寇，無不畢
紀，如司馬消難擁數州之地以叛，曾不挂言。略大舉小，其流
非一。”又《正史篇》曰：“逮於齊滅，隋代祕書監王邵、當作劭。
内史李德林俱少仕鄴中，多識故事。李在齊預修國史，創紀
傳書二十七卷。至開皇初，奉詔續撰，增多三十八篇，以上送
官藏之秘府。”

周史十八卷　未成。吏部尚書。**牛弘撰**

《通志·藝文略》列編年，誤。

《隋書·牛弘傳》：“弘字里仁，安定鶉觚人也。性寬裕，好學
博聞。在周起家中外府記室、内史上士，俄轉納言上士，專掌
文翰，甚有美稱，加威烈將軍、員外散騎侍郎，修起居注。開
皇初遷授散騎常侍、祕書監。”

《史通·浮詞篇》曰：“《周史》稱元行恭因齊得回，[①]庾信贈其
詩曰：‘虢亡垂棘反，齊平寶鼎歸。’陳周弘正來聘，在館贈韋

---

　　①　據上海書店 1988 年影印本《史通通釋》（以下簡稱“《史通》”），“齊”字下當補
“滅”字。

复詩曰:'德星猶未動,真車詎肯來。'其爲信、弘正所重如此。夫文以害意,自古而然,擬非其倫,由來尚矣。必以庾、周所作,皆爲實録,則其所褒貶,非止一人,咸宜取其指歸,何止採其四句而已。若乃題目不定,首尾相違,則百藥、德棻是也。心挾愛憎,詞多出没,若魏收、牛弘是也。"又《正史篇》曰:"宇文周史,大統有祕書丞柳虬兼領著作,直辭正色,事有可稱。至隋開皇中,祕書監牛弘追撰《周紀》十有八篇,略敍紀綱,仍皆牴牾。"又曰:"牛弘、王劭並掌策書,載齊言賤俗如彼,載周言則文雅若此,此非兩邦有夷雅之殊,由二史有虚寶之異也。"①又《雜説中》曰:"爰及牛弘,彌尚儒雅,即其舊事,因而勒成。務累清言,罕逢佳句。而令狐不能别求他述,用廣異聞,唯憑本書,重加潤色,遂使周氏一代之史,多非實録者焉。"又《雜説下》曰:"史稱近史編語,唯周多美辭。夫以博採古文而聚成今説。"又《世家篇》曰:"子顯《齊書》,北編《魏虜》;牛弘《周史》,南記蕭詧。考其傳體,宜曰世家。"又《言語篇》曰:"世之議者,咸以北朝衆作,《周史》爲工,蓋賞其記言之體,多同於古故也。夫以枉飾虚言,都捐實事,便號以良直,師其模楷,是則董狐、南史,舉目可求,班固、華嶠,比肩皆是者矣。"又曰:"收、宏撰《魏》、《周》二書,必諱彼夷音,變成華語,等楊由之聽雀,如介葛之聞牛,斯亦可矣。而於其間則有妄益文彩,虚加風物,援引《詩》、《書》,憲章《史》、《漢》,遂使沮渠乞伏,儒雅比於元封,拓跋宇文,德音同於正始,華而失實,過莫大焉。"又《邑里篇》曰:"觀《周》、《隋》二史,每述王、庾諸事,高、楊數公,必云瑯瑘王褒,新野庾信,宏農楊素,渤海高熲,以此咸言,豈曰省文。"

---

① 此條引文出自《史通·外篇·雜説下》。

隋書八十卷　王劭撰

見《新唐志》。《通志·藝文略》作六十卷。《隋志》入雜史類，作六十卷。

《隋書·王劭傳》："劭在著作將二十年，專典國史，撰《隋書》八十卷。多錄口敕，又採迂怪不經之語及委巷之言，以類相從，爲其題目，辭意煩雜，無足稱者，遂使隋代文武名臣列將善惡之迹埋没無聞。"《北史·王慧龍傳》同。

《史通·六家篇》曰："隋祕書監太原王劭，又錄開皇、仁壽時事，編而次之，以類相從，各爲其目，勒成《隋書》八十卷，尋其義例，皆準《尚書》。"又曰："如君懋《隋書》，雖欲祖述商、周，憲章虞、夏，觀其所述，乃似《孔子世家》，臨川《世説》，可謂畫虎不成反類犬也，故其書受嗤當代，良有以焉。"又《正史篇》曰："隋史當開皇、仁壽時，王劭爲書八十卷，以類相從，定其篇目，至於編年紀傳，並闕其體。"又《載文篇》、《邑里篇》文均見前。

續馬遷史記 卷亡。陸從典撰

《陳書·陸瓊傳》："第三子從典字由儀，幼而聰敏。仕隋爲給事郎兼東宮學士，又除著作佐郎。右僕射楊素奏從典續司馬遷《史記》迄於隋，其書未就。值隋末喪亂，寓居南陽郡，以疾卒，時年五十七。"

梁史 未成。姚察撰

《史通·正史篇》曰："陳祠部郎中姚察有志撰勒，施功未周。但既當朝務兼知國史，至於陳亡，其書不就。"又《題目篇》曰："魚豢姚察著《魏》、《梁》二史，巨細畢載，蕪累甚多，而俱牓之以略，考名責實，奚其爽歟？"案察書名史，傳有明文，以略命者，乃姚最也，子之所言，未知何據。

陳史 未成。同上

《陳書·姚察傳》：“開皇九年詔授祕書丞，別敕成梁、陳二代史。”又曰：“察所撰梁、陳史雖未畢功，隋文帝開皇之時遣內史舍人虞世基索本。大業初，內史侍郎虞世基奏思廉踵成梁、陳二代史，自爾以來，稍就補續。”

《史通·正史篇》曰：“太建初，中書郎陸瓊續撰諸篇。事傷煩雜，姚察就加删改，粗有條貫。及江東不守，持以入關。”

陳史 _{卷亡。}許善心撰

《隋書·許善心傳》：“其《序傳》末述製作之意曰：‘忝職郎署，兼撰《陳史》。’”

右正史類，共十一家二十三部五百七十九卷，卷亡者四部存疑。

編年類

梁典三十卷　何之元撰

見《隋志》。《舊唐志》同。

《陳書·文學傳》：“何之元，盧江灊人。解褐梁太尉臨川王揚州議曹從事史。禎明三年京城陷，乃隱居常州之晉陵縣。開皇十三年卒于家。以爲梁氏肇自武皇，終于敬帝，其興亡之運，盛衰之跡，足以垂鑒戒，定褒貶。究其始終，起齊永元元年，迄于王琳遇獲，七十五年行事，草創爲三十卷，號曰《梁典》。其序曰：‘記事之史，其流不一，編年之作，無若《春秋》，則魯史之書，非帝皇之籍也。案三皇之簡爲《三墳》，五帝之策爲《五典》，此典義所由生也。乃若《尚書》述唐帝爲《堯典》，虞帝爲《舜典》，斯又經文明據。是以典之爲義久矣哉。若夫馬《史》班《漢》，述帝稱紀，自兹厥後，因相祖習。及陳壽所撰，名之曰志，總其三國，分路揚鑣。唯何法盛《晉書》，變帝紀爲帝典，既云師古，在理爲優。故今之所作，稱爲《梁典》。梁有天下，自中大同以前，區寓寧晏，太清以從，寇盜交

侵,首尾而言,未爲盡美,故開此一書,分爲六意。以高祖創基,因乎齊末,尋宗討本,起自永元,今以前若干卷爲《追述》。高祖生自布衣,長於弊俗,知風教之臧否,識民黎之情僞。爰逮君臨,弘斯政術,四紀之内,寶云殷阜,今以若干卷爲《太平》。世不常夷,時無恒治,非自我後,仍屬横流,今以若干卷爲《敘亂》。洎高祖晏駕之年,太宗幽辱之歲,謳歌獄訟,自西陝不向東都。不庭之民,流逸之士,征伐禮樂,歸世祖不歸太宗。撥亂反正,厥庸斯在,治定功成,其動有屬,今以若干卷爲《世祖》。至於四海困窮,五德升替,則敬皇紹立,仍以禪陳,今以若干卷爲《敬帝》。驃騎王琳,崇立後嗣,雖不達天命,然是其忠節,今以若干卷爲《後嗣主》。至在太宗,雖加美謚,而大寶之號,世所不遵,蓋以拘於賊景故也。承聖紀歷,自接太清,神筆詔書,非宜輒改,詳之後論,蓋有理焉。夫事有始終,人有業行,本末之間,頗宜詮敘。案臧榮緒稱史無裁斷,猶起居注耳,由此而言,實資詳悉。又編年而舉其歲次,蓋取分明而易尋也。若夫獫狁孔熾,鯁我中原,始自一君,終爲二主,事有相涉,言成混漫。今以未分之前爲北魏,既分之後,高氏所輔爲東魏,宇文所挾爲西魏,所以相分別也。重以蓋彰殊體,繁省異文,其間損益頗有凡例。"

《史通·正史篇》曰:"廬江何之元、沛國劉璠以所見聞,究其始末,合撰《梁典》三十篇,而紀傳之書未有其作。"又《題目篇》曰:"陳壽、王劭曰志,何之元、劉璠曰典,此又好奇厭俗,習舊捐新,雖得稽古之宜,未達從時之義。"又《雜説》注曰:"何之元《梁典》稱議納侯景,高祖曰:'文叔得尹遵之降而隗囂滅,安世用羊祜之言而孫皓平。'夫漢晋之君,事殊僭盜,梁主必不捨其謚號,呼以字名,此由須對語儷詞故也。"《文苑英華》載何之元《高祖事論》一篇,文近二千言,目録稱爲《高祖革命論》。

齊紀三十卷　<small>紀後齊事。</small>崔子發撰

新、舊《唐志》有《北齊紀》二十卷，不著撰人，《通志・藝文略》作《北齊紀》三十卷。《史通・正史篇》曰：“自武平後，史官陽休之、杜臺卿、祖崇儒、崔子發等相繼注記，逮於齊滅。”

《文苑英華》蕭穎士《贈韋司業書》曰：“僕南遷士族，有梁支孫，見崔子發《齊紀》。”《資治通鑑》：“隋高祖曰：‘朕近覽《齊書》。’”胡三省音注曰：“是時李百藥所撰《齊書》未出，帝所覽者，乃崔子發《齊紀》也。”

齊紀三十卷　榮建緒撰

《隋志》不著録。

《隋書・榮毗傳》：“兄建緒，性甚亮直，兼有學業。仕周爲載師下大夫、儀同三司。及平齊之始，留鎮鄴城，因著《齊紀》三十卷。開皇初來朝，上謂之曰：‘卿亦悔不？’建緒稽首曰：‘臣位非徐廣，情類楊彪。’”

齊紀二十卷　杜臺卿撰

《隋志》不著録。《新唐志》有《北齊紀》二十卷，不著撰人，當即此。

《隋書・杜臺卿傳》：“臺卿字少山，博陵曲陽人。少好學，博覽書記，解屬文。撰《齊紀》二十卷，行於世。”

《史通・敘事篇》曰：“齊邱之犢，彰於載識。”原注云：“杜臺卿《齊紀》載識云：‘首牛入西谷，逆犢上齊邱也。’”

齊誌二十卷　王劭撰

《隋志》作十卷，《舊唐志》作《北齊志》十七卷。《隋書》劭本傳曰：“初撰《齊誌》，爲編年體二十卷。”

《史通・論贊篇》曰：“王劭志在簡直，言兼鄙野，苟得其理，遂忘其文。”又《補注篇》曰：“亦有躬爲史臣，手自刊補，雖志存

該博，而才闕倫敘，除煩則意有所恡，畢載則言有所妨。遂乃定彼榛楛，列爲子注，若蕭大圜《淮海亂離志》、羊衒之《洛陽伽藍記》、宋孝王《關東風俗傳》、王劭《齊志》之類是也。”又曰：“若蕭、羊之璅雜，王、宋之鄙碎，言殊揀金，事比雞肋，異體同病，焉可勝言。”又《言語篇》曰：“惟王、宋著書，敘元、高時事，抗詞正筆，務存直道，方言世語，由此畢彰。而今之學者，皆尤二子，以言多淬穢，語傷淺俗。夫本質如此，而推過史臣，猶鑑者見嫫姆多媸，而歸罪於明镜也。”又《敘事篇》曰：“裴子野《宋略》、王劭《齊志》，此二家者，並長於敘事，無愧古人，而世之議者皆雷同譽裴而共詆王氏。夫江左事雅，裴筆所以專工，中原跡穢，王文由其屢鄙。且幾原務飾虛辭，君懋志存實錄，此美惡所以爲異也。設使邱明重出，子長再生，記言於賀六渾之朝，書事於士尼干之代，將恐輟毫栖牘，無所施其德音。而作者安可以今方古，一概而論得失。”又曰：“處道受責於少期，子昇取譏於君懋。”原注云：“王劭《齊志》曰：‘时議恨邢子才不得掌與魏之書，恨甚，温子昇亦若此，而撰《永安記》，率是支言。’”又曰：“王劭《齊志》述洛語感恩，脱帽而謝。”又《直書篇》曰：“宋孝王《風俗傳》、王劭《齊志》，其敘述當時，亦務在審實。案於時河朔王公，箕裘未隕，鄴城將相，薪構仍存，而二子書其所諱，曾無憚色，剛亦不吐，其斯人歟。”又《曲筆篇》曰：“夫不彰其罪而輕肆其誅，此所謂兵起無名，難爲制勝者。尋此論之作，蓋由君懋書法不隱，取咎當時。或有假手史官以復私門之恥，不然何惡直醜正，盜憎主人之甚乎？”又《摸擬篇》曰：“《左傳》稱叔輒聞日蝕而哭，昭子曰：‘子叔其將死乎？’秋八月叔輒卒。至王劭《齊志》稱‘張伯德夢山上掛絲，占者曰：其爲幽州乎？秋七月拜爲幽州刺史。’以此而擬左氏，又所謂貌異而心同也。”又曰：“敘晋敗於郊，先濟者賞，而云‘上軍下軍爭舟，舟中之指可掬’。夫不言攀舟亂，以刃斷指，而但曰‘舟指可掬’，則讀者自覩其事矣。至王劭《齊志》，述高季式破敵於韓陵，追奔逐北，而云‘夜半方歸，槊血滿袖’，夫不言奮槊深入擊刺甚多，而但稱‘槊血滿袖’，則聞者亦知其義矣。以此而擬左氏，又所謂貌異而心同也。”又《正史篇》曰：“王乃憑述起居注，廣以異聞，造編年書，號曰《齊志》，十有六卷。”原注云：“二十卷，今世間傳者，惟十六卷焉。”又《外篇·雜說中》曰：“近者沈約《晉書》，喜造奇說，稱元帝牛金之子，以應牛繼馬後之徵。鄴中學者王劭、宋孝王言之詳矣。”又曰：“或問曰：‘王劭《齊志》多記當時鄙言，爲是乎？爲非乎？’對曰：‘古往今來，名目各異，區分壤隔，稱謂不同。所以晋、楚方言，齊、魯俗語，《六經》、諸子，載之多矣。如今之所謂者，若中州名漢，關右稱羌，易臣以奴，呼母曰姊。主上有大家之號，師人致兒郎之說。凡如此例，其流甚多，必尋其本源，莫詳所出，閱諸《齊志》，則了然可知。由斯而言，劭之所錄，其爲宏益多矣，足以開後進之蒙蔽，廣來者之耳目，微君懋，吾幾面牆於近事矣。”又《雜說下》曰：“覩周、齊二國，俱出陰山，必言類互鄉，則宇文尤甚。”原注云：“案王劭《齊志》，宇文公高祖曰‘漢兒’，[1]夫以獻武音詞未變胡俗，王、宋所載其鄙甚多矣。”又曰：“梁武之居江陵，齊宣之在晋陽，或文出荆州，假稱宣德之令，或書成並部，虛云孝靖之敕。凡此文誥，本不施行，必也載之起居，編之國史，豈所謂撮其機要，翦截浮辭者哉？但二蕭、陳、隋諸史，通多此失，唯王劭所撰《齊志》獨無是焉。”又曰：“以澹著書方於君懋，豈惟其間可容數人而已。史官美澹而議劭者，豈所謂通鑒乎？”

---

① 據《史通·雜說下》注，“高祖”前當補“呼”字。

又曰："宋孝王、王劭之徒，其所記也，喜論人帷簿不修，言貌
鄙事，訐以爲直，吾無取焉。"又《忤時篇》曰："王劭直書，見讐
貴族。"又《題目篇》、《載文篇》文均見前。《困學紀聞》謂"王
劭直書"二語，據《唐文粹》劭當作劭。章宗源《隋志考證》謂
"《曲筆篇》稱劭爲抗辭不撓，正與'直書、見讐'相類，則不得
謂作劭者誤。"案《集韻》：劭，時饒切，邵平聲，義同。邵，時照
切。《正字通》：從邑者爲邑爲姓，从力者訓勸勉，又訓高也，
俗多譌混。

右編年類，共五家五部一百四十卷。

霸史類

梁後略十卷　姚最撰

《舊唐志》作《梁昭後略》十卷。《新志》同。《通志·藝文略》
從《隋志》。

《周書·姚僧垣傳》："僧垣次子最字士會，幼而聰敏，及長博
通經史，尤好著述。隋文帝踐極，除太子門大夫。以父憂去
官，哀毀骨立。既免喪，襲爵北絳郡公，復爲太子門大夫。撰
《梁後略》十卷行於世。"

《史通·雜述篇》曰："姚最《梁昭後略》，此之謂偏紀者也。"又
《外篇·雜說下》曰："自梁室云季，雕蟲道長。平頭上尾，尤
忌於時，對語儷辭，盛行於俗。"原注云："姚最《梁後略》稱高
祖曰：'得既在我，失亦在予，不及子孫，知復何恨。'此（整理者
按，"此"字，手稿本有刪除標誌）夫變我稱予，互文成句，求諸人語，理
必不然。此由避平頭上尾故也。"又《題目篇》文見前。

《太平御覽·兵部》：陸納襲巴陵，乘水攻城，驃騎方食甘蔗，
曾無變色。又太寶元年與西魏結盟送質，相約爲兄弟之親。
又河東王譽禦蕭方等兵，方等溺於江中。又上自長沙寺移往

天居寺，北兵射書城内。又褚羅率其下五百人，乘大艦水戰。又《人事部》：賀革因江革言夢湘東王必當璧，遂往荊州。均引《梁後略》。又《兵部》引君子曰：“普通之末，邊疆告警，寇虜烽熻，擊柝相聞。皇上乃運籌帷中，邁曹王之遠略，決勝千里，起光武之懸謀。故能師不疲勞，獻捷相繼。”此亦最之論贊。

梁史百卷　蕭欣撰

《隋》、《唐志》均不著録。

《周書·蕭詧傳》：“欣，梁武帝弟安成康王秀之孫，煬王機之子也。幼聰警，博綜墳籍，善屬文。歸之二十三年卒，贈司空。著《梁史》百卷，遭亂失本。”

後梁春秋十卷　蔡允恭撰

見《新唐志》。

《唐書·蔡允恭傳》：“允恭，荊州江陵人。美姿容，工爲詩。仕隋歷著作佐郎、起居舍人。煬帝有所賦，必令諷誦。撰《後梁春秋》十卷。”

《史通·因習篇》曰：“蔡述《後梁史》，考斯衆作，咸是僞書。”又《外篇·雜説中》《周書》條原注云：“案宇文氏事多見於王劭《齊志》、《隋書》，及蔡允恭《後梁春秋》。”

右霸史類，共三家三部一百二十卷。

卷四

雜史類

淮海亂離志四卷　蕭圓肅撰

《隋志》入古史，作蕭世怡撰，非。《唐志》作蕭大圓撰，亦非。《周書·蕭圓肅傳》："圓肅字明恭，梁武帝之孫，武陵王紀之子也。風度淹雅，敏而好學。隋開皇初授貝州刺史，以母老請歸就養，文帝許之。四年卒。撰《淮海亂離志》四卷行於世。"

《史通·補注篇》曰："若蕭大圓《淮海亂離志》。"又《外篇·雜說中》《周書》條原注云："其王褒、庾信等事，又多見於蕭韶《太清記》、蕭大圓《淮海亂離志》。"

晉王北伐記十五卷　柳䛒撰

《隋書·柳䛒傳》："䛒字顧言，少聰敏，解屬文，好讀書，所覽將萬卷。爲晉王諮議參軍。王好文雅，招引文學之士諸葛穎、虞世南、王胄、朱瑒等百餘人以充學士，而䛒爲之冠。撰《晉王北伐記》十五卷行世。"

帝王世紀音四卷　虞綽撰

《隋書·虞綽傳》不載。

古今帝代記一卷　明克讓撰

《隋志》不著錄。《克讓傳》稱："博涉書史，所覽將萬卷。于時東宮盛徵天下才學之士，至於博物洽聞，皆出其下。撰《古今帝代記》一卷。"

八代四科志三十卷　崔賾撰

《隋志》不著録。《崔廓傳》："子賾字祖濬，七歲能屬文。開皇初秦孝王薦之，射策高第，詔與諸儒定禮樂，授校書郎，尋轉協律郎，太常卿蘇威雅重之。与洛陽元善、河東柳咠、太原王劭、吴興姚察、琅琊諸葛穎、信都劉焯、河間劉炫相善，每因休假，清談竟日。撰《八代四科志》三十卷，未及施行，江都傾覆，咸爲煨燼。"

大業雜記十卷　　杜寶撰

見《新唐志》。

《資治通鑑》胡注引之曰："甲戌文帝崩，辛巳發喪，壬午煬帝即位。"又曰："初太子之遘疾也，時與楊素同在侍宴，帝既深忌於素，並起二庖同至。傳酒者不悟是藥酒，錯進太子，既飲三日而毒發[①]，下血二斗餘。宮人聞素平常，始知毒酒誤飲太子，祕不敢言。太子知之，歎曰：'豈意代楊素死乎？'數日而薨，後素亦竟以毒斃。"

大業拾遺録　卷亡。同上

《太平御覽·百穀部》引之曰："吏部侍郎楊恭仁欲改葬，學士舒綽曰：'此所擬之處，掘深五尺之外亦有五穀，若得一穀即是福德之地，公侯世世不絶。'恭仁即將綽向京，令人掘深七尺，得一穴，如五石甕大，有粟七八斗。此地經曰：粟爲蟻運，粟下入此穴。[②] 當時朝野之士以綽爲聖。"又《飲食部》、《鱗介部》、《木部》、《果部》、《香部》、《藥部》均各引之，間作《大業拾遺記》，而《文部》引作《隋大業拾遺》，内云虞世基命杜寶序《吴郡風俗》，不略不煩，文理相副。當爲一種。

右雜史類，共五家六部六十四卷。卷亡者一部存疑。

---

① "三日"，原誤作"二日"，據《通鑑》胡注引改。

② "粟"，衍文，當删。

起居注類

開皇元年起居注六卷　佚名

見《新唐志》。

《史通·史官篇》曰："王劭、魏澹展效於開皇之朝，諸葛穎、劉炫宣功於大業之世。"《隋書·儒林傳》乃稱炫與著作郎王劭同脩國史。

開皇起居注六十卷　佚名

《唐六典》注曰："漢獻帝及西晉以後諸帝皆有起居注，並史官所録。隋置爲職員，列爲侍臣，專掌其事，每季爲卷，送付史官。"

大業起居注　卷亡。王胄等撰

《史通·正史篇》曰："煬帝世，唯有王胄等所修《大業起居注》，及江都之禍，仍多散逸。"《隋書·文學傳》："王胄字承基，琅邪臨沂人也。大業初爲著作佐郎，以文詞爲煬帝所重。曾謂侍臣曰：'氣高致遠，歸之於胄，詞清體潤，其在世基，意密理新，推庾自直。過此者未可以言詩也。'帝所作篇什，多令繼和。與虞綽齊名，同志友善。所著詞賦多行於世。"

起居注　卷亡。李孝威撰

見《北史·李順傳》。

起居注　卷亡。王劭撰

見《北史·王慧龍傳》。

《史通·史官篇》曰："煬帝以爲古有内史、外史，今既有著作，宜立起居。遂置起居舍人二員，職隸中書省，如庾自直、崔祖濬、虞世南、蔡允恭等，咸居其職，時謂得人。"

右起居注類，共三家五部六十六卷，卷亡者三部，佚名者二家存疑。

故事類

梁魏舊事三十卷　　蕭大圜撰

見《新唐志》。《隋志》圜作環，錢氏《考異》曰“當作圜”。

《周書・蕭大圜傳》：“大圜字仁顯，梁簡文帝之子也。幼而聰敏，神情俊悟。恒以讀《詩》、《禮》、《書》、《易》爲事。隋開皇初拜内史侍郎，出爲西河郡守。性好學，務於著述。撰《梁舊事》三十卷。”《北史》列傳同。

《太平寰宇記》：江南東道石英寶，賜姓阮氏，時人名所居之溪爲阮公溪。又梁武時童謡曰：烏山出天子。又曰：天子之居在三餘。均見《梁舊事》，作《梁陳舊事》）。

東宮典記七十卷　左庶子。宇文愷撰

《隋書・宇文愷傳》“撰《東都圖記》二十卷”，不載《東宮典記》，而《陸爽傳》：“爽字開明。與陽休之、袁淑德等十餘人俱徵入關，諸人多將輜重，爽獨載書數千卷。高祖受禪，轉太子内直監，尋遷太子洗馬。與左庶子宇文愷等撰《東宮典記》七十卷。”然則《舊唐志》作宇文愷等撰，《新唐志》作陸開明、宇文愷撰，是。入儀注類，非。

鄴都故事十卷　　裴矩撰

見《新唐志》。《通典・職官門》有《鄴都故事》，云北齊楊楞伽撰。《太平御覽・兵部》、《太平寰宇記》並引《鄴城故事》，不著撰人，當與此相類也。

隋皇儲故事二卷　　佚名

見《通志・藝文略》儀注類。

太清實録十卷　　裴政撰

《隋書・裴政傳》：“政字德表，河東聞喜人。幼明敏，博聞强記。著《承聖降録》十卷。”

《史通·雜説中》原注云："王褒、庾信等事多見於裴政《太清實録》。"又《雜説下》原注云："案裴政《梁太清實録》称元帝使王琛聘魏，長孫儉謂宇文曰：'王琛眼睛全不轉。'公曰：'瞎奴使癡人来，豈得怨我？'此言與王、宋所載相類，可謂真宇文之言，無媿於實録矣。"《隋志·雜史類》作《梁太清録》八卷，《新唐志·實録類》作《梁太清實録》十卷，鄭浹際《通志》從之。《太平御覽·人事部》引《梁太清實録》曰："中宗諱繹字世誠，聲若撞鐘，辯如河瀉。"

開業平陳記二十卷　裴矩撰

新、舊《唐志》均作《隋開業平陳記》十二卷，入雜史類。《隋記考異》引《平陳記》曰："張貴妃等八人夾坐，江總等十人預宴，先令八婦人襞采牋，製五言詩，十客一時繼和，稽緩則罰酒。"

隋平陳記一卷　臣·□悦撰

見《通志·藝文略·雜史類》。案《隋記考異》所引，究爲裴矩所撰，抑悦所撰，不可得知。

右故事類，共六家七部一百四十三卷，佚名者一家存疑。

職官類

隋官序録十二卷　郎楚之撰

《隋志》不著録。《新唐志》不注何代人。案《唐書·儒學傳》："郎餘令祖穎，字楚之，與兄蔚之俱有名。隋大業中爲尚書民曹，郎蔚之位左丞。煬帝語稱'二郎'。"《隋書》："郎茂字蔚之。恒山贊治王文同與茂有隙，奏茂朋黨，附下罔上。詔遣納言蘇威、御史大夫裴蘊雜治之。茂與二人不平，因深文巧詆成其罪狀。帝大怒，及其弟楚之皆除名爲民。"是楚之的爲隋人無疑。

職官要録鈔三卷　佚名

《通志·藝文略》注上古訖隋,案隋唐均不著録,有《職官要録》三十卷陶藻撰,盖隋人本此鈔成三卷耳。

中書表集 _{卷亡。}**姚察撰**

見《南史》察本傳。

六官一部 _{不著卷。}**辛彦之撰**

見《隋書·辛彦之傳》。

右職官類共四家四部十五卷。卷亡者二部,佚名者一家。

儀注類

隋朝儀禮一百卷　牛弘撰

《隋書·牛弘傳》:"開皇三年拜禮部尚書,奉敕修撰《五禮》,勒成百卷,行於當世。"又曰:"高祖令弘與楊素、蘇威、薛道衡、許善心、虞世基、崔子發等,並詔諸儒論新禮降殺輕重。弘所立議,衆咸推服之。"《宇文愷傳》:"奉詔修定《五禮》,書成奏之,賜公田十二頃。"《辛彦之傳》:"高祖受禪歲餘,與禮部尚書牛弘撰《新禮》。"《劉炫傳》:"蜀王慶與諸儒修定《五禮》,授旅騎尉。"《崔廓傳》:"子賾射策高第,詔與諸儒定禮樂,授校書郎。"又《禮儀志》曰:"高祖命牛弘、辛彦之等採梁及北齊《儀注》,以爲《五禮》。"又曰:"開皇初高祖思定典禮,太常卿牛弘奏曰:'聖教陵替,國章殘缺,漢、晋爲法,隨俗因時,未足經國庇人,弘風施化。且制禮作樂,事歸元首,江南王儉,偏隅一臣,私撰儀注,多違古法。就廬非東階之位,凶門豈設重之禮,兩蕭累代,舉國遵行。後魏及齊,風牛本隔,殊不尋究,遂相師祖,故山東之人,浸以成俗。西魏已降,師旅弗遑,賓嘉之禮,盡未詳定,今休明啟運,憲章伊始,請據前經,革兹俗弊。'詔曰:'可。'弘因奏徵學者,撰《儀禮》百卷。悉用東齊《儀注》以爲準,亦微採王儉《禮》。修畢上之,詔遂班天下,咸使遵用焉。其《喪紀》上自公卿，下逮庶人，著令皆爲定制，無相差越。"《通典》曰："隋文帝命牛弘、辛彥之等采梁及北齊《儀注》以爲《五禮》。"

隋吉禮五十四卷　高熲撰

見《唐志》。《舊志》作高熲等撰。

隋書禮七卷　高熲等撰

見《舊唐志》。

江都集禮一百二十卷　潘徽　牛弘等撰

見《新唐志》。《隋志》入論語類，作一百二十六卷，不著撰人。《傳》曰："晉王廣引爲揚州博士，令與諸儒撰《江都集禮》一部，復令徽作序曰：'禮之爲用至矣。大與天地同節，明與日月齊照，源開三本，體合四端。巢居穴處之前，即萌其理，龜文鳥迹以後，稍顯其事。雖情存簡易，意非玉帛，而夏造殷因，可得知也。至如秩宗三禮之職，司徒五禮之官，邦國以和，人神惟敬，道德仁義，非此莫成，進退俯仰，去兹安適。若璽塗印，猶防止水，豈直譬彼耕耨，均斯粉澤而已哉。自世屬坑焚，時移漢、魏，叔孫通之碩解，高堂隆之博識，專門者霧集，制作者風馳，節文頗備，枝條互起。皇帝負扆垂旒，辨方正位，纂勛華之曆象，綴文武之憲章。車書之所會通，觸境斯應，雲雨之所需潤，無思不虔。東探石簣之符，西蠹羽陵之策，鳴鑾太室，偃伯靈臺，樂備五常，禮兼八代。上柱國、太尉、揚州總管晉王，握珪璋之寶，履神明之德，隆化讚傑，藏用顯仁。地居周邵，業冠河楚，允文允武，多才多藝。戎衣而籠關塞，朝服而掃江湖，收杞梓之才，闢康莊之館。加以佃漁六學，網羅百氏，繼稷下之絕軌，弘泗上之淪風，賾無隱而不探，事有難而必綜。至於采標綠錯，華垂丹篆，刑名長短，儒墨是非，書囿翰林之域，理窟談叢之內，謁者所求之餘，侍醫所校之逸，莫不澄涇辨渭，拾珠棄蚌。以爲質文遞改，損益不同，《明堂》《曲臺》之記，南宮、東觀之説，鄭、王、徐、賀之答，崔、譙、何、庾之論，簡牒雖盈，菁華蓋鮮，乃以宣條暇日，聽訟餘晨，娛情窺寶之鄉，凝相觀濤之岸，總括油素，躬披緗縹，芟蕪刈楚，振領提綱，去其繁雜，撮其指要，勒成一家，名曰《江都集禮》。凡十二帙，一百二十卷，取方月數，用比星周，軍國之義存焉，人倫之紀備矣。昔者龜蒙，令后睢渙，名藩誠復，出警入蹕，擬乘輿之制度，建韠載旂，用天子之禮樂。求諸述作，未聞茲典。方可韜之判水，副彼名山，見刻石之非工，嗤懸金之已陋。是知沛王通論，不獨擅於前脩，寧朔新書，更追慚於往冊。徽幸棲仁岳，忝遊聖海，謬承恩獎，敢敘該博之致云。'"《崇文總目》曰："隋諸儒撰，初煬帝以晋王爲揚州總管，鎮江都，令諸儒集周、漢以來禮制因襲，下逮江左先儒論議，命潘徽爲之序，凡一百二十卷，今亡闕，僅存一百四卷。"

士喪儀注五卷　蕭大圜撰

見《北史·蕭大圜傳》。

隋諸衛左右廂旗圖樣十五卷　佚名

見《通志·藝文略》。

婚姻志三卷　劉祐撰

見《隋書·蕭吉傳》。

封禪書一卷　何妥撰

見《隋書·何妥傳》。《禮儀志》云："開皇十四年，群臣請封禪，高祖不納。晋王廣又率百官抗表固請，帝命有司草《儀注》，於是牛弘、辛彦之、許善心、姚察、虞世基等創定其禮，奏之。"舊案《志總集類》有《大隋封禪書》一卷，不著撰人，當即此也。

二儀實錄一卷　劉孝孫撰

見《通志·藝文略》。《唐書》列傳曰："孝孫少知名，大業末爲王世充弟杞王辯行臺郎中。"

傳國璽十卷　姚察撰

見《新唐志》。《南史》察本傳云撰《玉璽記》一卷,或即此歟?

封禪圖 卷亡。**薛胄撰**

封禪儀 卷亡。**同上**

《隋書》胄本傳:"胄字紹玄,河東汾陰人。每覽異書,便曉其義。常歎訓注者不會聖人深意,輒以意辯之,諸儒莫不稱善。又以天下太平登封告禪,帝王盛烈,遂遣博士登太山,觀古跡,撰《封禪圖》及《儀》上之。"

宣露布禮 卷亡。**牛弘撰**

見《隋書・禮儀志》。

新禮 卷亡。**辛彥之撰**

《隋書》彥之本傳作一部,不著卷數,《志》不著錄。

右儀注類,共十一家十四部三百一十二卷,佚名者一家,卷亡者四部。

刑法類

隋律十二卷　高熲等撰

《隋志》不著撰人。《刑法志》曰:"高祖既受周禪,開皇元年乃詔尚書左僕射、渤海公高熲,上柱國、沛國公鄭譯,上柱國、清河郡公楊素,大理前少卿、平源縣公常明,刑部侍郎、保城縣公韓濬,比部侍郎李諤,兼考工侍郎柳雄亮等更定新律,奏上之。"《李德林傳》:"開皇元年,敕令與太尉、任國公于翼、高熲等同修律令,事迄奏聞。"《裴政傳》:"開皇元年,詔與蘇威等修定律令,政採魏、晉刑典,下至齊、梁,沿革輕重,取其折衷,同撰著者十有餘人。凡凝滯不通皆取決於政。"《房暉遠傳》:"奉詔預修令式。"

杜氏《通典》曰："隋文帝初令高熲等更定新律,其刑名有五:
一曰死刑二:有斬有絞;二曰流刑三:有千里,千五百里,二千
里。應配者千里居作二年,千五百里居作二年半,二千里居
作三年;三曰徒刑五:有一年,一年半,二年,二年半,三年;四
曰杖刑五:自六十至於百;五曰笞刑五:自十至於五十。而蠲
除前代鞭刑及梟首轘裂之法,其流徒之罪,皆減從輕;流役六
年改爲五年,徒刑五年改爲三年;唯大逆謀反叛者,父子兄弟
皆斬,家口没官。又置十惡之條,多採齊之制,而頗有損益:
一曰謀反,二曰謀大逆,三曰謀叛,四曰惡逆,五曰不道,六曰
大不敬,七曰不孝,八曰不睦,九曰不義,十曰内亂,十惡及故
殺人獄成者,雖會赦猶除名。其在八議之科及官品第七以上
犯罪,皆例減一等。其品第九以上犯者聽贖,應贖者皆以銅
代絹,銅一斤爲負,負十爲殿。笞十者銅一斤,加至杖百則十
斤。徒一年贖銅二十斤,每等則加銅十斤,三十年則六十斤
矣。流千里贖銅八十斤,每等則加銅十斤,二千里則百斤矣。
二死皆贖銅百二十斤。犯私罪以官當徒者,五品以上,一官
當徒二年,九品以上,一官當徒一年。當流者,三流同皆以徒
三年。[①] 若犯公罪者,徒各加一年,當流者各加一等,其累徒
過九年者,流二千里。"

新律十二卷　蘇威　牛弘等撰

《隋刑法志》:"開皇三年高祖因覽刑部奏,斷獄數猶至萬條,
以爲律尚嚴密,故人多陷罪,又敕蘇威、牛弘等更定新律。除
死罪八十一條,流罪一百五十四條,徒杖等千餘條,定留惟五
百條,凡十二卷。一曰名例,二曰衛禁,三曰職制,四曰户婚,

---

① "以",據浙江古籍出版社 2000 年影印本《通典》(以下簡稱"《通典》")當作
"比"。

五曰廐庫,六曰擅興,七曰盜賊,八曰鬭訟,九曰詐僞,十曰雜律,十一曰捕亡,十二曰斷獄。自是刑綱簡要,疏而不失。"又《蘇威傳》曰:"隋承戰爭之後,憲政蹐駮,上令朝臣釐改舊法,爲一代通典。律令格式,多威所定。"

《唐書·李百藥傳》:"開皇十九年召見仁壽宮,襲父爵安平公。僕射楊素、吏部尚書牛弘愛其才,署禮部員外郎。奉詔定五禮、律令、陰陽書。"

隋大業律十八卷

見《唐志》。《隋志》作十一卷。又《刑法志》曰:"煬帝即位,以高祖禁網深刻,又敕修律令,除十惡之條。時升稱皆小,①舊二倍,其贖銅亦加二倍爲差。杖百則三十斤矣。徒一年者六十斤,每等加三十斤爲差,三年則一百八十斤矣。流無異等,贖二百四十斤。二死同贖三百六十斤。其實不異開皇舊制。"又《煬帝紀》:"大業三年三月甲申頒律令,大赦天下。"又《劉炫傳》曰:"煬帝即位,牛弘引炫脩律令。"

《通典》曰:"大業三年新律成,凡五百條,爲十八篇,詔施行之,謂之大業律。一曰名例,二曰衛宮,三曰違制,四曰請求,五曰戶,六曰婚,七曰擅興,八曰告劾,九曰賊,十曰盜,十一曰鬭,十二曰捕亡,十三曰倉庫,十四曰廐牧,十五曰關市,十六曰雜,十七曰詐僞,十八曰斷獄。其五刑之內,降從輕典二百餘條。"

《資治通鑑》:"大業三年夏四月,牛弘等造新律成,凡十八篇,謂之《大業律》。甲申始頒行之。民久厭嚴刻,喜於寬政。其後征役繁興,民不堪命,有司臨時迫脇,以求濟事,不復用律令矣。旅騎尉劉炫預修律令。"

---

① 升,據中華本《隋書》當作"斗"。

隋開皇令三十卷　牛弘等撰

見《新唐志》。《隋志》有目一卷,不著撰人。《舊志》作裴正等撰。案《隋書》無《裴正傳》,而《裴政傳》有與蘇威等十餘人修律令事,當係政正之誤。又《趙軌傳》云:"詔軌與奇章公牛弘撰定律令格式。"

《唐六典》曰:"隋開皇命高頻等撰令三十卷:一官品上,二官品下,三諸省臺職員,四諸寺職員,五諸衛職員,六東宮職員,七行臺諸監職員,八諸州郡縣鎮戍職員,九命婦品員,十祠,十一戶,十二學,十三選舉,十四封爵俸廩,十五考課,十六宮衛軍防,十七衣服,十八鹵簿上,十九鹵簿下,二十儀制,二十一公式上,二十二公式下,二十三田,二十四賦役,二十五倉庫廄牧,二十六關市,二十七假寧,二十八獄官,二十九喪葬,三十雜。"

隋大業令三十卷

見《隋志》。《通志·藝文略》同。《隋書·薛道衡傳》曰:"會議新令,久不能決,道衡謂朝士曰:'向使高頻不死,令決當久行。'"

右刑法類,共三家五部一百零二卷,佚名者二家存疑。

卷五

雜傳類

知己傳一卷　盧思道撰

見《隋志》。《新唐志》同。《史通・雜述篇》曰："普天率土，人物宏多，求其行事，罕能周悉，則有獨舉所知編爲短部，若戴逵《竹林名士》、王粲《漢末英雄》、蕭世誠《懷舊文》、盧子行《知己傳》，此之謂小録者也。"胡應麟《甲乙剩言》曰："余從都下得盧思道《知己傳》兩卷，上自伊尹，下至六代，由君相、父子、妻子、友朋以及鬼神、禽畜，涉於知己者皆録。第諸葛孔明與先主最相知，以爲有‘君自取之’一語，爲大不知己，不録。蓋有激乎其言之也。"

旌異記十五卷　侯白撰

《隋》、《唐志》均作侯君素撰，《新志》入子部小説類，亦作君素。案《隋書》無《侯君素傳》，僅《陸爽傳》曰："爽同郡侯白字君素，好學有捷才。著《旌異記》十五卷行於世。"《北史・李文博傳》同。《大唐内典録》作《旌異傳》二十卷，云："相州秀才儒林侯君素奉文帝敕撰。素名白，神思卓詭，博綜玄儒。常居宰傅之右，以問幽極之略，故著此傳，用悟士俗。"《太平御覽・釋證部》引《旌異記》曰："高齊初沙門寶公，從林慮山向白鹿山，因迷失道，趨見石趙時佛圖證法師所造靈隱寺。"《太平廣記・釋證類》同。

符瑞記十卷　許善心撰

見《隋志》。新、舊《唐志》同。《新志》子部雜家類有許善心

《皇隋瑞文》十四卷，不知是否一種。

靈異記十卷　崔賾　許善心撰

《隋書》善心本傳："大業九年，帝嘗言及高祖受命之符，因問鬼神之事，敕善心與崔祖濬撰《靈異記》十卷。"《志》不著撰人，與此相符，當是脱失。

集靈記二十卷　顏之推撰

《舊唐志》作十卷，《新志》入子部小説類。《太平御覽·服用部》引顏之推《集靈記》琅邪王誑亡後數年見形於妻事。

冤魂志三卷　同上

今存，稱《還冤志》。《新唐志》入子部小説類，非。

皇隋靈感誌三十卷　王劭撰

《隋志》不著録，新、舊《唐志》均入子部小説類，作十卷。案《王劭傳》："劭採民間歌謠，引圖書纖緯，捃拾佛經，撰爲《皇隋靈感誌》，合三十卷，奏之。上令宣示天下。劭集諸州朝集使，洗手焚香，閉目而讀之，曲折其聲，有如歌詠。經涉旬朔，徧而後罷。"與《符瑞》、《靈異》等記相類，故移此。

舍利感應記三卷　同上

見《隋志》。《通志·藝文略》同。

酬德傳三十卷　劉善經撰

《隋》、《唐志》均不著録。善經本傳云："撰《酬德傳》三十卷行世。"

元經薛氏傳十五卷　王通撰

見晁氏《讀書志》。《直齋書録解題》入編年類，非。《全唐文》楊炯《王勃集序》曰："自晋太始元年至隋開皇九年平陳之歲，褒貶行事，述《元經》以法《春秋》，門人薛收竊慕，同爲《元經》之傳，未就而殁。"序文見《古今圖書集成·經籍典》。

粧臺記六卷　宇文士及撰

見《宋志·醫藥類》。

平賊記三卷　王劭撰

《隋書》劭本傳曰："復爲《齊書》紀傳一百卷，及《平賊記》三卷。或文詞鄙野，或不軌不物，駭人視聽，大爲有識所嗤鄙。"

皇隋瑞文十四卷　許善心撰

見《新唐志》子部雜家，究與《符瑞記》是否一種，待考。

幽州古今人物志十三卷　陽休之撰

見《舊唐志》。《北史·陽尼傳》曰："休之撰《幽州人物志》行世。"

大隋翻經婆羅門法師外國傳五卷　佚名

《隋志》入地理類，今移此。《唐志》有僧智猛《遊行外國傳》一卷，《交州以來外國傳》一卷，與此當非一種也。

四科傳讚四卷　魏澹撰

《隋志》不著錄。新、舊《唐志》均作姚澹，《古今圖書集成》考爲魏澹之誤。

李士謙傳　崔廓撰

見《隋書》廓本傳。

右雜傳類，共十二家十六部一百七十七卷，卷亡者一部待考。

譜牒類

韋氏譜七卷　韋鼎撰

見《新唐志》。《舊志》作韋鼎等撰。《隋志》作《京兆韋氏譜》二卷。《韋鼎傳》："鼎字超盛，京兆杜陵人。少通脫，博涉經史，明陰陽逆刺，尤善相術。高祖受禪，拜黃門侍郎，待遇甚厚，每與王公宴賞，鼎恒預焉。高祖嘗從容謂之曰：'韋世康與公相去遠近？'鼎對曰：'臣宗族分派，南北孤絕，自生以來，未嘗訪問。'帝曰：'公百世卿族，何得爾也。'乃命官給酒肴，遣世康與鼎還杜陵,樂飲十餘日。鼎乃考校昭穆,自楚太傅孟以下二十餘世,作《韋氏譜》七卷。"

述系傳一卷　姚最撰

諸劉譜三十卷　劉善經撰

《隋書·劉善經傳》:"善經撰《諸劉譜》三十卷行世。"《志》不著錄。

何氏家傳二卷　何妥撰

見《舊唐志》。《新志》入雜傳記類,非。

爾朱氏家傳二卷　王劭撰

見《舊唐志》。《新志》入雜傳記類,非。

古鑑記一卷　王劭撰

見《通志·藝文略》。

皇室譜三篇　鮑宏撰

《隋志》不著錄。《鮑宏傳》:"宏字潤身,東海郯人,年十二能屬文。周武帝敕宏修《皇室譜》一部,分爲《帝緒》、《疏屬》、《賜姓》三篇。"

右譜牒類,共六家七部四十六卷三篇。

目録類

開皇四年四部書目録四卷　牛弘等撰

見《舊唐志》。《隋志》曰:"開皇三年,祕書監牛弘表請分遣使人搜訪異本,每書一卷賞絹一疋,校寫既定,本既歸主。於是民間異書往往間出。"《牛弘傳》曰:"今御書單本,合一萬五千餘卷,部帙之間仍有殘缺。比梁之舊目,止有其半。至於陰陽河洛之篇、醫方圖譜之説,彌復爲少。"

開皇八年四部目録四卷　佚名

新、舊《唐志》均不載。

開皇二十年書目四卷　　王劭撰

見《舊唐志》。《隋志》曰："及平陳已後，經籍漸備。檢其所得，多太建時書，紙墨不精，書亦拙惡。於是總集編次，存爲古本。召天下工書之士，京兆韋霈、南陽杜頵等，祕書內補續殘缺，爲正副二本，藏于宮中，其餘以實祕書內、外之閣，凡三萬餘卷。"

隋大業正御書目録九卷　　佚名

《隋志》曰："煬帝即位，祕閣之書，限寫五十副本，分爲三品：上品紅瑠璃軸，中品紺瑠璃軸，下品漆軸。於東都觀文殿東西廂構屋以貯之，東屋藏甲乙，西屋藏丙丁。"《北史》曰："隋西京嘉則殿有書三十七萬卷，煬帝命柳顧言等詮次，除其重複猥雜，得正御本三萬七千餘卷，納於東都修文殿。又寫五十副本，簡爲三品，分置西京東都宮省，其正御書，皆裝翦華綺，寶軸錦標，於觀天殿前爲書室四十間，窗户褥幔，咸極珍麗。"

寶臺四法藏目録一百卷　　大業中撰。佚名

《隋志》曰："聚魏已來古跡名畫，於殿後起二臺，東曰妙楷臺，西曰寶臺，[①]藏古畫。又於內道場集道、佛經，別撰目録。"入子部雜家類，今改此。

仁壽年內典録五卷　　佚名

《續大唐內典録》引《京師延興寺釋玄琬傳》云："文帝敕大興善寺大德與翻經沙門學士，披檢法藏，詳定此録。單本一，重翻二，賢聖集傳三，別生四，疑偽五。"《開元釋教録》並引《續高僧傳》云："見闕。都合二千一百九部，五千五十八卷。別生、疑偽，不須抄寫，已外三分，諸入藏見録，録並沙門彥琮綜理裁定。"

---

① 中華本《隋書》據張彦遠《歷代名畫記》在"寶"字下補"蹟"字。

隋衆經目録七卷　釋法經彦琮等撰

見《大藏經》。《大唐内典録》云：“開皇十四年大興善寺沙門釋法經等二十大德奉敕撰。”《開元釋教録》引《長房録》云：“法經開皇十四年奉敕與大興善寺二十大德等撰成之，總標紀綱，位爲九録，區別品類，有四十二分，合有二千二百五十七部，五千三百一十卷。揚化寺沙門明穆區域條分，指蹤紘絡，日嚴寺沙門彦琮觀縷緝維，考校同異。”

隋儀注目録四卷　佚名

見《通志·藝文略》儀注類。今易此。

隋朝道書總目四卷　佚名

見《通志·藝文略》道家類。今易此。

七林　卷亡。許善心撰

《隋書·許善心傳》：“開皇十七年除祕書丞。于時祕藏圖籍尚多淆亂，善心仿阮孝緒《七録》，更製《七林》，各爲總敍，冠於篇首，又於部録之下明作者之意，區分其類例焉。”

諸經目録　卷亡。智果撰

《隋志》云：“大業時，又令沙門智果於東都内道場撰諸經目，分別條貫，以佛所説經爲三部，一曰大乘，二曰小乘，三曰雜經。其餘似後人假託爲之者，別爲一部，謂之疑經。又有菩薩及諸深解奧義、贊明佛理者，名之爲論，及戒律並有大小及中三部之別。又所學者録其當時行事，名之爲記。凡十一種。”

右目録類，共十一家十一部一百三十八卷，卷亡者二部，佚名者六家。

地理類

隋區宇圖志六百卷　虞世基　許善心等撰

《隋志》不著録，《舊唐志》作虞茂撰《區宇圖》一百二十八卷，

《隋書·崔廓傳》："子𧨳字祖濬。大業五年受詔與諸儒撰《區宇圖志》二百五十卷,奏之。帝不善之,更令虞世基、許善心衍爲六百卷。以父憂去職。"《唐書·姚思廉傳》曰："煬帝又詔與起居舍人崔祖濬修《區宇圖志》。遷代王侍讀。"《太平御覽·文部》引《大業拾遺》曰："大業之初,敕内史舍人竇威、[①]起居舍人崔祖濬等撰《區宇圖志》一部五百餘卷,屬辭比事,全失修撰之意,帝不悦。敕祕書學士十八人修《十郡志》,内史侍郎虞世基總撿。世基先命學士各序一郡風俗,奏擬請體式。學士虞綽序京兆郡風俗,陸敬序河南郡風俗,袁郎序蜀郡風俗,杜寶序吳郡風俗。四人先成,世基奏聞,敕付世基擇善用之。世基乃鈔吳郡序以爲體式。及《圖志》第一副本新成八百卷,奏之,帝以部秩太少,更遣重修,成一千二百卷。卷頭有圖,別造新樣,紙卷長二尺,敍山川則卷首有山川圖,敍郡國則卷首有郭邑圖,其圖上有山川、城邑,題書字並用歐陽詢書,即率更令詢之長子,工於草隸,爲時所重。"《太平寰宇記》："河北道故武城,夏禹七代孫芸封公子武於此建國,後漢光武封濟南王爲武城侯,前秦符堅封長子清河王移居武城。"《御覽·地部》："龍崗縣石井,光武營軍所鑿,傍有叢荊棘生,皆蟠縈如人手結,云是光武繫馬處。"又"黑山"條下云:"周太祖諱黑,因改黑山爲青山。"並引《隋區宇圖志》。

隋北蕃風俗記二卷　佚名

《太平寰宇記·河北道》引之曰:"厥稽部渠長突地稽率八部衆内附,處之柳城。"章宗源氏《隋志考證》附之《北荒風俗記》下,則北荒、北蕃,當爲一種。

輿駕東行記一卷　薛泰撰

---

① "竇",原作"豆",據文淵閣《四庫全書》本《太平御覽》改。

《舊唐志》作《輿駕東幸記》。《太平御覽·地部》引《梁武輿駕東行記》曰："有覆船山、酒罌、南次高驪山。《傳》云：'昔高驪國女來，東海神乘船致酒，禮聘之，女不肯。海神撥船覆酒，流入曲阿，故曲阿酒美也。'"

巡撫揚州記七卷　諸葛穎撰

見《隋志》。《新唐志》卷同，《舊志》作《巡總揚州記》。案《隋書》穎本傳曰："煬帝即位，遷著作郎，甚見親倖，出入臥內。嘗贈穎詩曰：'參翰長洲苑，侍講肅成門。名理窮研覈，英華恣討論。實録資平允，傳芳導後昆。'"則此記當作於煬帝鎮撫揚州之時，其作"巡總"者恐非。

隋西域圖記三卷　裴矩撰

見《新唐志》。《隋志》脱一記字。又矩傳曰："矩字弘大，河東聞喜人。繈緥而孤，及長好學，頗愛文藻，有智數。煬帝即位，西域諸蕃多至張掖，與中國交市。帝令矩掌其事。矩知帝方勤遠略，諸商胡至者，矩誘令言其國俗山川險易，撰《西域圖記》三卷，入朝奏之。其序曰：'臣聞禹定九州，導河不踰積石，秦兼六國，設防止及臨洮。故知西胡雜種，僻居遐裔，禮教之所不及，書典之所罕傳。自漢氏興基，開拓河右，始稱名號者，有三十六國，其後分立，乃五十五王。仍置校尉、都護，以存招撫。然叛服不恒，屢經征戰，後漢之世，頻廢此官。雖大宛以來，略知户數，而諸國山川未有名目，至如姓氏、風土，服章、物產，全無纂録，世所弗聞。復以春秋遞謝，年代久遠，兼并誅討，互有興亡。或地是故邦，改從今號，或人非舊類，因襲昔名。兼復部民交錯，封疆移改，戎狄音殊，事難窮驗。于闐之北，葱嶺以東，考于前史，三十餘國，其後更相屠滅，僅有十存。自餘淪没，掃地俱盡，空有丘墟，不可記識。皇上膺天育物，無隔華夷，率土黔黎，莫不慕化。風行所及，日入以來，職貢皆通，無遠不至。臣既因撫納，監知關市，尋討書傳，訪採胡人，或有所疑，即譯衆口。[①] 依其本國服飾儀形，王及庶人各顯容止，即丹青模寫，爲《西域圖記》，共成三卷，合四十四國。仍別造地圖，窮其要害。從西傾以去，北海之南，縱橫所亙，將二萬里。諒由富商大賈，周遊經涉，故諸國之事，罔不徧知。復有幽荒遠地，卒訪難曉，不可憑虛，是以致闕。而二漢相踵，西域爲傳，戶民數十，即稱國王，徒有名號，乃乖其實。今者所編，皆千餘戶，利盡西海，多産珍異。其山居之屬，非有國名，及部落小者，多亦不載。發自敦煌，至于西海，凡爲三道，各有襟帶。北道從伊吾，經蒲類海鐵勒部，突厥可汗庭，度北流河水，至拂菻國，達于西海。其中道從高昌、焉耆、龜兹、疏勒，度葱嶺，又經鏺汗、蘇對沙那國、康國、曹國、何國、大小安國、穆國，至波斯，達于西海。其南道經鄯善、于闐、朱俱波、喝槃陀，[②]度葱嶺，又經護密、吐火羅、挹怛、帆延、漕國，至北婆羅門，達于西海。其三道諸國，亦各自有路，南北交通。其東女國、南婆羅門國等，並隨其所往，諸處得達。故知伊吾、高昌、鄯善，並西域之門戶也。總湊敦煌，是其咽喉之地。以國家威德，將士驍雄，汎濛汜而揚旌，越崑崙而躍馬，易如反掌，何往不至。但突厥、吐渾，分領羌胡之國，爲其擁遏，故朝貢不通。今並因商人，密送誠款，引領翹首，願爲臣妾。聖情含養，澤及普天，服而撫之，務存安輯。故皇華遣使，弗動兵車，諸蕃既從，渾、厥可滅。混一戎夏，其在兹乎！不有所記，無以表威化之遠也。’”《太平寰宇記‧四夷》引之曰：“白山一名阿羯山，常有火及烟，即是山燜沙處。”又

---

① “譯”，據中華本《隋書》當作“詳”。
② “喝”，中華本《隋書》據《北史》本傳改作“喝”。

云：“大宛馬，其烏馬、騮馬多白耳，驄馬多赤耳，黄馬、赤馬多黑耳，惟耳色別，自餘色與常馬不異。”《太平御覽・器物部》引《西域記》曰：“疏勒王致魏文帝金胡缾二枚，银胡缾二枚。”又曰：“拂帚在月支國，長三尺許，似孔雀尾也。”

隋諸州圖經集一百卷　郎蔚之撰

見《隋志》。《舊唐志》作《隋國經集記》，卷同。《隋書・郎茂傳》：“茂字蔚之，恒山新市人。十五師事國子博士河間權會，受《詩》、《易》、三《禮》及玄象、刑名之學。又就國子助教長樂張率禮受《三傳》群言，至忘寝食。及長，稱爲學者，頗解屬文。仁壽初，撰《州郡圖經》一百卷，奏之。”《北史・郎基傳》云：“茂與崔祖濬撰《州郡圖經》一百卷。”《太平御覽・州郡部》引《隋圖經集記》曰：“義川盖春秋時白翟也，其俗語云‘丹州白室’，即白翟語訛耳。”其《地部》引《隋圖經》曰：“枉人山俗名上陽三山，或云紂殺比干於此山，因得名，古凡伯國之地也。”又曰：“河東郡三山，即舜所耕歷山也。《禹貢》所謂‘壺口雷音至於太岳’。壺口山在慈州，太岳山在晋州，雷首在河東界。此山有九名，謂歷山、首山、薄山、襄山、甘棗山、渠猪山、猪山、獨頭山、陌山等名，又湯伐傑升自陌之所。”《居處部》亦多引之。《太平寰宇記》引之更多，又引有《舊圖經》、《圖經集記》，未知是否一種。

方物志二十卷　許善心撰

見《隋志》。《通志・藝文略》同。《許善心傳》：“大業四年撰《方物志》，奏之。”

隋諸郡土俗物産一百五十一卷　佚名

《新唐志》作《諸郡土俗物産記》十九卷。焦竑《經籍志》作許善心撰，待考。

諸蕃風俗記二卷　佚名

見《隋志》。《通志·藝文略》同。《通典·邊防門注》："金姓相承,三十餘葉。"稱《隋東蕃風俗記》。《洪遵泉志》："外國品有三佛齊國錢、佛泥國錢。"並引《諸蕃風俗記》。

南兗州記一卷　阮昇之撰

見章宗源氏《隋經籍志考證》。《隋》、《唐志》均不著錄。《新唐志》有阮敘之《南兗州記》一卷,未知是否一種。《太平御覽·地部》、《州郡部》、《太平寰宇記·淮南道》,並引阮昇之《南兗州記》甚夥,而不引阮敘之,則敘之所撰不可考矣。

臨海水土異物志一卷　沈瑩撰

見新、舊《唐志》。《隋志》無異字。《後漢書·東南夷傳》注："夷洲在臨海東南,去郡二千里。"引作《臨海水土志》,《太平御覽·四夷部》同。《文選·江賦》注："海狶豕頭身長九尺。"引作《臨海水土記》,《太平御覽·鱗介部》同。《廣韻》注："鯪魚腹背皆有刺,如三角菱。"引作《臨海風土記》,《太平御覽·鱗介部》引文同,惟仍作《臨海水土記》。《文選·江賦》注："鹿魚長二尺餘,有角,腹下有腳,如人足。"《思元賦》注："鶗鳩一名杜鵑,至三月鳴,晝夜不止。"《太平御覽·時序部》云："黃雀常以八月入海化爲魚。"均引作《臨海異物志》,《初學記》、《藝文類聚·歲時部》均同。《廣韻》注："三蝬似蛤。"亦同。又《江賦》注："蝸、鱝魚、黿龜、鼊、蠯、海月、土肉、石華、蚶、蠣",並引作《臨海水土物志》,《太平御覽·鱗介部》亦多同。江文通《雜體詩》注："白石下有金潭,金光煥然。"《一切經音義》："烏賊以其懷板含墨,故號小史魚。"《藝文類聚·木部》："石山望之如雪山,有湖。"《傳》云："金鵝所集,八桂所植。"並引作《臨海記》,《太平御覽·地部》、《時序部》、《太平寰宇記·江南東道》均同。其實一種也。

序行記十卷　姚最撰

新、舊《唐志》均作《述行記》二卷。《周書·藝文傳》:"姚僧垣撰《行記》三卷,子最《附傳》不載,或最因《行記》而增爲十卷耳。"《太平御覽·地部》"懸甕山"條下云:"高洋天保年中,大修樓觀於此。"《元和郡縣志·河東道》:"周建德五年從行討齊,師次洪洞,百雉相臨,四周重複,控據要險,城主張元静率其所部,肉袒軍門。"又云:"晋陽宮西南有小城,内有殿,號大明宫。"又云:"高齊天保中大起樓觀,穿築池塘,自洋以下,皆遊集焉,至今爲北都之勝概。"《太平寰宇記·河東道》三事均同,並引姚最《序行記》。

北伐記七卷　諸葛穎撰

見《隋志》。《通志·藝文略》、焦竑《經籍志》均同。穎本傳不載。

鑾駕北巡記三卷　同上

《隋》、《唐志》均不著録。

幸江都道里記一卷　同上

《隋》、《唐志》均不著録。

洛陽古今記一卷　同上

《隋》、《唐志》均不著録。案以上三種均見《隋書·諸葛穎傳》。

東都圖記二十卷　宇文愷撰

見《隋書》愷本傳。

赤土國記二卷　常駿等撰

見《唐志》。《通典·邊防門》曰:"煬帝時募能通絶域,大業三年屯田主事常駿、虞部主事王君正等應召。駿等自南海郡乘舟,晝夜二旬,每值便風,至焦石山,而過。東南泊陵伽鉢拔多洲,西與林邑相對,上有神祠焉。又南行至師子石,是島嶼連接。又行二三日,西見狼牙修國之山,於是南達雞籠島,至於赤土之界，月餘至其國都。駿等奉詔書上，閣王以下至皆坐，宣詔訖，引駿等入宴。王前設兩牀，上並設草葉盤，方丈五尺，上有黃白紫赤四色之餕，牛羊魚鼈豬瑇瑁之肉百餘品，延駿升牀，從者坐於地席①。及還，遣那耶伽隨駿貢方物，既入海，見綠魚群飛水上，浮海十餘日，至林邑東南，並山而行。其海水闊千餘步，色黃氣腥，舟行十日不絕，云是大魚冀也，②循海北岸，連於交趾，六年却還到中國焉。"

高麗風俗一卷　裴矩撰

見《唐志》。《通志·藝文略》同。

并州入朝道里記一卷　蔡允恭撰

見《隋志》。《通志·藝文略》同。

西聘道里記一卷　姚察撰

《南史》察本傳曰："察報聘於周，劉臻謂所親曰：'名下定無虛士。'著《西聘道里記》。"又曰："所著《西聘》、《玉璽》、《建康三鍾》等記各一卷。"

建康記一卷　同上

見《南史》察本傳。

江表行記塔記十卷　錄一卷。劉璆撰

見《隋志》。《通志·藝文略》同。

隋朝移洛都記一卷　佚名

見《通志·藝文略》。

隋州郡縣簿一卷　佚名

見《通志·藝文略》。

并州總管內諸州圖一卷　佚名

---

① "後"，據《通典》當作"從"。
② "冀"，據《通典》當作"糞"。

見《隋志》。《通志·藝文略》同。

東征記　卷亡。**崔賾撰**

《隋書·崔廓傳》:"子賾爲起居舍人,大業四年從駕汾陽宫。後以父憂去職,尋起令視事。遼東之役,授鷹揚長史,置遼東郡縣名,皆賾之議也。奉征作《東征記》。"①

西征記　卷亡。**盧思道撰**

《隋》、《唐志》均不著録。《太平寰宇記·河北道》引盧思道《西征記》曰:"白鹿山孤峰秀出,上有石自然爲鹿形,故山以白鹿爲稱。"《太平御覽·州郡部》引《西征記》曰:"古有神白馬,因以名縣。"

西蕃記　卷亡。**韋節撰**

《通典·邊防門》引韋節《西蕃記》曰:"康國人並善賈,男年五歲則令學書,少解則遣學賈,以得利多爲善。其人好音聲,以六月一日爲歲首。至此日王及人庶並服新衣,翦髮鬚,在國城東林下,七日馬射。至欲罷日,置一金錢於帖上,射中者則得一日爲王。俗事天神,崇敬甚重,云神兒七月死,失骸骨,事神之人,每至其月,俱著黑疊衣,徒跣,撫胸號哭,涕泗交流,丈夫婦女三五百人,散在草野,求天兒骸骨,七月便止。國城外别有二百餘户,專知喪事,别築一院,其院内養狗,每有人死,即往取屍,置此院内,令狗食之,肉盡收骸骨埋殯,無棺椁。"又稱:"隋煬帝時遣侍御史韋節、司隸從事杜行滿使於西蕃諸國,至罽賓得瑪瑙杯,王舍城得佛經,史國得十舞女、獅子皮、火鼠毛而還。"②《隋志》有《諸蕃國記》十七卷,不著撰人,當與《西蕃記》相類,或亦韋節、杜行滿等所爲也。

---

① "奉征",據中華本《隋書》當作"奉詔"。
② 此條引文出自《隋書·西域傳》。

方志圖　<small>卷亡.</small>。**李播撰**

　　見《新唐志》。《唐書·李淳風傳》曰:"父播仕隋高唐尉,棄官
　　爲道士,號黃冠子,以論撰自見。"不載所著書,《隋書》又無播
　　傳,待考。

右地理類,共二十三家二十九部九百四十九卷,卷亡者三部,佚
　　名者六家,存疑。

凡史部共一百三家,一百三十四部,二千八百六十六卷。

案隋釋彥琮曾撰《西域傳》,待考詳增補。

卷六

子部第三

子之類十有四：一曰儒家，二曰法家，三曰兵家，四曰道家，五曰農家，六曰雜家，七曰小説家，八曰天文家，九曰曆數家，十曰五行家，十一曰醫藥，十二曰類書，十三曰雜藝術，十四曰佛家。

儒家類

政訓二十卷　辛德源撰

見《唐志》。《通志·藝文略》作《正訓》，《文獻通考》同，入雜家，非；作十卷，當有遺也。

内訓二十卷　辛德源　王劭撰

見《舊唐志》。《新志》入雜傳記類，《通志·藝文略》從之，非。《隋書·王劭傳》不載，《辛德源傳》云："祕書監牛弘以德源才學顯著，奏與王劭同修國史，撰《政訓》、《内訓》各二十卷。"

讀書記三十三卷　王劭撰

見《通志·藝文略》，《舊唐志》作三十二卷，《新志》同。《隋書》劭本傳云："其採摘經史謬誤，爲《讀書記》三十卷，時人服其精博。"

揚子法言注二十三卷　辛德源撰

《隋》、《唐志》均不著録，德源本傳云："每於務隙，注《揚子法言》二十三卷，蜀王秀聞其名而引之。"

諫苑四十一卷　樂運撰

《隋》、《唐志》均不著録。《周書·樂運傳》："運字承業，南陽涓陽人。開皇五年爲毛州高唐令，頻歷二縣，並有聲績。運常願處一諫官，從容諷議，而性訐直，爲人所排抵，遂不被任用。及發憤録夏、殷以來諫諍事，集而部之，凡六百三十九條，合四十一卷，名曰《諫苑》，奏上之。隋文帝覽而嘉焉。"

顔氏家訓二十卷　顔之推撰

今存。

中説五卷　王通撰

見《舊唐志》，《新志》同。晁氏《讀書志》曰："右隋王通之門人，共集其師之語爲是書。通行事於史無考，獨《隋唐通録》稱其有穢行，爲史臣所削。今觀《中説》，其迹往往僭聖人，模擬窺竊，有深可怪笑者。獨貞觀時諸將相，若房、杜、李、魏、二温、王、陳皆其門人，予嘗以此爲疑。及見李德林、關朗、薛道衡事，然後知其皆妄也。通生於開皇四年，而德林卒以十一年，通適八歲，固未有門人。通仁壽四年嘗一到長安，時德林卒已九載矣，其書乃有'子在長安，德林請見，歸援琴鼓《蕩》之什，門人皆沾襟'。關朗在太和中見魏孝文，自太和丁巳至通生之年甲辰，蓋一百七年矣，而其書有問《禮》於關子明。《隋書·薛道衡傳》稱道衡仁壽中出爲襄州總管，至煬帝即位召還。《本紀》仁壽二年九月襄州總管周搖卒，道衡之出當在此年矣。通仁壽四年始到長安，是年高祖崩，蓋仁壽末也。又《隋書》稱道衡子收初生即出繼族父孺，養於孺宅，至於長成，不識本生。其書有内史薛公見子於長安，語子收曰：'汝往事之。'用此三事推焉，則以房、杜輩爲門人，抑又可知也。"《四庫全書總目》云："舊本題隋王通撰。《唐志》文中子《中説》五卷，《通考》及《玉海》則作十卷，與今本合，凡十篇。

末附序文一篇及杜淹所撰《文中子世家》一篇，通子福畤録唐太宗與房魏論禮樂事一篇，通弟績與陳叔達書一篇。又録關子明事一篇，卷末有阮逸序，又有福畤貞觀二十三年序。"又云："所謂文中子者實有其人，所謂《中説》者，其子福郊、福畤等纂述遺言，虛相夸飾，其實亦有其書。第當有唐開國之初，明君碩輔不可以虛名動，又陸德明、孔穎達、賈公彦諸人，老師宿儒，布列館閣，亦不可以空談惑，故其人其書，皆不著於當時，而當時亦無斥其妄者。至中唐以後，漸遠無徵，乃稍稍得售其欺耳。"

墳典一部　不著卷數。**辛彦之撰**

見《隋書》彦之本傳。

右儒家類，共六家八部一百六十二卷，不著卷數者一部。

法家類

治道集十卷　李文博撰

見《舊唐志》。《新志》同。《宋志》入雜家類，非。《隋書》文博本傳："博陵李文博，性貞介鯁直，好學不倦，至於教義名理，特所留心。每讀書至治亂得失、忠臣烈士，未嘗不反覆吟翫。開皇中爲羽騎尉，特爲吏部侍郎薛道衡所知。本爲經學，後讀史書，於諸子及論尤所該洽。性長議論，亦善屬文，著《治道集》十卷，大行於世。"又《柳彧傳》云："彧嘗得博陵李文博所撰《治道集》十卷，蜀王秀遣人求之，彧送之於秀，秀復賜彧奴婢十口。"《資治通鑑》云："蜀王秀嘗從彧求李文博所撰《治道集》，彧與之。"《宋志》既入法家，又入雜家，自是重出。(整理者按，自"宋志"至"重出"共十三字，手稿本有删除標誌)

右法家類，一家一部十卷。

兵家類

陰策二十二卷　<small>大都督。</small>**劉祐撰**

《隋書》祐本傳作二十卷。

金韜十卷　同上

《隋志》不著撰人。祐本傳云："開皇初爲大都督，與張賓、劉輝、馬顯定曆後，奉詔撰兵書十卷，名曰《金韜》，上善之。"新、舊《唐志》、《通志·藝文略》均同。

道玄機立成法一卷　牛弘撰

見《宋志》。

戰略二十六卷　<small>金城公。</small>**趙煚撰**

《隋書》煚本傳："煚字賢通，天水西人也。少孤，養母至孝。及長深沉有器局，略涉書史。開皇間賜爵金城郡公。"不載撰《戰略》事，《通志·藝文略》亦作二十六卷。

金海四十七卷　蕭吉撰

見《新唐志》。《舊志》作蕭吉注，恐誤。案《隋書》志傳均作三十卷，不云注而云著，《新志》從之作四十七卷是也。

孫子注一卷　同上

見《崇文總目》。《宋志》同。

兵書三十卷　楊堅撰

《舊唐志》作《新授兵書》，非。《新志》作《新譔兵書》是也。

雜兵圖一卷　佚名

見焦竑《經籍志》。

王佐祕珠五卷　樂產撰

見《舊唐志》。《新志》作《王佐祕書》，《通志·藝文略》從之，焦竑《經籍志》作《王佐祕録》，非。《通志·藝文略》入五行類，作《玉佐祕珠》，更非。

孤虛明堂圖一卷　牛弘撰

軍用立成一卷　同上

均見《宋志》。

右兵家類,共六家十一部一百四十五卷,佚名者一家存疑。

<h2 style="text-align:center">道家類</h2>

莊子義疏四卷　何妥撰

見《隋書》妥本傳。《隋》、《唐志》均不著録。

法華玄宗二十卷　柳䛒撰

《北史》䛒本傳云:"仁壽初爲東宫學士,甚見親重。有所顧問,答應如嚮。性嗜酒,言雜誹偕,由是彌爲太宗所親狎,以其好内典,令撰《法華玄宗》爲二十卷,上之。"(整理者按,此條稿本有删除標誌)

老子注二卷　李播撰

見杜光庭《老子箋注》。《唐書·李淳風傳》不著卷數。《新志》同。

老子疏六卷　劉進喜撰

見杜光庭《老子箋注》。晁氏《讀書志》曰:"唐蜀山道士張君相集河上公、①嚴遵、王弼、何晏、郭象、鍾會、孫登、羊祜、羅什、盧裕、劉仁會、顧歡、陶隱居、松靈仙人、裴處思、②杜弼、《節解》、張憑、張嗣、臧元静、大孟、小孟、竇略、宋文明、褚糅、劉進喜、蔡子晃、成玄英、車惠弼等注。"是劉進喜之《老子疏》,頗見重於唐世。

老子義十一卷　張譏撰

---

① 據江蘇古籍出版社 1988 年影印《郡齋讀書志》(以下簡稱《晁志》),"蜀"字後當補"郡琨"二字。

② "思",據《晁志》當作"恩"。

見《南史》讖本傳。

莊子内篇義十二卷　同上

莊子外篇義二十卷　同上

莊子雜篇義十卷　同上

均見《南史》讖本傳。《隋志》有《莊子講疏》二卷，注：“張譏撰，亡。”當即此也。

莊子文句義二十卷　陸德明撰

見《舊唐志》。《隋志》有二十八卷，注云：“本三十卷，今闕。”不著撰人，或即此也。

玄書通義十卷　張譏撰

見《舊唐志》。《新志》同。《南史·儒林傳》作《玄部通義》十二卷，當爲一種。

遊玄桂林二十四卷　同上

見《南史·儒林》讖本傳。《隋志》作《遊玄桂林》二十一卷，目一卷。《通志·藝文略》從之，無“目一卷”。

馬陰二君内傳一卷　孫思邈撰

《唐書·隱逸傳》：“孫思邈，京兆華原人。通百家說，善言老子、莊周。周洛州總管獨孤信見其少，異之，曰：‘聖童也，顧器大難爲用爾。’及長，居太白山。隋文帝輔政，以國子博士召，不拜。”不載撰書事。

太清真人煉雲母訣二卷　同上

均見《新唐志》。

太上老君歷劫經一卷　李通撰

見《通志·藝文略》。

龍虎通元要訣一卷　蘇元朗撰

晁氏《讀書志》曰：“蘇元朗撰，以古訣《龍虎經》、《參同契祕》、《金碧潛通訣》，其文繁而隱，故纂其要爲是書。李邯鄲家本題云'青霞子，隋開皇時人'。不出名氏，豈元朗之號邪。"

養性延命錄二卷　　孫思邈撰

《全唐文》思邈《自序》曰："夫稟氣含靈，惟人爲貴，人之所貴者，盖貴爲生。生者神之本，形者神之具，神大用則竭，形大勞則斃。若能遊心虛静，息慮無爲，服元氣於子後，時導引於閑室，攝養無虧，兼餌良藥，則百年耆壽，是常分也。如恣意以耽聲色，役智而圖富貴，得喪恒切于懷，躁撓未能自遣，不拘禮度，飲食無節，如斯之流，[①]寧免夭傷之患也。余因止觀微暇，聊復披覽《養生要集》，其集乃錢彦、張湛、道林之徒，翟平、黃山之輩，咸是好事英奇，志在寶育，或鳩集仙經真人壽考之規，或得採彭鑑、老君長齡之術，上自黃農以來，下及魏晋之際，但有益於養生，及招損於後患，諸本先記錄，今略取要法，删棄繁蕪，類聚篇題，分爲上下兩卷，卷有三篇，號爲《養生延命錄》，擬補助於有緣，冀憑緣以濟物耳。"《通志·藝文略》有《養生雜錄》一卷，《養生要錄》一卷，當與此相類也。

枕中記一卷　　同上

見《通志·藝文略》。

道言五十二篇　　張羨撰

《隋書·張暅傳》："父羨少好學，多所通涉。高祖受禪，欽其德望，以書徵之。撰《老子》、《莊子》義，名曰《道言》，五十二篇。俄而卒，時年八十四。贈滄州刺史，謚曰定。"

右道家類，共十家十七部一百二十六卷五十二篇。

農家類

玉燭寶典十二卷　　杜臺卿撰

見《新唐志》。《隋志》及《舊唐志》均入雜家類，非。《傳》："臺

---

① "斯之"，原爲墨圍，據《全唐文》補。

卿嘗采《月令》，觸類而廣之，爲書，名《玉燭寶典》十二卷。至是奏之，賜絹二百匹。”《北齊書·杜弼傳》云：“次子臺卿文筆尤工，見稱當世。”《太平御覽·時令部》引之曰：“正月爲端，其一日元日，亦云上日，亦云正朝，亦云三元，亦云三朔。”又曰：“元日造桃板著户，謂之仙木，像鬱壘山桃樹，百鬼畏之。”以上日元日條下。① 又曰：“正月十五日作膏粥以祠門户。”以上見□日條。又曰：“寒食此節城市尤多鬥鷄卵之戲。《左傳》有季后鬥鷄，其來遠矣。”又曰：“五月五日採艾懸於户上，以禳毒氣。案《荊楚歲時記》云：‘宗則宇文度常以五月五日未鷄鳴時採艾，見似人處，攬而取之，用炙有驗。是日競渡採雜藥。’《夏小正》曰：‘此用畜藥以蠲除毒氣也。’”又曰：“臘者祭先祖，蜡者祭百神，同日異名者也。”

荊楚歲時記二卷　杜公瞻撰

見《新唐志》。《舊志》入雜家類，非。《隋書·杜臺卿傳》：“兄蕤子公瞻，少好學，有家風，卒於安陽令。”案《太平御覽》引《荊楚歲時記》多條，不知爲宗懍所撰，抑杜氏所撰，待考詳增補。

種植法七十七卷　諸葛穎撰

見《舊唐志》。《新志》同。

相馬經六十卷　同上

見《新唐志》。《舊志》作諸葛穎等撰，本傳不載。

馬名録二卷　同上

見《隋志》穎本傳。

鷹鶻病候一卷　同上

見《通志·藝文略》食貨類。

---

①　據上下文意，“以上日”之“日”當作“見”。

春秋濟世六常擬議五卷　楊瑾撰

《通志·藝文略》同，焦竑《經籍志》從之。

右農家類，共四家七部一百五十九卷。

雜家類

諸書要略一卷　魏澹撰

《隋志》及《通志·藝文略》均作魏彦深撰。案彦深，魏澹之字，今改正。

洽聞志七卷　崔賾撰

《隋書·崔廓傳》："子賾撰《洽聞志》七卷，未及施行，江都傾覆，咸爲煨燼。"

續文章始一卷　姚察撰

見《舊唐志》。《通志·藝文略》同。

右雜家類，共三家三部九卷。

小説類

啟顏録十卷　侯白撰

見《新唐志》。《通志·藝文略》同。

酒孝經一卷　劉炫撰

見《舊唐志》。《新志》同。《史通·雜説下》云："夫以博採古文而聚成今説，是則俗之所傳，有《鷄九錫》、《酒孝經》、《房中志》、《醉鄉記》，或師範《五經》，或規模《三史》，雖文皆雅正，而事悉虛無。"

水飾一卷　佚名

見《隋志》。案《資治通鑑》："大業十二年三月上巳，帝與群臣飲於西苑水上，命學士杜寶撰《水飾圖經》，采古水事七十二，使朝散大夫黃袞以木爲之，間以妓航、酒船，人物自動如生，鍾磬筝瑟，能成音曲。"

小説二卷　劉孝孫撰

見《通志·藝文略》。

談藪八卷　楊松玠撰

見《通志·藝文略》。《宋史·藝文志》作陽松玠《八代談藪》二卷。《史通·雜述篇》云："若陽玠松《談藪》，此之謂瑣言者也。"注云："或作松玠。"陳氏《書録解題》云："事綜南北八朝，隋開皇中所述。"《太平御覽·天部》引之曰："魏文帝爲王時，夢日墜地，分爲三，已得一分，而納懷中。"又曰："北齊高祖七日升高宴群臣，問曰：'何故名人日?'魏收對以董勛'正月一日爲鷄，七月爲人'。"《人事部》亦多引之。

笑苑詞　_{卷亡。}魏澹撰

見《隋書》澹本傳。

右小説類，共六家六部二十二卷，佚名者一家，卷亡者一部存疑。

卷七

天文類

步天歌一卷　丹元子撰

《通志·天文略》曰："隋有丹元子者，隱者之流也，不知名氏。作《步天歌》，見者可以觀象焉。王希明纂《漢晋志》以釋之，《唐書》誤以爲王希明也。"又曰："一日得《步天歌》頌之。時素秋無月，清天如水，長誦一句，凝目一星。不三數夜，一天星斗，盡在胸中矣。此本只傳靈臺，不傳人間，術家秘之，名曰鬼料竅。世有數本，不勝其訛。今則取之仰觀，以從稽定。然《步天歌》之言，不過漢晋諸志之言也，漢晋志不可以得天文者，謂所載者名數災祥，叢雜難舉故也。《步天歌》句中有圖，言下見象，或約或豐，無餘無失，又不言休祥，是深知天者。"晁氏《讀書志》云："未詳撰人，二十八舍歌也。《三垣頌》、《五星凌犯賦》附於後。"馬氏《文獻通考》作一卷。奮鄉王始旦先生曾作《步天歌正韻》，流傳甚尠，奮欲刊之《絳陽叢書》，以公世之同好者。

靈臺秘苑一百二十卷　庾季才撰

見《舊唐志》。《新志》同，《隋志》作一百十五卷。又《天文志》曰："周氏克梁，獲庾季才爲太史令，撰《靈臺秘苑》一百二十卷，占驗益備。今略其雜星、瑞星、妖星、客星、流星及雲氣名狀，次之於此云。"又曰："高祖平陳，得善天官者周墳，並得宋氏渾儀之器。乃命庾季才等參校周、齊、梁、陳及祖暅、孫僧化官私舊圖，刊其大小，正彼疏密，依準三家星位，以爲圖蓋。[1] 旁摘始分，甄表常度，並具赤黄二道，内外兩規。懸象著明，纏離攸次，星之隐顯，天漢昭回，宛若穹蒼，將爲正範。”又《藝術傳》云：“季才字叔奕，新野人也。十二通《周易》，好占玄象。高祖即位，進爵爲公，仁壽三年卒，時年八十八。撰《靈臺秘苑》一百二十卷，行於世。”今尚存十五卷，莫友芝曾見之。

垂象志一百四十八卷　同上

《隋志》不著撰人。季才本傳曰：“高祖將遷都，夜與高熲、蘇威二人定議，季才旦而奏曰：‘臣仰觀玄象，俯察圖記，龜兆允襲，必有遷都。且堯都平陽，舜都冀土，是知帝王居止，世代不同。且漢營此城，經今將八百歲，水皆鹹鹵，不甚宜人。願陛下協天人之心，爲遷徙之計。’高祖愕然，謂熲等曰：‘是何神也。’遂發詔施行，謂季才曰：‘朕今已後，信有天道矣。’於是令季才與其子質撰《垂象》、《地形》等志。上謂季才曰：‘天地祕奥，推測多途，執見不同，或致差舛。朕不欲外人干預此事，故使公父子共爲之也。’及書成奏之，賜米千石，絹六百匹。”

天文大象賦一卷　李台集解　黄冠子。**李播撰**

見《新唐志》，《通志·藝文略》從之。《邵亭知見傳本書目》云：“陽湖孫氏刊入《續古文苑》。”[2]

稽極十卷　**劉焯撰**

《北史》焯本傳云：“推步日月之經，量度山海之術，莫不覈其

---

① “圖蓋”，據中華本《隋書》當作“蓋圖”。

② 本書多次徵引莫友芝《邵亭知見傳本書目》，或作“邵亭知見聞傳本書目”，或作“邵亭見知傳本書目”，或作“邵亭見聞傳本書目”，爲了保持稿本原貌，一仍其舊。特此説明。

根本，窮其祕奧，著《稽極》十卷行世。"《隋書·天文志》云：
"焯立術改正舊渾，又以二至之影，定去極晷漏，並天地高遠，
星辰周運，①所宗有本，皆有其率。袪今賢之巨惑，稽往誓之
群疑，②豁若雲披，朗如霧散。爲之錯綜，數卷已成，待得影
差，謹更啟送。又云：《周官》夏至日影，尺有五寸，張衡、鄭
玄、王蕃、陸績先儒等，皆以爲影千里差一寸。言南戴日下
萬五千里，表影正同，天高乃異，考之算法，必爲不可。寸差
千里，亦無典說，明爲意斷，事不可依。今交、愛之州，表北
無影，計無萬里，南過戴日，是千里一寸，非是實差。焯今
說渾，以道爲率，道里不定，得差乃審。既大聖之年，升平之
日，釐改群謬，斯正其時。請一水工並解算術士，取河南、北
平地之所可量數百里，南北使正。審時以漏，平地以繩，隨
氣至分，同日度影，得其差率，里即可知。則天地無所匿其
形，辰象無所逃其數，超前顯聖，效象除疑，請勿以人廢言。
不用。"

地動銅儀鏡一卷　臨孝恭撰

見《隋書》孝恭本傳。《北史》同。

觀臺飛候六卷　劉祐撰

玄象要記五卷　同上

均見《隋書》祐本傳。《北史》同。

右天文類，共六家八部二百九十二卷。

曆數類

曆書十卷　劉焯撰

《隋書》焯本傳云："煬帝即位，遷太學博士，俄以品卑去職，③

---

①　"周運"，據中華本《隋書》當作"運周"。
②　"誓"，據中華本《隋書》當作"哲"。
③　"品卑"，中華本《隋書》作"疾"。

數年復被徵以待顧問,因上所著《曆書》十卷,與太史令張冑
玄多不同,被駁不用。"《北史》同。

皇極曆一卷　同上

見《新唐志》,《隋書·律曆志》云:"開皇二十年袁充奏日長影
短,高祖因以曆事付皇太子,遣更研詳,著日長之候。太子徵
天下曆算之士,咸集于東宮。劉焯以太子新立,復增修其書,
名曰《皇極曆》,駁正冑玄之短。其六曰:焯以開皇三年奉敕
修造,顧循記注,自許精微,秦漢以來,無所與讓。尋聖人之
迹,悟曩哲之心,測七曜之行,得三光之度,正諸氣朔,成一曆
象,會同今古,符允經傳,稽於庶類,信而有徵。冑玄所違,焯
法皆合,冑玄所闕,今則盡有,騾括始終,謂爲總備。仍上啓
曰:'自木鐸寢聲,緒言成燼,群生蕩析,諸夏沸騰,曲技雲浮,
疇官雨絕,曆紀廢壞,千百年矣。焯以庸鄙,謬荷甄擢,專精
藝業,耽翫數象,自力群儒之下,冀覩聖人之意。開皇之初,
奉敕修撰,性不諧物,功不克終,猶被冑玄竊爲己法,未能盡
妙,協時多爽,尸官亂日,實玷皇猷。請徵冑玄答驗其
長短。'"

曆術一卷　王琛撰

奮案《隋志》列《周大象曆》後,新、舊《唐志》均不著明何代。
人咸疑爲周人,夷考其實,《隋書·滕穆王瓚傳》云:"子綸以
穆王之故,當高祖之世,每不自安。煬帝即位,尤被猜忌。綸
憂懼不知所爲,呼術者王琛而問之,琛答曰'王相祿不凡',乃
因曰'滕即騰也,此字足爲善應'。"是琛爲隋人明矣。

曆術一卷　華州刺史·張賓撰

《通志·藝文略》同。《資治通鑑》云:"初張賓曆行,廣平劉孝
孫、冀州秀才劉焯並言其失。賓方有寵於上,劉暉附會之,共
短孝孫,斥罷之。後賓卒,孝孫爲掖縣丞,委官入京上其事,

詔留直太史，累年不調，乃抱其書，使弟子輿櫬來詣闕下，伏而慟哭，執法拘而奏之。帝異焉，以問國子祭酒何妥，妥言其善。乃遣與賓曆比較短長。直太史勃海張胄玄與孝孫共短賓曆，異論鋒起，久之不定。"

算術一卷　劉炫撰

奮案《隋書》炫本傳作《算述》一卷，《北史》述作術，今從之。

玄曆術一卷　張胄玄撰

見《舊唐志》。《隋書》胄玄本傳云："胄玄所爲曆法，與古不同者三事：其一，宋祖沖之於歲周之末，創設差分，冬至漸移，不循舊軌。每四十六年却差一度。至梁虞劇曆法，嫌沖之所差太多，因以一百八十六年冬至移一度。胄玄以此二術，年限懸隔，追檢古注，所失極多，遂折中兩家以爲度法。冬至所宿，歲別漸移，八十三年却行一度，則上合堯時日永星火，次符漢曆宿起牛初，明其前後，並皆密當。其二，周馬顯造《丙寅元曆》，有陰陽轉法，加減章分，進退蝕食，[1]乃推定日，創開此數。當時術者，多不能曉。張賓因而用之，莫能考正。胄玄以爲加時先後，逐氣參差，就月爲斷，於理未可。乃因二十四氣，列其盈縮所出，實由日行遲，則月逐日易及，令合朔加時早，日行速則月逐日稍遲，令合朔加時晚。檢前代加時早晚，以爲損益之率。日行自秋分已後至春分，其勢速，計一百八十二日，而行一百八十度，自春分以後至秋分，日行遲，計一百八十二日，而行一百七十六度。每氣之下，即其率也。其三，自古諸曆，朔望值交，不問內外，入限便食。張賓立法，創有外限，應食不食，猶未能明。胄玄以日行黃道歲一周天，日行月道二十七日有餘一周天。[2] 月道交絡黃道，每行黃道

---

① "食"，據中華本《隋書》當作"餘"。

② "日行"，據中華本《隋書》當作"月行"。

內十三日有奇而出，又行黃道外十三日有奇而入，終而復始。月經黃道謂之交。朔望去交前後各十五度已下，即爲當食《北史》作蝕。若月行內道，則在黃道之北，食《北史》作蝕，下同。多有驗。月行外道，則在黃道之南也，雖遇正交，無由掩映，食多不驗。遂因前法，別立定限，隨交遠近，逐氣求差，損益食分，事皆明著。其超古獨異者有七事：其一古曆五星，行度皆守恒率，見伏盈縮，悉無格準。冑玄推之，各得其真率，合見之數，與古不同。其差多者，至加減三十許日。即如熒惑平見在雨水氣，即均加二十九日，見在小雪氣，則均減二十五，加減平見以爲定見。諸星各有盈縮，皆如此例，但差數不同。特其積候所知，時人不能原其意旨。其二辰星舊率，一終再見，凡諸古曆，皆以爲然，應見不見，人未能測。冑玄積候，知辰星一終之中，有時一見，及同類感召，相隨而出。即如辰星平晨見在雨水氣者，應見即不見，若不晨見在啓蟄氣者，[①]去日十八度外，三十六度內，晨有木火土金一星者亦相隨見。其三古曆步術，行有定限，自見已後，依率而推，進退之期，莫知多少。冑玄積候，知五星遲速留退真數，皆與古法不同，多者至差八十餘日，留迴所在，亦差八十餘度。即如熒惑前疾初見在立冬初，則二百五十日行一百七十七度，定見在夏至初，則一百七十日行九十二度，追步天驗，古今皆密。其四古曆食分，依平即用，推驗多少，實數罕符。冑玄積候，知月從木火土金四星行有向背。月向四星即速，背之則遲，皆十五度外，乃循本率，遂於交分，限其多少。其五古曆加時，朔望同術。冑玄積候，知日食所在，隨方改變，傍正高下，每處不同。交有淺深，遲速亦異，約時立差，皆會天象。其六古曆交

---

① "不"，據中華本《隋書》當作"平"。

分,即爲食數,去交十四度者食一分,去交十三度食二分,去
交十度食三分。每近一度,食益一分,當交即食。即其應少
反多,應多反少,自古諸曆,未悉其原。胄玄積候,知當交之
中,月掩日不能畢盡,其食反少去交五六時,月在日內,掩日
便盡,故食乃既。自此已後,更遠者其食又少。交之前後在
冬至皆爾。若在夏至,^①其率又差。所立食分,最爲詳密。其
七古曆二分,晝夜皆等。胄玄積候,知其有差,春秋二分,晝
多夜漏半刻,皆由日行遲疾盈縮,使其然也。"

安曆志十二卷　　劉祐撰

見《隋書·蕭吉傳》。《北史·藝術傳》同。

緝古算術四卷　　王孝通撰

見《舊唐志》。

律曆術文一卷　　劉祐撰

見《北史·藝術傳》。《隋書》蕭吉附傳云:"初與張賓、劉輝、_當
_{即暉。}馬顯定曆後,奉詔撰兵書。"

刻漏經一卷　　宋景撰

見《舊唐志》。

開皇甲子元曆一卷　　張賓　　劉暉撰

奮案《隋志》不著撰人,而《資治通鑑·陳紀》云:"隋前華州刺
史張賓、儀同三司劉暉等造《甲子元曆》成,奏之。壬辰,詔頒
新曆。"胡注云:"《甲子元曆》,其要以上元甲子己巳已來,至
開皇四年歲在甲辰積算起。"

開皇曆一卷　　李德林撰

見《舊唐志》。《新志》同。本傳不載。

開皇曆一卷　　劉孝孫撰

---

① "在",中華本《隋書》作"近"。

見《舊唐志》，《新志》同。《資治通鑑》："開皇十四年，上令參問日食事，楊素等奏：'太史凡奏日食二十有五，率皆無驗，冑玄所刻，前後妙中，孝孫所刻，驗亦過半。'於是上引孝孫、冑玄等親自勞倈，孝孫請先斬劉暉，乃可定曆。"

大業曆一卷　　張冑玄撰

見《舊唐志》。《新志》同。

四時立成法一卷　　劉祐撰

見《隋書·蕭吉傳》。《北史·藝術傳》同。

開皇七曜年曆一卷　　佚名

見《隋志》。《通志·藝文略》同。

仁壽二年七曜曆一卷　　佚名

見《隋志》。《通志·藝文略》同。

七曜曆經四卷　　張賓撰

見《隋志》。《通志·藝文略》同。

七曜曆疏五卷　太史令　張冑玄撰

見《隋志》。《通志·藝文略》同，新、舊《唐志》均作三卷。

七曜雜術二卷　　劉孝孫撰

見《舊唐志》。《通志·藝文略》同。

九章雜算文二卷　　劉祐撰

見《舊唐志》。《新志》及《通志·藝文略》均同。

右曆數類，共十一家二十一部五十三卷，佚名者二家存疑。

五行類

元辰經十卷　　臨孝恭撰

見《隋書》蕭吉附傳。《北史·藝術傳》同。

風角七卷　　章仇太翼撰

見《隋志》。《通志·藝文略》同，作章仇太子翼撰，誤。《盧太

翼傳》云："太翼字協昭，河間人，本姓章仇氏。及長，閑居味
道，不求榮利。博綜群書，爰及佛道，皆得其精微。尤善占候
算曆之術。仁壽末高祖將避暑仁壽宮，太翼固諫，不納，至于
再三。太翼曰：'臣愚豈敢飾詞，但恐是行鑾輿不反。'高祖大
怒，繫之長安獄，期還而斬之。高祖至宮寢疾，臨崩謂皇太子
曰：'章仇翼非常人也，前後言事，未嘗不中。吾來曰道當不
反，今果至此，爾宜釋之。'及煬帝即位，漢王諒反，帝以問之，
答曰：'上稽玄象，下參人事，何所能爲。'未幾諒果敗。帝常
從容言及天下氏族，謂太翼曰：'卿姓章仇，四岳之冑，與盧同
源。'於是賜姓爲盧氏。"

風角要候一卷　同上

見《隋志》。《通志·藝文略》同。《舊唐志》翼氏撰，或即此。

風角鳥情二卷　儀同。臨孝恭撰

新、舊《唐志》作劉孝恭撰，誤。

鳥情占一卷　耿詢撰

《隋志》不著于錄，《傳》云："詢字敦信，丹陽人。見其故人高
智寶以玄象值太史，詢從之受天文算術。著《鳥情占》一卷，
行於世。"

風角六情決一卷　王琛撰

見《舊唐志》。《新志》同。《隋志》作《六情決》。

九州行棊立成法一卷　同上

《舊唐志》作《九宮行棊立成》一卷，《新志》同，是也。

推產婦何時產法一卷　同上

見《舊唐志》。《新志》同。

太一飛鳥曆一卷　同上

見《隋志》。《通志·藝文略》同。《舊唐志》太一作太乙，不著
撰人。

遁甲立成法一卷　臨孝恭撰

《通志·藝文略》作劉孝恭，誤。《隋志》是也。《新唐志》有三卷，不著撰人。

遁甲月令十卷　同上

見《隋書》孝恭附傳。《志》不著録。

陽遁甲用局法一卷　同上

《通志·藝文略》作劉孝恭，誤。《隋志》是也。

黄帝九元遁甲一卷　王琛撰

見《隋志》。《通志·藝文略》同。

遁甲開山圖一卷　同上

見《舊唐志》。《隋志》不著於録，有榮氏三卷，《通志》從之。《舊志》兼録，榮氏作二卷，合爲三卷，未解何以。

禄命書二卷　同上

見《舊唐志》。《新志》同。

禄命書二十卷　臨孝恭撰

見《隋書》孝恭附傳。《舊唐志》及《通志·藝文略》從之。

神樞靈轄十卷　樂産撰

見《舊唐志》。[①]《新志》同。

五行記五卷　蕭吉撰

見《舊唐志》。《新志》同。奮案《邵亭見知傳本書目》有吉《五行大義》五卷，或即此也。

五姓宅經二十卷　同上

見《新唐志》。奮案《舊志》作二卷，或脱一“十”字。《隋書》吉本傳有《宅經》八卷，無“五姓”二字，疑非一種。

葬經六卷　同上

---

① “見”原脱，據本書體例補。

《隋書》吉本傳云："吉博學多通，尤精陰陽算術，著《葬經》八卷，行於世。"《舊唐志》同，《新志》作二卷，當是脱遺。

葬經二卷　同上

見《舊唐志》。

相經要録二卷　同上

奮案吉本傳作一卷。

地形志八十七卷　庾季才撰

見《隋書》季才本傳。奮案《志》重出，一作八十卷，一作八十七卷。

相經四十卷　來和撰

《隋書》和本傳云："和字弘順，長安人，少好相術，所言多驗，撰《相經》四十卷。"

相手版要决一卷　蕭吉撰

《隋書》吉本傳云："撰《相手版要决》一卷行於世。"《志》有《相手版經》六卷，不著撰人。

太一立成一卷　同上

見《隋書》吉本傳。

太一式經三十卷　臨孝恭撰

見《隋書》孝恭附傳。《新唐志》有二卷，不著撰人。

式經四卷　劉祐撰

見《隋書》祐附傳。

元辰厄一百九卷　臨孝恭撰

見《隋書》孝恭附傳。

三命决三卷　孟遇撰

考評三命决一卷　同上

均見《通志·藝文略》。奮案决當作訣。

驛馬四位法一卷　虞綽撰

見《通志・藝文略》。焦竑《經籍志》同。

洪範五行消息訣一卷　蕭吉撰

見《通志・藝文略》。焦竑《經籍志》同。

九宮五墓一卷　臨孝恭撰

見《隋書》孝恭附傳。

九宮龜經一百一十卷　同上

見《隋書》孝恭附傳。

百怪書十八卷　同上

見《隋書》孝恭附傳。《舊唐志》存一卷，不著撰人。

右五行類，共十一家三十六部五百一十三卷。

醫藥類

帝王養生要方二卷　蕭吉撰

奮案《隋書》吉本傳作《帝王養生方》，《北史》同。

淮南王食經並目百六十五卷　大業中撰。諸葛穎撰

奮案《隋志》不著撰人，《舊唐志》作《食經》一百二十卷，《食經音》十三卷，均諸葛穎撰，《新志》作《食經》一百三十卷，《音》十三卷，《食目》十卷。《諸葛穎傳》僅云："晋王廣素聞其名，引爲參軍事，轉記室。及王爲太子，除藏藥監。"不載撰《食經》事。當爲藏藥監時，與諸人奉敕同修也。

四海類聚方二千六百卷　佚名

《舊唐志》無四海二字，餘同。奮案此亦當爲敕撰，非一人所成。

四海類聚單要方三百卷　楊廣撰

奮案《隋志》不著撰人，《舊唐志》作《四海類聚單方》十六卷，隋煬帝撰。《新志》作煬帝敕譔，當爲一種。或當時厭《類聚方》之繁難，而更爲此《單要方》，以便流行也。

集驗方十二卷　姚僧垣撰

《北史·藝術傳》云:"僧垣醫術高妙,爲當時所推,前後效驗,不可勝紀。聲譽既盛,遠聞邊服,至於諸蕃外域,咸請託之。僧垣乃參校徵效者,爲《集驗方》十二卷行於世。"奮案《隋志》有《集驗方》十二卷,不著撰人,又十卷《注》,僧垣撰,新、舊《唐志》從之,當爲一種。

巢氏諸病源候論五十卷　巢元方撰

見《新唐志》。晁氏《讀書志》曰:"隋巢元方等撰。元方大業中被命與諸醫共論衆病所起之源。"陳氏《書錄解題》曰:"元方,隋太醫博士。其書惟論病證,不載方藥。今按《千金方》諸論,多本此書。"奮案其書今存,業醫者可以參考焉。

産乳志二卷　劉祐撰

見《隋書》劉祐附傳。

藥錄二卷　李密撰

見《隋志》。新、舊《唐志》均不著錄。

本草音義三卷　姚最撰

見《隋志》。《通志·藝文略》同。

妝臺方一卷　宇文士及撰

見《通志·藝文略》。《宋志》作六卷,疑衍。

内經訓解　全元起撰

右醫藥類,共十家十一部三千一百三十七卷,佚名者一家,卷亡者一部存疑。

卷八

類書類

長洲玉鏡二百三十八卷　虞綽撰

《隋書》綽本傳云："綽字士裕，會稽餘姚人，晉王廣引爲學士，大業初轉祕書學士，奉詔與祕書郎虞世南、著作佐郎庾自直等撰《長洲玉鏡》等書十餘部。綽所筆削，帝未嘗不稱善。"奮案《隋志》入雜家類，不著撰人，非。新、舊《唐志》作虞綽等爲是。

北堂書鈔一百七十三卷　虞世南撰

見《舊唐志》。《新志》同。晁氏《讀書志》曰："世南仕隋爲祕書郎時，鈔經史百家之事以備用，分八十部，八百一類。北堂者，省之後堂，世南鈔書之所也，家一百二十卷。"今存。

玄門寶海一百二十卷　諸葛穎撰

見《舊唐志》。《新志》同。奮案《隋志》雜家類不著撰人，注大業中撰，或當時亦係敕撰，非出穎一人之手，所以《穎傳》不載。

編珠五卷　杜公贍撰

見《通志·藝文略》。《邵亭見聞傳本書目》存二卷。《曝書亭集》朱竹垞《杜氏〈編珠〉補序》云："隋安陽令中山杜公贍撰《編珠》四卷，新、舊《唐書志》《經籍》、《藝文》無之，至宋始著於錄。其書流傳特罕，故晁氏《郡齋讀書志》、趙氏《附志》、陳氏《書錄解題》均未之載，而唐宋元群書亦鮮有引之者。是書予獲之中書,①手抄以歸,惜闕其半。"

右類書類,共四家四部五百三十三卷。

雜藝術類

象經一卷　何妥撰

見《舊唐志》。《新志》同。奮案《隋志》入兵家類,作何妥注,非。

小博經一卷　鮑宏撰

見《舊唐志》。《新志》及《通志·藝文略》均同。

博塞經一卷　同上

見《舊唐志》。《新志》同。

續畫品一卷　姚最撰

見《新唐志》。《通志·藝文略》並云:"採謝赫所遺,以及梁朝,凡十七人。"《邵亭知見傳本書目》作陳姚最撰,非。

二儀博經一卷　楊廣撰

奮案新、舊《唐志》均作《二儀簿經》,《通志·藝文略》改正,今從之。

欹器圖三卷　臨孝恭撰

見《隋書》孝恭附傳。奮案《耿詢附傳》云:"煬帝即位進欹器,帝善之。"與此圖當爲一類,因附誌於此。

右雜藝術類,共五家六部八卷。

佛家類

《開元釋教録》云:隋楊氏都大興,自文帝開皇元年辛丑至恭帝義寧二年戊寅,相承三帝三十八年,緇素九人,所出經論及傳録等,總六十四部三百一卷,於中六十二部二

百八十七卷見在,二部一十四卷闕本。奮案各籍所載,當時譯撰,實踰此數,兹録之於下。

發覺浄心經二卷　釋闍那崛多譯

見《衆經目録》。《大唐内典録》同。《開元釋教録》云:"沙門闍那崛多,北賢豆犍陀羅國人,刹帝利種,姓金步。遍通三學,偏明律藏。開皇四年大興善寺曇延等三十餘人,以躬當翻譯,音義乖越,承崛多在北,乃奏請還京。帝乃別敕追延。崛多西歸已絶,流滯十年,深思明世,重遇三寶,忽蒙遠訪,欣願交併,即與使乎,同來入國。尋敕敷譯新至梵本,衆部彌多,或經或書,且内且外,諸有翻經,必以崛多爲主。僉以崛多言識異方,字曉殊俗,故得宣辯自運,不勞傳度,理會義門,句圓詞體,文意粗定,銓本便成,筆受之徒,不費其力。崛多自從西服,來至東華,循歷翻傳,自開皇五年迄仁壽之末,出《護國》等經,總三十九部,合一百九十三卷,並詳括陶冶,理教圓通,文明義結,具流於世。"

護國菩薩經二卷　釋闍那崛多譯

見《大唐内典録》。《衆經目録》作崛多及達磨笈多共譯。

虛空孕菩薩經二卷　同上

見《大唐内典録》。今《大藏經》作《虎空孕菩薩經》,疑誤。

入法界體性經一卷　同上

見《衆經目録》。《大唐内典録》作《入法界經》。

大方等大集經賢護分五卷　同上

見《大藏經》。

大集譬喻王經二卷　同上

見《大藏經》。案《衆經目録》云崛多共僧安及笈多等於大興善寺譯。《大唐内典録》作《譬喻王經》。

四童子經三卷　同上

見《大唐內典錄》。《大藏經》存本作《四童子三集經》。

希有較量功德經一卷　同上

見《眾經目錄》。《大唐內典錄》同。《開元釋教錄》作《希有希有較量功德經》,卷均同。今《大藏經》存本作《佛説希有較量功德經》。

善思童子經二卷　同上

見《眾經目錄》。《大唐內典錄》同。

大威燈光仙人問疑經一卷　同上

見《眾經目錄》。《大唐內典錄》同。《開元釋教錄》云:"沙門道邃筆受,彥琮製序。"

不空羂索經一卷　同上

見《眾經目錄》。《大唐內典錄》作《不空羂索觀世音咒經》。今《大藏經》存本作《不空羂索咒經》。

十二佛名神咒除障滅罪經一卷　同上

見《大唐內典錄》。今《大藏經》存本上多"佛説"二字,卷同。

一向出生菩薩經一卷　同上

見《眾經目錄》。《大唐內典錄》同。今《大藏經》存本上多"佛説"二字。

東方最勝燈王如來經一卷　同上

見《大唐內典錄》。

東方最勝燈王陀羅尼經一卷　同上

見《大藏經》。

如來方便善巧咒經一卷　同上

金剛場陀羅尼經一卷　同上

均見《眾經目錄》。《大唐內典錄》同。

五千五百佛名經八卷　同上

見《大唐內典錄》。今《大藏經》存本作《五千五百佛名神咒除障滅罪經》,卷同。

法炬陀羅尼經十二卷　釋達磨笈多撰

見《衆經目録》。《大唐内典録》同。《續大唐内典録》云:"《大
法炬威德陀羅尼經》,笈多譯於東都上林園翻經館。"今《大藏
經》存本作《大法炬陀羅尼經》二十卷,闍那崛多譯。奮案名
同卷異,或一經兩譯,文字繁簡稍有不同耳。

大威德陀羅尼經二十卷　釋闍那崛多　達磨笈多譯

見《衆經目録》。《續大唐内典録》云闍那崛多譯。今《大藏
經》存本同。

佛本行集經六十卷　釋闍那崛多譯

見《衆經目録》。《大唐内典録》同。《開元釋教録》云僧曇、費
長房、劉憑等筆受。今《大藏經》存本作《佛説行集經》,卷同。

金剛能斷般若波羅密經一卷　釋達磨笈多譯

見《大藏經》。

大方等大集菩薩念佛三昧經十卷　同上

見《大唐内典録》。

妙法蓮華經觀世音菩薩普門品經一卷　釋闍那笈多重頌

見《大藏經》。

妙法蓮華經七卷　釋闍那崛多　達磨笈多譯

見《衆經目録》。云仁壽元年三藏崛多譯。《續大唐内典録》
作達磨笈多譯。今《大藏經》存本作《添品妙法蓮華經》,崛
多、笈多二人譯,卷同。

大乘三聚懺悔經一卷　同上

見《衆經目録》。《大唐内典録》同。

合金光明經八卷　釋寶貴譯

《續大唐内典録》云:"沙門釋寶貴,大興善寺僧也。今涼世法
豐、周朝稱藏、梁時真諦、隋代志德,前後所出共三十四品,分

爲八卷，沙門彥琮重覆勘校，品部究足，始自于斯，文號經王，義稱深妙，願言幽顯，頂戴護持。"今《大藏經》存本作《合部金光明部》，疑有誤。《彙刻書目》作《金光明經》，卷同。

緣生初勝分法本經二卷　釋達磨笈多譯

見《大藏經》。

藥師如來本願經一卷　同上

見《衆經目録》。《大唐内典録》同。今《大藏經》存本上多"佛説"二字，餘均同。

諸法本無經三卷　釋闍那崛多　達磨笈多譯

《衆經目録》云："崛多及笈多於大興善寺譯。"《大唐内典録》同，今《大藏經》存本作《佛説諸法本無經》，闍那崛多譯，卷同。

大莊嚴法門經二卷　釋那連提黎耶舍譯

見《衆經目録》。《續大唐内典録》同。《開元釋教録》云："一名《文殊師利神通力經》，亦名《勝金色光明法女經》，釋智鉉筆受。"

百佛名經一卷　同上

見《衆經目録》。《大唐内典録》同。《開元釋教録》云："有隋御寓，重興三寶，開皇之始，梵經遙應，爰降璽書，請來弘譯。二年七月弟子道密等侍送入京，住大興善寺。其年冬季，草創翻案，敕昭玄統沙門曇延等三十餘人，令對翻傳，後移住廣濟寺。凡於隋代譯經八部，即《大莊嚴法門》、《大集日藏》、《大雲輪》等經是也。並沙門僧琛、明芬、給事李道寶、學士曇皮等僧俗四人，更遞度語，沙門智鉉、道邃、惠獻、僧琨，奉朝請庾質，學士費長房等筆受，昭玄統沙門曇延、昭玄都大興善寺主靈藏等二十餘德，監護始末。至五年冬勘練俱了，並沙門彥琮製序。"

大雲輪請雨經二卷　同上

見《大唐内典録》。《開元釋教録》云："開皇五年正月出,沙門
惠獻筆受。"

德護長者經二卷　同上

見《大唐内典録》。《開元釋教録》云："一名《尸利崛多長者
經》,僧琨筆受。"今《大藏經》存本作《佛説德護長者經》,
卷同。

力莊嚴三昧經三卷　同上

見《衆經目録》。《大唐内典録》同。《開元釋教録》云："學士
費長房筆受,開皇五年十月出。"

蓮華面經二卷　同上

見《大唐内典録》。《開元釋教録》云："開皇四年三月出,惠獻
筆受。"

大方等日藏經十五卷　同上

見《大唐内典録》。《開元釋教録》作《大方等大集口藏經》十
卷,沙門智鉉、費長房等筆受。

申日經一卷　同上

見《續大唐内典録》。

象頭精舍經一卷　釋毗尼多留支譯

見《衆經目録》。《大唐内典録》無卷數。《開元釋教録》云:
"沙門毗尼多流支,北印度烏萇國人。不遠五百由旬,振錫巡
方,來觀感化,至止便召入令翻經。以文帝開皇二年壬寅譯
《方廣總持經》、《象頭精舍經》二部,給事李道寶、般若流支次
子曇皮二人傳語,長安沙門釋法纂筆受爲隋言,並整比文義,
沙門彦琮並皆製序。"今《大藏經》存本上多"佛説"二字,
卷同。

大乘方廣總持經一卷　同上

見《衆經目録》。《續大唐内典録》作《大方廣總持經》。

善恭敬經一卷　釋闍那崛多譯

見《衆經目録》。《大唐内典録》作《善恭敬師經》，《開元釋教録》作《善恭經》，卷均同。

八佛名號經一卷　同上

見《衆經目録》。《大唐内典》及《釋教録》均同。

觀察諸法經四卷　釋闍那崛多　達磨笈多譯

見《衆經目録》。今《大藏經》存本作《觀察諸法行經》，崛多一人譯。

無所有菩薩經四卷　同上

見《衆經目録》。《大唐内典録》同。

月上女經二卷　釋闍那崛多譯

見《衆經目録》。《大唐内典録》同。今《大藏經》存本上多“佛説”二字，餘均同。

出生菩薩心經一卷　釋闍那崛多　達磨笈多譯

見《衆經目録》。《大唐内典録》作《出生菩薩經》，今《大藏經》存本上多“佛説”二字，作闍那崛多一人譯。

諸法最上王經一卷　同上

見《衆經目録》。《大唐内典録》作崛多一人譯，《大藏經》同。

商主天子經一卷　同上

見《衆經目録》。《大唐内典録》作《商主天子問經》，今《大藏經》存本作《商主天子所問經》。

起世經十卷　釋達磨笈多譯

《衆經目録》云：“笈多於東都上林園譯。”《大唐内典録》作《東都起世經》。今《大藏經》存本作釋闍那崛多譯。

起世因本經十卷　同上

見《大藏經目録》。

業報差別經一卷　釋瞿曇法智撰

《大唐内典録》無卷數。《開元釋教録》云："開皇二年三月譯，房云與《罪業報應經》大同小異者，全乖也。"見長房《録》及《續高僧傳》。又云："法智姓瞿曇氏，即般若流友之長子也。成都沙門智鉉筆受文詞，銓序義體，趙郡沙門彦琮製序。"又云："隋受周禪，梵牒即來，敕召智還，使掌翻譯。智即妙善隋、梵二言，執本自翻，無勞傳度，以開皇二年壬寅譯《業報差別經》一部。"今《大藏經》存本作《佛爲首迦長者説業報差別經》。《彙刻書目》作《佛説業報差經》。

堅固女經一卷　釋那連提黎耶舍譯

見《衆經目録》。《大唐内典録》無卷數。今《大藏經》存本上多"佛説"二字。

移識經二卷　釋闍那崛多　達磨笈多譯

見《衆經目録》。《開元釋教録》云："費長房筆受。"《續大唐内典録》作崛多一人譯。

大方等善住意天子所問經四卷　釋達磨笈多譯

見《衆經目録》，《大唐内典録》同。

諸佛護念經十卷　釋闍那崛多譯

見《大唐内典録》。《開元釋教録》云佚。

佛華嚴入如來不思議境界經一卷　同上

見《衆經目録》。《大唐内典録》作二卷。

大方等頂王經一卷　同上

見《衆經目録》。《續大唐内典録》同。

大集賢護菩薩經六卷　同上

見《大唐内典録》。

聖善住天子所問經四卷　同上

見《大唐内典録》。《開元釋教録》云佚。

大乘頂王經一卷　同上

見《衆經目録》。《續大唐内典録》同。

文殊尸利行經一卷　釋闍那崛多譯

見《大唐内典録》。

哀泣經二卷　釋闍那崛多　達磨笈多譯

見同上。

大方等大雲請雨經一卷　同上

見《衆經目録》。《大唐内典録》無卷數，《續大唐内典録》作崛多譯。

緣生經二卷　釋三藏達磨崛多譯

見《大唐内典録》。《續大唐内典録》作笈多譯。奮案闍那崛多，諸經典亦作三藏闍那崛多，達磨笈多亦作笈多，亦作達磨，或此經仍爲崛多、笈多二人共譯，而《内典録》簡略稱之耳。

攝大乘論釋十卷　釋達磨笈多　沙門行矩等譯

見《大唐内典録》。今《大藏經》存本作《攝大乘論釋論》。

菩提資量論六卷　釋達磨笈多譯

見《大唐内典録》。

緣生論一卷　同上

見《大唐内典録》。今《大藏經》存本同。

浄土十疑論一卷　智者大師説

見《大藏經目録》。《彙刻書目》作智顗撰，當即智者大師也。

金剛般若論二卷　釋達磨笈多譯

《衆經目録》云譯於東京上林園，《大唐内典録》同。

攝大乘論十卷　同上

見《衆經目録》。

佛性論一卷 相州前定國寺沙門。**釋法上撰**

見《大唐内典録》。

通命論二卷　徐同卿撰

《大唐内典録》云:"晉王府祭酒徐同卿以爲儒教亦有三世因果之義,但以文言隱密,理致幽微,先賢由來,未所辨立,卿今備引經史正文,會通命運,歸於因果,意欲發顯儒教,旨宗助佛,宣揚導達,群品咸奔一趣,斯蓋博識,能洞此玄云。"

翻經法式論十卷　翻經學士。**釋明則撰**

見《大唐内典録》。《續大唐内典録》作《翻經法式》。

傷學論一卷　舍衛寺沙門。**釋慧影撰**

存廢論一卷　同上

厭修論一卷　同上

均見《續大唐内典録》。

通極論一卷　釋彦琮撰

辯教論一卷　同上

辯正論一卷　同上

通學論一卷　同上

陶神論十卷　釋靈裕撰

《隋志》有《陶神論》五卷,不著撰人,不知是否一種。

因果論二卷　同上

安民論十二卷　同上

均見《大唐内典録》。

觀心論疏五卷　釋灌頂撰

見《大藏經目録》。

崇正論六卷　釋彦琮撰

見《新唐志》。

法華三昧懺儀一卷　釋智顗譯

法華玄義釋籤會本十卷　智者大師説　門人灌頂記

法華文句記會本三十卷　同上

修習止觀坐禪法要一卷　釋智顗述①

大般涅經玄義二卷　釋灌頂撰

凡僧六行法四十餘卷　釋道正撰

方等三昧行法一卷　智者大師説　門人灌頂記

法界次第初門三卷　智者大師撰

釋禪波羅密次第法門十卷　智者大師説　弟子法慎記　灌頂
　再治

四教義六卷　釋智顗撰

觀音玄義二卷　智者大師説　門人灌頂記

金光明經玄義二卷　同上②

摩訶止觀輔行會本　自一之一至十之二。同上

大般涅槃經疏三十三卷　章安頂法師撰

　《彙刻書目》作三十四卷。

金剛般若經疏一卷　智者大師説

菩薩戒義疏二卷　智者大師説　門人灌頂記

觀世音經疏二卷　同上

請觀音經疏一卷　同上

佛説觀無量壽佛經疏一卷　同上

　《彙刻書目》無“佛説”二字。

仁王護國般若經疏五卷　同上

　均見《大藏經目録》。

增一數四十卷　相州前定國寺沙門。**釋法上撰**

　見《大唐内典録》。

---

① 　此條下文重出,作“二卷”。

② 　此條下文重出,題“釋智顗撰”。

述智論解二十四卷　舍衛寺沙門。**釋慧影撰**

圓頓止觀十卷　天召山修禪寺沙門。**釋智顗撰**

禪波羅密門十卷　同上

維摩經疏三十卷　同上

法華玄十卷　同上

法華疏十卷　同上

小止觀二卷　同上

六妙門　同上

三觀義　同上

四教義　同上

覺義三昧　同上

四悉檀義　同上

如來壽量義　同上

法華三昧　同上

法界次第章三卷　同上

觀心論　同上

大方等行法　同上

般舟證相行法　同上

請觀音行法　同上

南岳思禪師傳　同上

　　均見《續大唐內典錄》，云："智顗所撰《觀論傳》等共八十
　　七卷。"

眾經法式十卷　開皇十五年文帝敕令有司撰。

　　見《大唐內典錄》。

四念處四卷　智者大師說　門人灌頂記

　　見《大藏經目錄》。《彙刻書目》同。

論場三十一卷　釋僧琨撰

見《大唐內典録》。

善財童子諸知識録一卷　釋彦琮撰

見《大唐內典録》。《續大唐內典録》作《善財録》。

天臺八教大意一卷　釋灌頂撰

國清百録四卷　同上

均見《大藏經目録》。

衆經録二卷　釋法上撰

見《大唐內典録》。

塔寺記一卷　釋靈裕撰

見《大唐內典録》。《續內典録》云"並寺誥"，卷同。《太平御覽‧服用部》引之曰："謝尚夢其父告之曰：'西南有氣至，衝人必死，勿當其鋒，見塔寺可穰，未暇立寺，可杖頭刻作塔形，見有氣來指之。'尚如其言，置杖左右，果有黑氣衝尚家，尚以杖指之，氣即回散，闔門獲全，氣所經處數里，無復孑遺。"

十法記一卷　同上

聖迹記二卷　同上

經法東流記一卷　一作《佛法東行記》。**同上**

僧尼制一卷　同上

昭玄十德記一卷　同上

諸寺碑銘三卷　翻經學士。**釋明則撰**

均見《大唐內典録》。

新譯經序一卷　釋彦琮撰

見《大唐內典録》。《續內典録》作《諸新經序》，卷同。

沙門不拜俗議六卷　同上集

見《新唐志》。《大唐內典録》云："琮名顯兩代，參譯二朝，東都立館，掌録經典。煬帝著令僧拜俗官，琮不忍此，著論陳列，前引東晉慧遠門不敬王者，後解維摩法華。權宜非是化

體,廣陳出處之迹,嚴陵周光之徒,高竪三寶之儀,崇尚歸敬
之本,文極賅贍,衢路顯然。

福田論二卷　同上

見《新唐志》。《大唐内典録》無卷數。

僧官論　同上

見《大唐内典録》。

金光明經玄義二卷　釋智顗撰①

金光明經文句五卷　同上

均見《彙刻書目》。

**釋摩訶般若波羅密經覺意三昧一卷　智者大師説　弟子灌
頂記**

見《大藏經目録》。《彙刻書目》作智顗撰,一卷。

十種大乘論　釋僧粲撰

見《大唐内典録》。

法華玄宗二十卷　柳顧撰

《隋書》晉本傳云:"仁壽初晉王引爲東宮學士,甚見親待,每召
入卧内,與之宴謔,以其好内典,令撰《法華玄宗》爲二十卷,
奏之,太子覽而大悦。"

開皇三寶録十五卷　翻經學士。費長房撰

見《大唐内典録》。《續内典録》云:"一卷總目,二卷入藏,三
卷帝年,九卷代録。"《隋志》入"雜家"作《歷代三寶記》三卷,
《新唐志》從之,注云:"長房成都人,隋翻經學士。"《通志·藝
文略》同。《宋志》首多"開皇"二字,卷仍同。焦竑《經籍志》
從《内典録》作十五卷。

續名僧記一卷　明克讓撰

---

①　此條重出。

見《隋書》克讓本傳。

序内法一卷　翻經學士。**釋行矩撰**

内訓一卷　同上

均見《大唐内典録》。

法訓三卷　同上

四念觀處　**釋灌頂撰**

天臺山國清寺百録五卷　同上

金光明行法　同上

修禪證相口訣　同上

均見《續大唐内典録》。

外内傍通比較數法　翻經學士。**涇陽劉憑撰**

《大唐内典録》云："憑内外學數術徧工，每以前代翻經，筭數比較術法，頗有不同，故爲斯演。其序略云：'世之道藝，有淺有深，人之禀學，有疏有密。故尋筭之用也，則兼該大衍，其不思也，則致惑三隅。然華夏數法，自有三等之差，天竺所陳，何無異端之例；然先譯經，並以大千稱爲百億言，一由旬爲四十里，依諸筭計，悉不相合，竊疑翻傳之日，彼此異音，指麾之際，於斯取失，故録衆經筭數之法，與華夏對參，十十變之，傍通對衍，庶擬翻譯之次，執而辯惑，既參經語，故附此録。'"

修習止觀坐禪法要二卷　**釋智顗撰**[①]

見《彙刻書目》。

國法道場百録一卷　**釋灌頂撰**

見《宋志》。《通志·藝文略》同。

大小乘幽微十四卷　**蕭歸撰**

---

① 此條重出。

《隋書》歸本傳云："撰《大小乘幽微》十四卷行於世。"

摩訶止觀二十卷　釋智顗撰

見《彙刻書目》。

天臺止觀一卷　釋智顗禪師撰

見《通志・藝文略》。

天臺智者大師禪門口訣一卷　佚名

見《大藏經目錄》。

玄門寶海一百二十卷　佚名

《隋志》入雜家類,注云："大業中撰。"

西域志十卷　釋彥琮撰

見《大唐內典錄》。

華嚴十地維摩纘義章十三卷　釋慧覺撰

見《新唐志》,注云："姓范氏,武德人。"

雜心玄文三十卷　釋慧淨撰

見《新唐志》,注云："姓房,隋國子博士徽遠從子。"

天臺智者詞旨一卷　釋灌頂私記

天臺智者義記一卷　同上

均見《通志・藝文略》。

天臺智者別傳二卷　釋灌頂撰

見《彙刻目錄》。《續大唐內典錄》無卷數。今《大藏經》存本作一卷。

俱舍論文疏三十卷　釋慧覺撰

見《新唐志》。

京師寺塔記十卷　劉璆撰

見《通志・藝文略》。

對根起行雜錄集三十六卷 真寂寺沙門。**釋信行撰**

《大唐內典錄》云："信行魏人,少而落髮,博綜群經。"

三階位別録集四卷　同上

見同上。

那連提黎耶舍傳　釋彦琮撰

見《開元釋教録》。

杭州真觀法師別傳　釋灌頂撰

見《續大唐内典録》。

達磨笈多傳四卷　釋彦琮撰

見《大唐内典録》。

奮案近刊《古今人名大辭》引靈裕、僧粲、本濟、劉世清、智脱、曇遷、道成、道莊、覺朗、曇延、智騫等均有撰著,[①]但言之不詳,無從引據,待考詳增補。

右佛家類,共二十九家一百七十九部,一千一百零一卷,卷亡者二十一部,佚名者二家。

凡子部共一百一十一家,三百一十四部,六千二百七十卷。

---

① "辭"後當補"典"字。

卷九

集部第四

集之類有三：一曰別集類，二曰總集類，三曰詩文評類。

別集類

煬帝集五十五卷

見《隋志》。又《文學傳》云：“煬帝初習藝文，有非輕側之論，暨乎即位，一變其風。其《與越公書》、《建東都詔》、《冬至受朝詩》及《擬飲馬長城窟》，並存雅體，歸於典制。雖意在驕淫，而詞無浮蕩，故當時綴文之士，遂得依而取正焉。”又《柳䛒傳》云：“晋王好文雅，每有文什，必令䛒潤色，然後示人。嘗朝京師，还作《歸藩賦》，命䛒爲序，詞甚典麗。初，王屬文，爲庾信體，及見䛒已後，文體遂變。”又《諸葛穎傳》云：“帝常贈穎詩，其卒章曰：參翰長洲苑，侍講蕭成門，名理窮研覈，英華恣討論。實錄資平允，傳芳導後昆。”又《庾自直傳》云：“帝有篇章，必先示自直，令其詆訶。自直所難，帝輒改之，或至於再三，俟其稱善，然後方出。”又《王胄傳》云：“帝常自東都還京師，賜天下大酺，因爲五言詩，詔胄和之。帝覽而善之，因謂侍臣曰：‘氣致高遠歸之於胄，詞清體潤其在世基，意密理新推庾自直。過此者未可以言詩也。’帝所有篇什，多令繼和。”《新唐志》存五十卷。

王祐集一卷

見《隋志》。

武陽太守盧思道集三十卷

《隋書》思道傳云："思道字子行，范陽人。師事河間邢子才。周武平齊，赴長安，與同輩陽休之等數人作《聽蟬鳴篇》，思道所爲，詞意清切，爲時人所重。新野庾信徧覽諸同作者，而深歎美之。高祖爲丞相，遷武陽太守，非其好也，作《孤鴻賦》以寄其情，又著《勞生論》，指切當時。有集三十卷行於時。"新、舊《唐志》均作二十卷。

司隸大夫薛道衡集七十卷

《隋書》道衡傳云："道衡字玄卿，河東汾陰人。年十三講《左氏傳》，見子產相鄭之功，作《國僑贊》，頗有詞致。與范陽盧思道、安平李德林齊名友善。每至構文，必隱坐空齋，蹋壁而臥，聞户外有人便怒。有集七十卷行於世。"《高構傳》云："河東薛道衡才高當世，每稱構有清鑒，所爲文筆，必先以草呈構，而後出之。構有所詆訶，道衡未嘗不嗟伏。"《志》作三十卷，新、舊《唐志》從之，《通志》存《詩集》一卷，凡十九篇。

蜀王府記室辛德源集三十卷

見《隋志》。德源本傳云："德源沉静好學，年十四解屬文。高祖受禪，隱於林慮山，鬱鬱不得志，著《幽居賦》以自寄。蜀王秀聞其名而引之，居數歲奏以爲掾。後轉諮議參軍，卒官。有集二十卷。"《北史·辛雄傳》同。新、舊《唐志》均從《志》作三十卷。

太尉楊素集十卷

見《隋志》。素本傳云："素字處道，弘農華陰人。與安定牛弘同志好學，研精不倦，多所通涉，善屬文，工草隸。嘗以五言詩七百字贈番州刺史薛道衡，詞氣宏拔，風韻秀上，亦爲一時盛作。未幾而卒，道衡歎曰：'人之將死，其言也善，豈若是乎。'有集十卷。"

殷英童集三十卷

見《舊唐志》。《新志》同。

懷州刺史李德林集八十卷

《隋書》德林傳云："德林字公輔，博陵安平人。善屬文，辭覈而理暢。嘗撰《春思賦》，代稱典麗。在齊世，杜臺卿上《世祖武成皇帝頌》，齊主以爲未盡善，令和士開以頌示德林。宣旨云：'臺卿此文，未當朕意，以卿有大才，須敘盛德。即宣速作，急進本也。'德林乃上頌十六章並序，武成覽而善之。高祖即位，德林以梁士彥及元諧之徒頻有遞意，大江之南，抗衡上國，乃著《天命論》。德林既少有才名，重以貴顯，凡製文章，動行於世，或有不知者，謂爲古人焉。所撰文集，勒成八十卷，遭亂亡失，見五十卷行於世。"《志》作十卷，當續有遺失。

吏部尚書牛弘集十三卷

《隋書·牛弘傳》云："弘在周爲納言上士，專掌文翰，甚有美稱。開皇初以典籍遺逸，曾上《請開獻書之路表》，又上議請依古制修立明堂。性寬厚，篤志於學，雖職務繁雜，書不釋手。有文集十三卷行於世。"《志》作十二卷，《新唐志》從之。

和州刺史陽休之集三十卷[①]

見《北史·陽尼傳》。

國子祭酒何妥集十卷

《隋書》何妥本傳云："文集十卷行於世。"《志》同。

---

① "三十"，中華本《北史》作"四十"。

祕書監柳𢘟集十卷

《隋書》𢘟本傳云："𢘟爲晉王諮議參軍,王好文雅,招引才學之士,諸葛穎、虞世南、王胄、朱瑒等百餘人以充學士,而𢘟爲之冠。煬帝嗣位,拜祕書監,有集十卷行於世。"《志》作五卷,新、舊《唐志》作《柳顧言集》,仍爲十卷。

著作郎魏彦深集三十卷

《隋書》彦深傳云："澹字彦深,專精好學,博涉經史,善屬文,詞采贍逸。有文集三十卷行於世。"《志》作三卷,《新唐志》作四卷。

魏彦深注庾信哀江南賦一卷

《隋書》彦深傳云："高祖受禪,为太子舍人,數年遷著作郎,仍爲太子學士。太子勇深禮遇之,屢加優錫,令注《庾信集》。"

金州刺史李元操集二十卷

《隋書‧李孝貞傳》云："孝貞字元操,趙郡柏人人也。簡静,不妄通賓客,與從兄儀曹郎中騷、太子舍人季節、博陵崔子武、范陽盧詢祖爲斷金之交。與内史李德林參典文翰,然孝貞無幹劇之用,頗稱不理,上譴怒之,敕御史劾其事,由是出爲金州刺史,卒官。所著文集二十卷行於世。"《志》作十卷,《新唐志》作二十二卷,疑衍。

北絳郡開國公姚察集二十卷

見《新唐志》。

著作郎杜臺卿集十五卷

《隋書》臺卿傳云："臺卿少好學,解屬文。開皇初被徵入朝,十四年上表請致仕,敕以本官還第,數載終於家。有集十五卷行於世。"

學士顏之推文集三十卷

見《北齊書》之推傳。

均州刺史鮑宏文集十卷

《隋書・鮑宏傳》云："宏字潤身，東海郯人也，年十二能屬文。嘗和湘東王繹詩，繹嗟賞不已，引爲中記室。高祖受禪加開府，除利州刺史，進爵爲公，轉邛州刺史。後授均州刺史，以目疾免，卒於家，時年九十六。有集十卷行於世。"《北史》同。

內史侍郎蕭大圓集二十卷

見《北史・大圓傳》。

著作郎諸葛穎集二十卷

《隋書・諸葛穎傳》云："穎八歲能屬文。侯景之亂奔齊，待詔文林館，歷大學博士、太子舍人。煬帝即位遷著作郎，甚見親倖，出入臥內。後從駕北巡，卒於道，年七十七。有集二十卷行於世。"《志》作十四卷。

學士劉臻文集十卷

《隋書・劉臻傳》云："臻字宜摯，沛國相人也。初爲宇文護中外府記室，軍書羽檄，多成其手。高祖受禪，進位儀同三司。左僕射高熲之伐陳也，以臻隨軍，典文翰。太子勇引爲學士。開皇十八年卒，年七十二。有集十卷行於世。"

國子博士王頍集十卷

《隋書・王頍傳》云："頍解綴文，善談論，好讀諸子，偏記異書，當代稱爲博物。開皇五年授著作佐郎，尋令於國子講授。會高祖親臨釋奠，國子祭酒元善講《孝經》，頍與相論難，詞義鋒起，善往往見屈。高祖大奇之，起授國子博士。年五十四卒。有集十卷，因兵亂無復存者。"

齊王文學孫萬壽集十卷

《隋書》萬壽傳云："萬壽字仙期，信都武强人。年十四就阜城熊安生受五經，略通大義，兼博涉子史，善屬文，美談笑，高祖

受禪,滕穆王引爲文學,曾典宇文述軍書,鬱鬱不得志,爲五
言詩贈京師知友,見《隋書》本傳。仁壽初徵拜豫章王長史,非其
好也,王轉封于齊,即爲齊王文學,有集十卷行於世。"

黄冠子李播集三卷

見《舊唐志》。《新志》同。

開府江總集三十卷　後集二卷

見《隋志》。新、舊《唐志》作二十卷。

秀才王孝逸文集三十三卷

《隋書·王貞傳》曰:"貞字孝逸,梁郡陳留人也,少聰敏,七歲
好學,善《毛詩》、《禮記》、《左氏傳》、《周易》,諸子百家無不畢
覽。善屬文詞,不治產業,每以諷讀爲娛。開皇初,舉秀才。
煬帝即位,齊王暕鎮江都,聞其名,以書召之。及貞至,王以
客禮待之,索文集,貞啟謝曰:'孝逸生於戰爭之季,長於風塵
之世,學無半古,才不逮人。往屬休明,才陰已昃,雖居可封
之屋,每懷貧賤之恥。適鄢郢而迷塗,入邯鄲而失步,歸來反
覆,心灰遂寒。豈謂橫議過實,虚塵睿覽,枉高車以載鼳,費
明珠以彈雀,遂得裹糧三月,重高門之餘地,背淮千里,望章
臺之後塵。與懸藜而並肆,將駿驥而同阜,終朝擊缶,匪黄鍾
之所諧,日暮却行,何前人之能及。顧想平生,觸塗多感,但
以積年沈痼,遺忘日久,拙思所存,纔成三十三卷。'王覽所上
集,善之,賜良馬四匹。貞復上《江都賦》。"

著作佐郎庾自直文集十卷

《隋書》自直傳云:"自直潁川人。少好學,沈静寡慾。大業初
授著作佐郎,解屬文,於五言詩尤善。後以本官知起居舍人
事。化及作逆,以之北上,自載露車中,感激發病卒。有文集
十卷行於世。"

著作郎王胄集十卷

見《隋志》。新、舊《唐志》同。《隋書》胄本傳僅云："胄字承基，少有逸才。以文詞爲煬帝所重，其《和煬帝賜天下大酺詩》曰：'河洛稱朝市，崤函實奧區。周營曲阜作，漢建奉春謨。大君苞二代，皇居盛二都。招搖正東指，天駟迺西驅。展軨齊玉軑，式道耀金吾。千門駐罕罼，四達儼車徒。是節春之暮，神皋華實敷。皇情感時物，睿思屬枌榆。詔問百年老，恩隆五日酺。小人荷鎔鑄，何由答大鑪。'與虞綽齊名，同志友善，于時後進之士咸以二人爲準的。禮部尚書楊玄感虛襟與交，數遊其第。及玄感敗，與虞綽俱徙邊，胄遂亡匿，潛還江左，爲吏所捕，坐誅，時年五十六。所著詞賦，多行於世。"

劉興宗集三卷

見《舊唐志》。《新志》同。

明克讓集二十卷

見《隋書》克讓本傳。

顏之儀集十卷

見《周書》之儀本傳。

光禄大夫虞茂世集五卷

見《新唐志》。《舊志》作茂代，餘同。《隋書》世基傳曰："世基字茂世，會稽餘姚人也。博學有高才，兼善草隸。在陳曾作《講武賦》。陳滅歸國，爲通直，[①]直内史省。貧無産業，每傭書養親，怏怏不平，當爲五言詩以見意，情理悽切。世以爲工，作者莫不吟詠。"

漢王記室尹式集五卷

見《新唐志》。《隋書》式本傳云："河間尹式博學善屬文，少有

---

① 據中華本《隋書》，"直"字下當補"郎"字。

令問。仁壽中官至漢王記室,王敗,自殺。"

記室參軍蕭慤集九卷

見《隋志》。《新唐志》同。

顧覽集五卷

見《新唐志》。

貝州刺史蕭圓肅集十卷

見《北史》。①

蕭歸司空蕭欣文集三十卷

宇文㢸著辭賦二十餘萬言

見《隋書》㢸傳。

范迪文集

見《周書》。

傅淮文集

見《周書》。

劉子政母祖氏集九卷

見《隋志》。

劉臻妻陳氏集五卷

見《新唐志》。《太平御覽·時序部》引《陳氏正旦獻椒花頌》
曰:"昊穹周廻,三朝肇建,青陽散暉,澄景載煥。美此靈莖,
爰採爰獻,聖容曖曖,永壽於萬。"

翻經學士釋明則別集十卷

《大唐内典録》云:"明則本冀人,生知挺秀,文彩之盛,聞於鄉
曲。初未之齒也,及製《覺觀音寺碑》,楚公楊素見而重之。
追入京室,預參傳譯,述作銘、頌、論、序等,備于別集。"《新唐

---

①　"見",原脱,據本書體例補。

志》釋集類有《亡名集》十卷，或即此也。

釋靈裕別集八卷

見《大唐內典錄》。《新唐志》作二卷，當遺逸也。

右別集類，凡四十四家四十五部七百八十二卷。

　　　　　　　　　　　　　隋代藝文輯證卷九終

卷十

總集類

文選音義十卷　蕭該撰

《隋志》作《文選音》三卷。《何妥附傳》云："該撰《文選音義》，爲當時所貴。"《新唐志》從《隋志》，但作十卷，必有所據。

文章始一卷　姚察撰

見《隋志》。

霸朝雜集五卷　李德林撰

見《新唐志》。《隋志》作《霸朝集》三卷。《德林傳》云："開皇五年，敕令撰録作相時文翰，勒成五卷，謂之《霸朝雜集》。序其事曰：'竊以陽烏垂曜，微藿傾心，神龍騰舉，飛雲觸石。聖人在上，幽顯冥符，故稱比屋可封，萬物斯覿。臣皇基草創，便豫驅馳，遂得參可封之民，爲萬物之一。其爲嘉慶，固以多矣。若夫帝臣王佐，應運挺生，接踵於朝，諒有之矣。而班爾之妙，曲木變容，朱藍所染，素絲改色。二十二臣，功成盡美，二十八將，效力於時。種德積善，豈皆比於稷、契，計功稱伐，非悉類於耿、賈。書契已還，立言立事，質非殆庶，何世無之。蓋上禀睿后，旁資群傑，牧商鄙賤，屠釣幽微，化爲王侯，皆由此也。有教無類，童子羞於霸功，見德思齊，狂夫成於聖業。治世多士，亦因此焉。煙霧可依，騰蛇與蛟龍俱遠，栖息有所，蒼蠅同騏驥之速。因人成事，其功不難，自此而談，雖非上智，事受命之主，委質爲臣，遇高世之才，連官接席，皆可以翊亮天地，流名鍾鼎，何必蒼頡造書，伊尹制命，公旦操筆，老聘爲吏，方可敘帝王之事、談人鬼之謀乎？至若臣者，本慚寶實，非勳非德，厠軒冕之流，無學無才，處藝文之職。若不逢休運，非遇天恩，光大含弘，博約文禮，萬官百辟，才悉兼人，收拙閭里，退仕鄉邑，不種東陵之瓜，豈遇南陽之掾，安得出入閨闥之闈，趨走太微之庭，履天子之階，侍聖皇之側，樞機帷幄，沾及榮寵者也。昔歲木行將季，諒闇在辰，火運肇興，群官總已。有周典八柄之所，大隋納百揆之日，兩朝文翰，臣兼掌之。時溥天之下，三方構亂，軍國多務，朝夕填委，簿領紛紜，羽書交錯，或速均發弩，或事大滔天，或日有萬幾，或幾有萬事。皇帝內明外順，經營區宇，吐無窮之術，運不測之神，幽贊兩儀，財成萬類。咨謀臺閣，曉喻公卿，訓率土之濱，責反常之賊。三軍奉律，戰勝攻取之方，萬國承風，安上治民之道。讓受終之禮，報群臣之令，有憲章古昔者矣，有隨事作故者矣。千變萬化，譬彼懸河，寸陰尺日，不棄光景。大則天壤不遺，小則毫毛無失。遠尋三古，未聞者盡聞，逖聽百王，未見者皆見。發言吐論，即成文章，臣染翰操牘，書記而已。昔放勳之化，老人覩而未知，孔丘之言，弟子聞而不達。愚情稟聖，多必乖舛。加以奏閣趨墀，盈懷滿袖，手披目閱，堆案積几。心無別慮，筆不蹔停，或畢景忘餐，或連宵不寐，以勤補拙，不遑自處。其有詞理疏謬，遺漏闕疑，皆天旨訓誘，神筆改定。運籌建策，通幽達冥，從命者獲安，違命者悉禍。懸測萬里，指期來事，常如目見，固乃神知。變大亂而致太平，易可誅而爲淳粹，化成道洽，其在人文，盡出聖懷，用成典誥，並非臣意所能至此。伯禹矢謨，成湯陳誓，漢光數行之札，魏武《接要》之書，濟時拯物，無以加也。屬神器大寶，將遷明德，天道人心，同謨歸往。周靜南面，每詔褒揚，在位諸公，各陳本志，璽書表奏，群情賜委。臣寰海之內，忝曰一民，樂趨

之誠,切於黎獻,欣然從命,輒不敢辭。比夫潘勗之册魏王,
阮籍之勸晋后,道高前世,才謝往人,内手捫心,夙宵慚惕。
檄書露板,及以諸文,有臣所作之,有臣潤色之。唯是愚思,
所奏定者,①雖詞乖黼藻,而理歸霸德,文有可忽,事不可遺。
前奉敕旨,集納麗以還,至於受命文筆,當時制述,條目甚多,
今日收撰,略爲五卷云爾。'"

皇朝詔集九卷　　佚名

見《隋志》。

類文三百七十七卷　　庾自直撰

見《新唐志》。《宋志》作三百六十二卷。

七悟一卷　　顏之推撰

見《隋志》。《新唐志》作《七悟集》,卷同。

文海集三十六卷　　蕭圓肅撰

見《北史》。② 奮案《新唐志》作蕭圓撰,非,今從傳改正。

類集一百一十三卷　　虞綽等撰

見《新唐志》。奮案綽傳云與虞世南、庾自直等撰《長洲玉鏡》
等書十餘部,當有《類集》在内。

續古今詩苑英華集二十卷　　釋惠浄撰

見《新唐志》。

諫苑四十卷　　樂運撰③

見《周書·顏之儀傳》。《北史·王軌附傳》作四十一卷。

古今類聚詩苑三十卷　　劉孝孫撰

見《新唐志》。焦竑《經籍志》同。

祝文一部　　辛彥之撰

《隋書》彥之傳云:"彥之撰《祝文》一部行於世。"《志》不著録。

---

① "所",中華本《隋書》作"非"。

② "見",原脱,據本書體例補。

③ 此條重出,又見於子部儒家類。

文選音義　<small>卷亡。</small>**曹憲撰**

見《新唐志》。

皇朝陳事詔十三卷　佚名

梁魏周齊陳皇朝聘使雜啟九卷　佚名

均見《隋志》。舊案上二種《隋志》均不著撰人,題"皇朝"等字,當係隋人無疑。

稽聖賦一卷　<small>李淳風注。</small>**顏之推撰**

見《新唐志》。

興衰要論七篇　王隆撰

見杜淹《文中子世家》。

竹花賦　蕭大圓撰

見《古今圖書集成》。

述志賦　于宣敏撰

《隋書·于義傳》云:"宣敏常以盛滿之誠,昔賢所重,每懷靜退,著《述志賦》以見其志焉。"

零陵賦　楊溫撰

《隋書·滕穆王瓚傳》云:"楊猛弟溫,字明籧,初徙零陵。溫好學解屬文,既而作《零陵賦》以自寄,其辭哀思,帝見而怒之,轉徙南海。"

神雀頌　許善心撰

《隋書》善心傳云:"開皇十六年有神雀降於含章闥,高祖召百官賜醮,告以此瑞。善心於座請紙筆,製《神雀頌》。"

重穀論　李諤撰

《隋書·李諤傳》云:"諤字士恢,好學解屬文。高祖爲丞相,甚見親待,訪以得失。于時兵革屢動,國用虛耗,諤上《重穀論》以諷焉。"

登壠賦　郎茂撰

《隋書·郎茂傳》:"茂與其弟楚之徙且末郡,在途作《登壠賦》以自慰,詞義可觀。"

太平頌　陸知命撰

《隋書》知命傳云:"時見天下統一,知命勸高祖都洛陽,因上《太平頌》以諷焉。"

刺史箴　何妥撰

《隋書·何妥傳》云:"開皇六年妥出爲龍州刺史,時有負笈遊學者,妥皆爲講説教授之。爲《刺史箴》,勒于州門外。"

撫夷論　劉炫撰

《隋書·劉炫傳》云:"開皇之末,國家殷盛,朝野皆以遼東爲意。炫以爲遼東不可伐,作《撫夷論》以諷焉。當時莫有悟者,及大業之季,三征不克,炫言方驗。"

大鳥銘　虞綽撰

《隋書·虞綽傳》云:"綽從征遼東,帝舍臨海頓,見大鳥,異之,詔綽爲銘。帝覽而善之,命有司勒於海上。"

白鸚鵡賦　杜正玄撰

《隋書》正玄傳云:"林邑獻白鸚鵡,素促召正玄,使者相望。及至,即令作賦。正玄倉卒之際,援筆立成。素見文不加點,始異之。因令更擬雜文筆十餘條,又皆立成,而辭理華贍,素乃嘆曰:'此真秀才,吾不及也。'"

兄弟論　常得志撰

《隋書》得志傳云:"京兆常得志,博學善屬文。過故宮,爲五言詩,辭理悲壯,甚爲時人所重。復爲《兄弟論》,義理可稱。"

刑罰論　李士謙撰

見《隋書》士謙傳。

刑名論　崔廓撰

《隋書·崔廓傳》云:"廓嘗著論,言刑名之理,其義甚精。"

觀我生賦　顏之推撰

徐則讚　柳誓撰

《隋書·徐則傳》云："則靈化，晉王聞而異之，遣畫工圖其狀貌，令柳誓爲之讚。"

右總集類，共二十七家十六部六百七十五卷三十三篇，卷亡者二部，佚名者三家待考。

詩文評類

文類四卷　明克讓撰

見《隋書》克讓傳。

文章體式　卷亡。杜正藏撰

《隋書·杜正玄傳》云："弟正藏字爲善，尤好學，善屬文。大業中學業該通，應詔舉秀才。著碑誄銘頌詩賦百餘篇，又著《文章體式》，大爲後進所寶，時人號爲'文軌'，乃至海外高麗、百濟，亦共傳習，稱爲《杜氏新書》。"

右詩文評類，共二家二部四卷，卷亡者一部待考。

凡集部共七十三家六十三部一千四百六十一卷三十三篇。

附録

三十六科鬼神感應等大義九卷　何妥　沈重撰

　　見《隋書·何妥傳》。

承聖降録十卷　裴政撰

　　見《隋書·裴政傳》。

寓記三卷　蕭大圓撰

要決二卷　同上

　　均見《北史》大圓傳。

張仲讓著書十卷

　　《隋書·馬光傳》云：“開皇初，高祖徵山東義學之士，光與張
　　仲讓、孔籠、竇士榮、張黑奴、劉祖仁等俱至，並授太學博士，
　　時人號爲‘六儒’。然皆鄙野無儀範，朝廷不之貴也，士榮尋
　　病死。仲讓未幾告歸鄉里，著書十卷，自云‘此書若奏，我必
　　爲宰相’。又數言玄象事。州縣列上其狀，竟坐誅。”

　　奮案右五部三十四卷，《隋》、《唐志》均不著于録，各傳僅題其
　　名，而不言其所載何事，其性質無從辨別也，姑附於此，留待
　　異日考訂。

隋代藝文志

李正奮　撰

陳錦春　整理

凡例

一、本書以隋人著述為限。

(1)凡周、齊、陳人降隋,嘗受隋一職一爵,而卒於開皇以後者,不問周、齊、陳各史有傳無傳,即以隋人論。

(2)凡其人確已仕隋,隋亡然後降唐,嘗受唐室職爵者,不問《唐書》有傳無傳,即以唐人論。

(3)凡《隋書》有傳,而《唐書》亦有傳者,則僅採其在隋時之著述,餘不錄。

一、凡見《隋書·經籍志》及本傳者,均不著所出。有異同者,附注於下。

一、凡卷數互異者,以多為斷,少則以缺論。採之他籍者仿此。

一、凡有卷數者,著卷數,無卷然後著篇數,篇、卷均無者闕疑。

經部第一

經之類十:一曰易,二曰書,三曰詩,四曰禮,五曰樂,六曰春秋,七曰孝經,八曰論語,九曰經總,十曰小學。

易類

周易講疏十三卷 《北史》作三卷。**何妥撰**

讚易十卷 見《經義考》。**王通撰**

周易義記 **蕭歸撰**

歸正易十卷 **劉祐撰**

連山十卷 見《通志略》。**劉炫撰**

　《北史》炫本傳:"開皇中,牛弘奏購求天下遺逸之書,炫遂僞造書百餘卷,題為《連山易》、《魯史記》等,錄上送官,取賞而去。"

孔子馬頭易卜書一卷 見《北史·藝術傳》。**臨孝恭撰**

　右易類,共六家,六部,四十四卷。卷亡者一部,存疑。

書類

尚書述義二十卷 **劉炫撰**

尚書義疏二十卷 見《舊唐志》。**劉焯撰**

古文尚書疏二十卷 《志》作二卷,無"古文"二字。**顧彪撰**

古文尚書音義五卷 見《舊唐志》。**顧彪撰**

今文尚書音一卷 **同上**

大傳音三卷 **同上**

尚書文外義一卷 《舊唐志》作三十卷,《新志》作五卷。**同上**

尚書注 **王孝籍撰**

右尚書類，共四家，八部，七十卷。卷亡者一部，存疑。

詩類

毛詩述義四十卷　《舊志》作三十卷。**劉炫撰**

毛詩義疏二十八卷　**沈重撰**

　　唐陸德明曰："吳興沈重撰《詩音義》。"

毛詩義疏　**劉焯撰**

毛詩音義二卷　見《舊唐志》。**魯世達撰**

毛詩章句義疏四十一卷　《志》作四十卷。**同上**

毛詩注并音八卷　**同上**

毛詩集小序注一卷　傳作《詩序注》。**劉炫撰**

毛詩譜二卷太叔求　**劉炫注**

毛詩音二卷　見《北史》本傳。**沈重撰**

詩注　**王孝籍撰**

　　右詩類，共六家，十部，一百二十四卷。卷亡者二部，存疑。

禮類

周官禮義疏四十卷　《北史》作三十一卷。**沈重撰**

周禮音一卷　見《北史》。**同上**

儀禮義疏三十五卷　同上。**同上**

儀禮音一卷　同上。**同上**

禮記義疏四十卷　《北史》作三十五卷。**同上**

禮記文外大義二卷　**褚暉撰**

禮記音二卷　見《北史》。**沈重撰**

禮疏一百卷　**褚暉撰**

明堂圖議二卷　**宇文愷撰**

喪服義三卷　**張冲撰**

喪服經義五卷　見《北史》。沈重撰

江都集禮一百二十卷　潘徽等撰

禮論十卷　見《經義考》。王通撰

禮論鈔二十卷　庾蔚之撰

禮問答六卷　同上

古禮疏　見《直齋書錄解題》。李孟悊撰

　　右禮類,共九家,十六部,三百八十七卷。卷亡者一部,存疑。

樂類

樂論一卷　蕭吉撰

樂要一卷　何妥撰

樂律義四卷　沈重撰

鍾律五卷　見《舊唐志》。同上

樂府聲調六卷　鄭譯撰

樂府聲調三卷　同上

樂府歌辭八卷　見《新唐志》。同上

樂譜集二十卷　傳作十二卷。《唐志》作《集解》。蕭吉撰

樂府志十卷　見《唐志》。蘇　虁撰

　　《蘇威傳》:“虁字伯尼,小聰敏,著《樂志》十五篇以見志。”

樂譜六十四卷　萬寶常撰

大隋總典簿一卷

　　右樂類,共六家,十一部,一百二十三卷。佚名者一家,存疑。

春秋類

春秋左氏傳述義四十卷　《舊唐志》作三十七卷,《崇文總目》作三十九卷。劉炫撰

春秋左傳杜預序集解一卷　同上

春秋攻昧十卷　《舊志》作十二卷。**同上**

春秋規過三卷　見《舊志》。**同上**

春秋義囊二卷　見《宋志》。**同上**

春秋述義略一卷　**同上**

春秋三傳集注三十卷　辛德源撰

春秋義略　張冲撰

冲傳云："冲字叔玄，覃思經典，撰《春秋義略》，異於杜氏七十餘事。"

右春秋類，共三家，八部，八十七卷。卷亡者一部，存疑。

孝經類

孝經述義五卷　劉炫撰

孝經義疏三卷　《經義考》作二卷。何妥撰

孝經義疏一部　明克讓撰

孝經義三卷　張冲撰

孝經義記　蕭歸撰

孝經義記　見《經義考》。**釋靈裕撰**

孝經訓注一卷　見《王函山房輯佚書》。**魏真已撰**

孝經注　見《經義考》。**宇文義撰**

右孝經類，共八家，八部，十二卷。卷亡者四部，存疑。

論語類

論語述義十卷　《唐志》作二十卷。劉炫撰

論語章句二十卷　見《舊唐志》。**同上**

論語義十卷　張冲撰

右論語類，共二家，三部，四十卷。

經總類

五經正名十二卷　劉炫撰

五經大義三卷　何妥撰

五經大義三十卷　王頠撰

五經異義一部　辛彥之撰

五經述議　劉焯撰

　右經總類，共五家，五部，四十五卷。卷亡者二部，存疑。

小學類

桂苑珠叢一百卷　見《舊志》。諸葛穎撰①

四聲指歸一卷　劉善經撰

文字指歸一卷　曹憲撰

博雅十卷　同上

古今字圖雜録一卷　同上

爾雅音義二卷　見《唐志》。同上

俗語雜字一卷　王劭撰

雜字要三卷　李少通撰

今字辨疑三卷　同上

廣韻五卷　見晁氏《志》。陸法言撰

　陳振孫氏曰：“開皇初，有劉臻等八人，同詣法言，共爲撰集，長孫訥言爲之箋注。”

韻纂三十卷　潘徽撰

　右小學類，共七家，十一部，一百五十七卷。

　凡經類八十五部，一千零八十九卷。

---

①　據中華書局點校本《隋書》，“諸葛穎”之“穎”當作“潁”，下同。

史部第二

史之類十有三：一曰正史，二曰編年，三曰霸史，四曰雜史，五曰起居注，六曰故事，七曰傳記，八曰職官，九曰儀注，十曰譜系，十一曰刑法，十二曰簿錄，十三曰地理。

正史類

漢書音義十二卷　蕭該撰

漢書刊繁三十卷　于仲文撰

前漢書義十二卷　張冲撰

漢書音十二卷　《舊志》作《音義》。包愷撰

范漢音三卷　蕭該撰

後魏書一百卷　《新志》作一百七卷。魏澹撰

周史十八卷　未成。唐令狐德棻因之以成書。牛弘撰

梁書七十卷　許善心撰

北齊書二十四卷　未成。見《通志》。李德林撰

齊書紀傳百卷　記高氏事。王劭撰

隋書八十卷　未成。《通志》作六十卷。同上

　右正史類，共九家，十一部，四百六十一卷。

編年類

魏記十二卷　記元氏事。魏澹撰

齊誌二十卷　《志》作《齊志》十卷。《通志》作《北齊志》。王劭撰

齊紀三十卷　記高氏事，見《榮毗傳》。榮建緒撰

　右編年類，共三家，三部，六十二卷。

覇史類

齊記二十卷 杜臺卿撰

梁昭後略十卷 見《舊志》。**姚最撰**

右覇史類，共二家，二部，三十卷。

雜史類

淮海亂雜志四卷[①] 見《北史》本傳。**蕭圓肅撰**

案《隋志》作蕭世怡撰，《唐志》作蕭大圓撰，均誤。

八代四科志三十卷 見《崔廓傳》。**崔賾撰**

古今帝代記一卷 明克讓撰

帝王世紀音四卷 虞綽撰

右雜史類，共四家，四部，三十九卷。

起居注類

開皇起居注六十卷 《唐志》有《元年起居注》六卷。

《唐六典》注曰："漢獻帝及西晉以後諸帝，皆有起居注，並史官所録。隋置為職員，列為侍臣，專掌其事，每季為卷，送付史官。"

右起居注類，一部，六十卷。

故事類

梁魏舊事三十卷 見《新志》。**蕭大圓撰**

東宮典記七十卷 見《陸爽傳》。**宇文愷撰**

---

① "雜"，原作"雜"，據武英殿本《北史》、《隋書·經籍志》、《舊唐書·經籍志》、《新唐書·藝文志》改。

鄴都故事十卷　見《新志》。**裴矩撰**

開業平陳記十二卷　見《新志》。《隋志》作二十卷，不著撰人。《崇文總目》稱臣悦撰，姓闕。**同上**

大業拾遺十卷　見《崇文總目》。晁氏《志》作《大業雜記》。**杜寶撰**

　右故事類，共四家，五部，一百三十二卷。

傳記類

知己傳一卷　盧思道撰

酬德傳三十卷　劉善經撰

元經薛氏傳十五卷　見晁氏《志》。《直齋書錄解題》入編年類。**王通撰**

巡撫揚州記七卷　《志》列地理類。《舊志》"撫"作"總"。**諸葛穎撰**

北伐記七卷　《志》入地理類。**同上**

晉王北伐記十五卷　同上

平賊記三卷　王劭撰

東征記　見《崔廓傳》。**崔賾撰**

西征記　見《太平寰宇記》。**盧思道撰**

鑾駕北巡記三卷　諸葛穎撰

幸江都道里記一卷　同上

旌異記十五卷　見《唐志》。**侯白撰**

　《陸爽傳》："白字君素，好學，有捷才，楊素甚狎之。高祖聞其　名，召與語，甚悦之，令於秘書修國史。"

舍利感應記三卷　王劭撰

符瑞記十卷　許善心撰

靈異記十卷　許善心　崔祖濬撰

粧台記六卷　見《宋志》醫藥類。**宇文士及撰**

　右傳記類，共十一家，十六部，一百二十六卷。卷亡者二部，　存疑。

職官類

六官一部　辛彥之撰

隋官序録十二卷 見《新志》。**郎楚之撰**

　　右職官類,共二家,二部,十二卷。卷亡者一部,存疑。

儀注類

隋朝儀禮一百卷　牛弘撰

隋吉禮五十四卷 見《舊志》。**高熲等撰**

隋書禮七卷 同上。**同上**

禮要一部　辛彥之撰

新禮一部　同上

封禪書一卷　何妥撰

婚姻志三卷　劉祐撰

士喪儀注五卷 見《北史》本傳。**蕭大圓撰**

　　右儀注類,共六家,八部,一百七十卷。卷亡者二部,存疑。

譜系類

皇室譜三篇　鮑宏撰

　　宏傳:"宏字潤身,東海郯人。高祖受禪,除利州刺史,後授均
　　州刺史,以目疾免,卒於家。初周武帝勅修《皇室譜》一部,分
　　為《帝緒》、《疎屬》、《賜姓》三篇,行於世。"

諸劉譜三十卷　劉善經撰

爾朱氏家傳二卷 《新志》入雜傳記類。**王劭撰**

何氏家傳二卷 同上。**何妥撰**

述系傳一卷　姚最撰

韋氏譜七卷　韋鼎撰

右譜系類,共六家,六部,四十二卷、三篇。

刑法類

隋律十二卷　見《唐志》。**高熲撰**

大業律十八卷　《志》作十一卷,兹從《唐志》。

隋開皇令三十卷　《目》一卷,見《新志》。《舊志》作裴正撰。**牛弘等撰**

大業令三十卷

右刑法類,共二家,四部,九十卷。佚名者二家,存疑。

簿錄類

開皇四年四部書目錄四卷　見《舊志》。**牛弘等撰**

開皇八年四部書目錄四卷

開皇二十年書目四卷　見《唐志》。**王劭撰**

大業正御書目錄九卷

寶台四法藏目錄一百卷　《志》入子部雜家類,大業中撰。

七林　　　　　許善心撰

隋衆經目錄四卷　見《彙刻書目》。**釋法經撰**

右簿錄類,共四家,七部,一百二十五卷。卷亡者一部,佚名者三家,存疑。

地理類

隋區宇圖志六百卷　《志》作一百二十九卷,不著撰人。《舊志》作百二十八卷,題虞茂撰。**虞世基　許善心等撰**

《崔廓傳》:"崔賾受詔與諸儒撰,共計二百五十卷,奏之,帝不善之,更令虞世基、許善心衍為六百卷。"

隋諸州圖經集一百卷　郎茂撰

隋諸郡土俗物産記一百五十一卷　《唐志》存十九卷。

方物志二十卷　許善心撰

西域圖記三卷　裴矩撰

東都圖記二十卷　宇文愷撰

洛陽古今記一卷　諸葛穎撰

并州總管内諸州圖一卷

諸蕃國記十七卷

赤土國記二卷　見《唐志》。常駿等撰

西域道里記一卷

高麗風俗一卷　見《舊志》。裴矩撰

大隋翻經婆羅門法師外國傳五卷

行記三卷　見《周書》本傳。姚僧坦撰

述行記二卷　見《舊志》。姚最撰

　　案姚氏父子初雖仕周，後皆仕隋，又均卒於開皇以後，其爲隋人，自無疑義。而史家傳之《周書》，未免失當。

右地理類，共九家，十五部，九百二十七卷。佚名者五家，存疑。

凡史類八十四部，二千二百七十六卷。

子部第三

子之類十有四：一曰儒家，二曰法家，三曰兵家，四曰道家，五曰農家，六曰雜家，七曰小説，八曰天文，九曰曆數，十曰五行，十一曰醫藥，十二曰類書，十三曰藝術，十四曰佛家。

儒家類

揚子法言注二十三卷　辛德源撰

中説五卷　見《唐志》。**王通撰**

文中子十卷　見《宋志》。**王通門人集**

讀書記三十二卷　見《唐志》。**王劭撰**

墳典一部　辛彦之撰

内訓二十卷　見《唐志》。**辛德源　王劭撰**

右儒家類，共五家，六部，九十卷。卷亡者一部，存疑。

法家類

治道集十卷　見《舊志》。**李文博撰**

《文博傳》："博陵李文博，性貞介鯁直，好學不倦……本爲經學，後讀史書，於諸子及論，尤所該洽。性長議論，亦善屬文，著《治道集》十卷，大行於世。"

五經析疑三十卷　《志》入論語類，作二十八卷。**邯鄲綽撰**

案《新唐志》列李文博《治道集》後，尹知章《管子注》前，則綽爲隋人無疑。

右法家類，共二家，二部，四十卷。

兵家類

金海四十七卷 見《舊志》。傳作三十卷,《北史》同。**蕭吉撰**

金韜十卷　劉祐撰

　《北史》祐本傳:"祐,滎陽人,[①]開皇初,為大都督,奉詔撰兵書十卷,名曰《金韜》,上善之。"

陰策二十二卷 傳作二十卷。**同上**

戰略二十六卷　趙焭撰

象經一卷　何妥撰

新授兵書三十卷 見《唐志》。**楊堅撰**

孫子注一卷 見《崇文總目》。**蕭吉撰**

右兵家類,共五家,七部,一百三十七卷。

道家類

莊子義疏四卷　何妥撰

道言五十二篇 見《張羨傳》。**張羨撰**

龍虎通元要訣一卷 見晁氏《志》。**蘇元朗撰**

右道家類,共三家,三部,五卷、五十二篇。

農家類

玉燭寶典十二卷 見《新志》。**杜台卿撰**

馬名録二卷　諸葛穎撰

相馬經六十卷 見《舊志》。**同上**

種植法七十七卷 見《新志》。**同上**

荆楚歲時記二卷 見《舊志》雜家類。**杜公瞻撰**

---

① "滎"原誤作"榮",據中華書局標點本《北史》改。

右農家類，共三家，五部，一百五十三卷。

雜家類

諸書要略一卷　魏澹撰

正訓二十卷　傳作《政訓》，《志》不著撰人。辛德源撰

皇隋靈感誌三十卷　《舊志》作十卷，《新志》入小説類。王劭撰

　　劭本傳云：“劭字君懋，太原晉陽人，採民間歌謠，引圖書讖
　　緯，依約符命，捃摭佛經，撰為《靈感誌》，奏之。”

皇隋瑞文十四卷　見《新志》。許善心撰

洽聞志七卷　見《崔廓傳》。崔賾撰

事始三卷　見《舊志》。劉孝孫撰

右雜家類，共六家，六部，七十五卷。

小説家類

酒孝經一卷　見《新志》。劉炫撰

啟顏録十卷　同上。侯白撰

笑苑辭林集　魏澹撰

右小説家類，共三家，三部，十一卷。卷亡者一部，存疑。

天文類

靈台秘苑一百二十卷　《志》作百十五卷。庾季才撰

垂形志一百四十八卷　傳作百四十二卷，《志》不著撰人。同上

稽極十卷　劉焯撰

地動銅儀鏡一卷　臨孝恭撰

觀台飛候六卷　劉祐撰

玄象要記五卷　同上

右天文類，共四家，六部，二百九十卷。

曆數類

曆書十卷　劉焯撰

皇極曆一卷　見《唐志》。同上

律曆術文一卷　見《北史》本傳。劉祐撰

四時立成法一卷　同上。同上

安曆志十二卷　同上。同上

曆術一卷　張撰

開皇曆一卷　見《舊志》。劉孝孫撰

開皇曆一卷　同上。李德林撰

玄曆術一卷　張胄撰

大業曆一卷　見《舊志》。同上

元辰經十卷　臨孝恭撰

元辰厄一百九卷　同上

開皇七曜年曆一卷

仁壽二年七曜曆一卷

七曜曆疏三卷　見《舊志》。張胄撰

七曜曆經四卷　張賓撰

七曜雜術三卷　見《新志》。劉孝孫撰

九章雜算文二卷　見《舊志》。劉祐撰

算術一卷　劉炫撰

右曆數類,共八家,十九部,一百六十四卷。佚名者二家,存疑。

五行類

風角鳥情二卷　臨孝恭撰

鳥情占一卷　耿詢撰

太一立成一卷　蕭吉撰

太一式經三十卷　臨孝恭撰

九宮龜經一百十卷　同上

九宮五墓一卷　同上

遁甲月令十卷　同上

遁甲立成法一卷　同上

陽遁甲用局法一卷　同上

地形志八十七卷　《志》作八十卷。庾季才撰

相經四十卷　《北史》本傳作三十卷。來和撰

相經要錄一卷　蕭吉撰

相手版要訣一卷　同上

五姓宅經二十卷　同上

宅經八卷　同上

葬經六卷　同上

五行記五卷　同上

五行大義五卷　見《知不足齋叢書》。同上

祿命書二十卷　臨孝恭撰

右五行類，共五家，十九部，三百五十卷。

醫藥類

帝王養生要方二卷　傳無"要"字。蕭吉撰

藥錄二卷　李密撰

淮南王食經一百三十卷　《舊志》作百二十卷。諸葛穎撰

淮南王食經音十三卷　《舊志》同。同上

淮南王食目十卷　同上

　案《隋志》有《淮南食經并目》百六十五卷，不著撰人，僅注"大業中撰"，疑與此為一種，不復著錄。

四海類聚方二千六百卷　《志》不著撰人，《舊志》同。

四海類聚單方十六卷 《舊志》不著撰人，《新志》題"煬帝敕撰"。

案此二種性質相同，當均為煬帝勅撰，單方乃類聚方之簡本也。

集驗方十卷　姚僧坦撰

巢氏病源候論五十卷 見《新志》。**巢元方撰**

陳振孫氏曰："元方，隋太醫博士，其書惟論病證，不載方藥。"

玉房秘訣十卷 同上。**沖和子撰**

案《隋志》作九卷，上有"新撰"二字，當為隋人所撰無疑。

產乳志二卷　劉祐撰

右醫藥類，共七家，十一部，二千八百四十五卷。

類書類

長洲玉鏡二百三十卷　虞綽撰

案《隋志》不著撰人，《舊志》作一百三十八卷。

玄門寶海一百二十卷 見《舊志》。**諸葛穎撰**

右類書類，共二家，二部，三百五十卷。

藝術類

欹器圖三卷　臨孝恭撰

百怪書十八卷　同上

小博經一卷 見《新志》。**鮑宏撰**

博塞經一卷 見《舊志》。**同上**

二儀簿經一卷 同上。**楊廣撰**

象經一卷 同上。**何妥撰**

右藝術類，共四家，六部，二十五卷。

佛家類

大小乘幽微十四卷　蕭歸撰

法華玄宗二十卷　柳䀗撰

歷代三寶記三卷　見《新志》。費長房撰

續名僧記一卷　明克讓撰

金光明經八卷　見《彙刻書目》。以下二十二部均同。**釋寶貴等譯**

金光明經玄義二卷　釋智顗撰

金光明經文句五卷　同上

大般涅槃經疏三十四卷　釋灌頂撰

觀心論疏五卷　同上

請觀音經疏一卷　釋智顗撰

菩薩戒義疏二卷　同上

觀無量壽佛經疏一卷　同上

仁王護國般若經疏五卷　同上

金剛般若經疏一卷　同上

觀音玄義二卷　同上

觀音義疏二卷　同上

大般涅槃經玄義二卷　釋灌頂　唐釋湛然撰

天臺八教大意一卷　釋灌頂撰

天臺智者大師別傳二卷　同上

釋禪波羅密次第法門十卷　釋智顗撰

法界次第初門三卷　同上

修習止觀坐禪法要二卷　同上

釋摩訶般若波羅密經覺意三昧一卷　同上

摩訶止觀二十卷　同上

四念處四卷　同上

浄土十疑論一卷　同上

佛説業報差別經　釋瞿曇法智譯

右佛家類，共八家，二十七部，一百五十二卷。卷亡者一部，存疑。

凡子部共一百二十二部，四千六百八十七卷。

集部第四

集之類有三：一曰別集，二曰總集，三曰詩文評。

別集類

煬帝集五十五卷　《新志》作五十卷。

殷英童集三十卷　見《舊志》。

王祐集一卷

武陽太守盧思道集三十卷　《唐志》作二十卷。

金州刺史李元操集二十卷　《志》作十卷。

內史侍郎蕭大圜文集二十卷　見《北史》本傳。

蜀王府記室辛德源集三十卷　傳作二十卷。

太尉楊素集十卷

劉臻集十卷

劉臻妻陳氏集五卷　見《新志》。

懷州刺史李德林集八十卷　《志》作十卷。

吏部尚書牛弘集十三卷　《志》作十二卷。

司隸大夫薛道衡集七十卷　《志》作三十卷。
　　《通考》存《詩集》一卷，凡十九篇。

國子祭酒何妥集十卷

李播集三卷　見《唐志》。

祕書監柳𪾢集十卷　《志》作五卷，《唐志》作《柳顧言集》。
　　柳𪾢本傳："𪾢字顧言，本河東人，永嘉之亂，徙家襄陽。仁壽
　　初，為東宮學士。煬帝嗣位，拜祕書監。"

王貞集三十三卷

開府江總集三十卷　《唐志》作二十卷。

江總後集二卷

孫萬壽集十卷

記室參軍蕭愨集九卷

貝州刺史蕭圓肅集十卷　見《北史》本傳。

王頍集十卷

著作郎魏澹集三十卷　《志》作《魏彥深集》三卷,《唐志》作四卷。

　　魏澹本傳:“澹字彥深,高祖受禪,出為行台禮部侍郎,數年遷
　　著作郎。”

著作郎諸葛穎集二十卷　《志》作十四卷。

著作郎王胄集十卷

劉子政母祖氏集九卷

尹式集五卷　見《新志》。

虞茂世集五卷　見《新志》。《舊志》作“茂代”。

劉興宗集三卷　見《唐志》。

明克讓集二十卷

庾自直集十卷

杜台卿集十五卷

顏之儀集十卷　見《周書》本傳。

鮑宏集十卷

右別集類,共三十四家,三十五部,六百四十八卷。

總集類

祝文一部　辛彥之撰

文選音義十卷　《志》作《文選音》。蕭該撰

類集一百一十三卷　虞綽等撰

諫苑四十卷　見《周書·顏儀傳》。樂運撰

類文三百六十二卷　見《宋志》。庾自直撰

文海四十卷 <small>見《北史》本傳。</small> **蕭圓肅撰**

廣埢十卷 <small>同上。</small> **同上**

右總集類，共六家，七部，五百七十五卷。卷亡者一部，存疑。

詩文評類

文軌　杜正藏撰

《杜正玄傳》："正藏，字為善，好學，善屬文。大業中，舉秀才，著碑、誄、銘、頌、詩、賦百餘篇。又著《文章體式》，大為後進所寶，時人號為《文軌》。乃至海外高麗、百濟，亦共傳習，稱為'杜家新書'。"

文類四卷　明克讓撰

右詩文評類，共二家，二部，四卷。卷亡者一部，存疑。

凡集部共四十四部，一千二百二十七卷。

凡經、史、子、集四部，共三百三十五部，九千二百七十九卷。

附錄

略覽二十卷　于仲文撰

承聖降錄十卷　裴政撰

釋疑一卷　宇文愷撰

式經四卷 <small>見《北史》本傳。</small> **劉祐撰**

三十六科鬼神感應等大義九卷　何妥　沈重撰

寓記三卷 <small>見《北史》本傳。</small> **蕭大圓撰**

要決二卷 <small>同上。</small> **同上**

以上七種，流傳甚尟，性質如何，茫然莫辨，姑附於此，留俟異日考訂。

二十五史藝文經籍志考補萃編總目